KB061185

절망 위에 세우신 소망의 나라

느헤미야 강해 설교

그리스도인들은 그 책의 사람들, 바로 성경의 사람들입니다. 성경에만 권위를 두고, 성경대로 살며, 성경에 자신을 계시하신 삼위 하나님만을 예배하고 사랑합니다. 이에 **그 책의 사람들**은 하나님께만 영광 돌리고, 하나님의 나라와 교회의 번영과 행복을 위해 성경에 충실한 도서들만을 독자들에게 전하겠습니다.

출판사 서문

코로나19 팬데믹 아래, 이전처럼 마음껏 하나님을 예배할 수 없게 되었습니다. 매주 기뻐하고 감사하면서 예배했던 것 같은데, 지금 생각해 보니 그 기쁨과 감사가 충분하지 않았던 것 같습니다. 저만이 아닐 것입니다. 하나님을 예배하는 일에 타는 목마름을 가진 모든 성도가 어떤 모습으로 예배하든, 어디에서 예배하든 하나님을 예배할 수 있다는 자체만으로도 크게 기뻐하고 감사하고 있습니다.

한편으로 우리는, 이 상황을 대단히 슬퍼하고 있습니다. 어떤 대상에는 분노를 쏟아 내기까지 합니다.

왜 이렇게 되었을까? 어쩌다가 이렇게 되었을까? 왜 이 지경까지 오게 되었을까?

때로는 목사와 같은 지도자들에게, 때로는 "네 이웃을 네 자신과 같이 사랑하라."는 말씀을 무시한 채 배려 없이 행동한 동료 성도들에게 매우 불편한 마음이 생깁니다.

이런 상황에서 우리는 무엇을 할 수 있을까? 아니 무엇을 해야 할까?

고민하던 중, 작년에 들었던 느헤미야 강해 설교가 떠올랐습니다. 스무 편의 설교를 모두 모아 출력한 후 읽기 시작했습니다.

작년에도 매주 설교를 들으며 아내와 얘기를 많이 나눴던 기억이 납니다. 그때도 매주 하나님께서 깨닫게 해 주시고, 순종하게 하시는 은혜를 많이 경험했었습니다. 하지만 또 달랐습니다. 이번에는 훨씬 더 큰 감동이 있었습니다. 훨씬 더 깊이 깨달았습니다. 탄식이 나오고 눈물이 흘렀습니다. 멈추지 않고 스무 번째 설교까지 다 읽었습니다. 하나님께 감사를 드렸습니다.

하나님께서는 작년에도 말씀하셨고, 올해도 계속해서 말씀하고 계셨습니다. 느헤미야서는 그 당시 그들에게도 의미가 있었지만, 오늘을 사는 우리에게도 필요한 말씀입니다.

하나님의 성전이 훼손당하고, 하나님 나라의 성벽이 무너졌을 때, 모든 대적이 공격할 기회만 찾고, 여러 모략을 동원해 괴롭힐 때, 교회는 어떻게 해야 할까요? 당장 헐벗고 굶주린 가운데 있는 우리가 가장 먼저 마음에 두어야 하는 일은 무엇일까요? 많은 것을 이미 잃었고, 또 이제 잃을 상황에 있는데, 이런 절망 가운데서 우리에게 가장 필요한 것은 무엇일까요? 하나님께서는 당신의 나라를, 그리스도의 교회를 어떻게 회복하시고 일으키시나요? 하나님의 뜻은 무엇일까요? 우리에게 무엇을 요구하시나요? 우리에게 무엇을 약속하시나요? 아니, 소망이 있나요?

> 무엇이든지 전에 기록한 바는 우리의 교훈을 위하여 기록된 것이니 우리로 하여금 인내로 또는 성경의 안위로 소망을 가지게 함이니라_롬 15:4

네, 하나님께서는 이미 말씀하셨습니다.

느헤미야서는 이 모든 것에 대해 충분히, 넘치도록 대답합니다.

저만이 아니라 교회 성도들도 이 설교 시리즈를 다시 읽는다면 큰 위로를 받으리라 생각했습니다. 성도님들도 저처럼 회개하고, 또 마음을 굳게 하리라 생각했습니다. 그러나 제가 뭘 할 필요가 없었습니다. 비슷한 시기에 이미 여러 성도님이 이 설교 시리즈를 찾아 읽고 묵상하고 있었던 것입니다.

독자 여러분께도 꼭 소개하고픈 마음에, 자신은 한 번도 생각해 본 적이 없다고, 자신은 부족한 게 많다고 말씀하시는 목사님께 무겁게 말씀드렸습니다.

그리고 이제 이렇게 여러분께 소개해 드리게 되었습니다. 하나님께서 이 책을 읽는 모든 독자분께 광교장로교회 성도들이 받은 은혜를 똑같이, 더 넘치도록 베풀어 주시길 원합니다.

한재술 올림

저자 서문

저는 제가 책을 쓸 수 있다고 생각하지 않았습니다. 더군다나 제가 전한 설교를 모아 책으로 만드는 일은 상상조차 해본 적이 없습니다. 이제 목사로 임직한 지 3년이 조금 넘었고, 매 주일 설교원고를 완성해내는 것조차 버거운 목사이기 때문입니다. 주일마다, 지푸라기 같은 설교지만, 그 가운데 은혜를 베푸시는 하나님만 의지하며 힘겹게 설교단에 오르는 부족한 목사이기 때문입니다.

이런 이유로 한재술 성도님의 전화를 받고 많이 당황했습니다. 이성호 교수님의 책들이 성도님의 간곡한 부탁으로 출판되었다는 것을 알고 있었습니다. 그래서 전화를 받는 순간부터 아무런 변명이 떠오르지 않았습니다. 정말 당황스러웠습니다.

일단 당회원분들에게 허락받아야 한다고 말씀드렸습니다. 그러고 나서 허락을 기다리는 동안 저도 찬찬히 느헤미야서 강해 설교문을 다시 꺼내어 읽어 내려가기 시작했습니다.

제가 섬기는 광교장로교회는 2019년의 표어를 '하나님 나라를 소망하는 교회'로 삼았습니다. 이에 맞춰 여러 성경 본문을 성도님들께 전했습니다. 느헤미야 강해 설교도 그때 함께 전해졌습니다. 신약의 마지막 때를 살아가고 있는 우리가 구약의 마지막 시기를 다룬 느헤미야서를 통해 하나님 나라를 배우고 소망할 수 있기를 바랐습니다. 느헤미야서는 하나님의 나라라 불리던 이스라엘이 망하고, 이방인에 의해 성전과 예루살렘 성벽이 모두 파괴된 이후, 무너진 성전과 성벽을 재건하며 하나님의 나라를 회복했던 이야기를 담고 있기 때문이었습니다. 에스라와 느헤미야의 사명이 오늘날 교회가 소망해야 할 내용이라고 생각해 전했던 설교들입니다.

하나의 책으로 여겨지는 에스라서와 느헤미야서 가운데 특별히 느헤미야서에 집중한 것은 우리 교회가 더욱 집중해야 할 과제가 느헤미야서에 있다고 보았기 때문입니다. 광교장로교회는 바른 예배가 사라져 가는 황폐한 이 땅 가운데 우리가 드리고 싶은 예배, 우리에게 편한 예배가 아니라 삼위 하나님이 원하시는 예배가 무엇인지를 고민하고 기도하며 오늘에 이르렀습니다. 그 고민의 결과로 종교개혁자들의 성경해석에 따라 정립하여 모범으로 제시된 예배 순서를 따르고 있습니다. 예배의 주인이시며 예배의 유일한 대상이신 성부, 성자, 성령 삼위 하나님의 이름을 예배 내내 부릅니다. 공교회의 신앙고백(사도신경, 니케아신경)으로 우리가 특별한 교회가 아니라 보편적인 교회임을 고백하고 있습니다. 순수한 복음을 전파하려고 몸부림치고 있습니다. 우리가 즐기는 노래가 아닌 성령님께서 영감하신 시편을 노래하며 하나님을 찬송합니다. 또한 예수 그리스도의 명령을 받들어 매주 성찬을 시행합니다. 이 만찬을 거룩하게 보호하기 위하여 당회는 신중하게 회원을 받고 있습니다. 오늘날 참된 예배를 찾아보기 힘든 현실 가운데, 에스라를 통해 성전을 회복하셨던 삼위 하나님께서 우리 교회에 예배의 회복을 선물로 주셨고, 저희는 그 은혜로 기쁨과 평안을 누리고 있습니다.

그러나 성전의 회복은, 예배의 회복은 끝이 아닙니다. 느헤미야서가 전해주는 바와 같이 쌓아야 할 성벽이 남아 있습니다. 그래서 안으로는 회복된 예배를 보호하며, 밖으로는 하나님 나라의 영광스러운 완성을 위하여 움직이고 일하며 나아가야 한다는 소망을 품게 되었습니다. 예배에서 누리는 평안에 안주하지 말고, 교회에 주신 사명에 신실하게 반응하고자 느헤미야서를 펼쳐 강해하기 시작하였습니다. 이것이 당시에 강해 설교를 시작한 이유였습니다.

1년이 지난 지금 설교문을 다시 읽으니 감회가 새로웠습니다. 한 해 만에 상황이 많이 변해버린 탓이 큽니다. 인-코로나(in-Covid19) 시대를 지나며 일어난 여러 사건 가운데, 하나님의 이름이 온 세상 사람들에게 짓밟히는 일을 목도하고 있습니다. 정말로 폐허처럼 되어버린 교회의 현실을 보고 있습니다. '하나님의 영광이 떠나버리신 것 같은 이가봇의 시대 가운데 교회는 무엇을 소망하고 기도해야 할까?' 앞이 캄캄한 우리와 달리, 말씀은 이미 밝히 길을 제시하고 있었습니다. 지푸라기 같았던 설교문에서 삼위 하나님의 은혜의 흔적을 발견하며 감사하고 또 죄송하여 기도하게 되었습니다.

곧 당회원들께서 흔쾌히 허락해 주셨습니다. 새벽까지 읽으며 탄식하고 놀랐으며, 기도했다는 한재술 성도님의 메시지를 읽었습니다. 더는 물러설 곳이 없었습니다. 출판을 위해 설교문을 고치고 입글을 말글로 다듬으면서, 그 누구보다 광교장로교회 성도님들이 떠올랐습니다. 성찬을 그칠 수밖에 없고, 공예배조차 제대로 드리지 못하고, 교제의 한계에 직면한 가운데 우리의 연약함이 드러나고 있습니다. 성도님들께 다시 한번 마음 다해 권고합니다. 이 책을 읽으시는 모든 성도님께도 같은 마음으로 권고드립니다. 선 줄로 알았던 우리의 교만을 깨닫고 다시 말씀의 은혜를 붙들며 저와 같이 회개하시기를 바랍니다. 그리고 말씀이 주는 위로와 격려를 받으며 세상의 따가운 시선을 이겨내시기를 바랍니다. 계속 함께 하나님 나라를 소망하며 교회를 세워가시기를 소망합니다.

이 책의 설교들은 광교장로교회 성도를 위하여 선포된 말씀이기에, 삼위 하나님께 감사하며 우리 교회 모든 성도분께 이 책을 바칩니다.

부족한 설교자와 함께 힘써 말씀의 사역에 동역하고 있는 광교장로교회 당회원들께 감사드립니다. 설교로 늘 고민이 많은 저에게 스승이신 이성호 교수님의 격려는 늘 힘이 됩니다. 진심 어린 감사를 표합니다. 또 이 강해 설교를 하던 시기에 저와 함께 이른 아침부터 화상통화로 개혁신학을 공부하고 말씀을 연구했던 동기들 박경록, 김원배, 서학량, 이주형, 박영수에게, 그리고 기도의 동역자 조현목, 김은규, 이상우, 이슬기에게도 감사를 드립니다. 목사의 자녀로 자라 목사가 될 수 있도록 키워주신 아버지와 어머니, 예쁜 아내를 선물처럼 허락하신 장인, 장모님, 그리고 아빠가 서재에서 나오기만을 기다리는, 한집 사는 성도들, 성빈, 윤성, 유안이와 사랑하는 아내 이지민의 희생과 사랑에 감사를 드립니다.

정중현 올림

목차

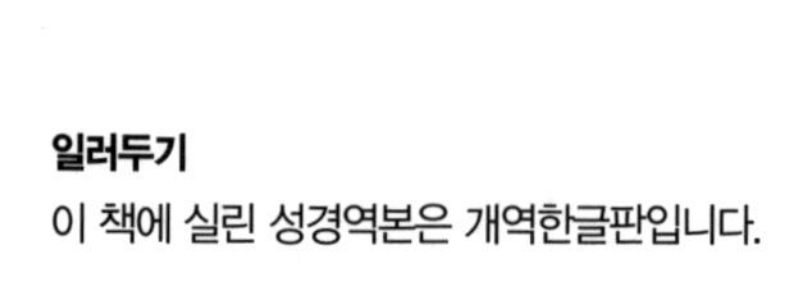
일러두기

이 책에 실린 성경역본은 개역한글판입니다.

1

예기치 못한 위로를
준비하시는 삼위 하나님

1
예기치 못한 위로를 준비하시는 삼위 하나님

1 하가랴의 아들 느헤미야의 말이라 아닥사스다 왕 제 이십 년 기슬르월에 내가 수산 궁에 있더니 2 나의 한 형제 중 하나니가 두어 사람과 함께 유다에서 이르렀기로 내가 그 사로잡힘을 면하고 남아 있는 유다 사람과 예루살렘 형편을 물은즉 3 저희가 내게 이르되 사로잡힘을 면하고 남은 자가 그 도에서 큰 환난을 만나고 능욕을 받으며 예루살렘 성은 훼파되고 성문들은 소화되었다 하는지라 4 내가 이 말을 듣고 앉아서 울고 수일 동안 슬퍼하며 하늘의 하나님 앞에 금식하며 기도하여_**느헤미야 1장 1-4절**

들어가며: 누구인지 감추어 놓은 소개

오늘은 느헤미야의 첫 네 구절을 읽었습니다. 본문의 내용은 매우 간단합니다. 이 책의 주인공 느헤미야와 그가 풀어야 할 과제가 무엇인지를 소개하고 있습니다. 흥미로운 것은, 이 부분은 분명히 소개인데, 이 소개를 읽은 독자는 이렇게 질문하게 된다는 것입니다. '그래서, 느헤미야는 도대체 누구지?'

1절은 주인공 느헤미야를 소개합니다. 그는 하가랴의 아들이며, 기슬르월, 즉 12월쯤 되는 추운 겨울에 페르시아 왕국의 수산 궁에 있습니다. 그런데 성경은 하가랴가 누구인지, 왜 그가 추운 겨울에 아닥사스다 왕의 겨울 궁전에 있었는지에 대해 아무것도 알려주지 않습니다. 2절은 느헤미야가 유다에서 온 하나니와 나눈 대화를 소개합니다. 하나니는 또 누굴까요? 7장 2절은 그가 느헤미야의 형제라고 언급하는데 그 외에 다른 것은 알 수 없습니다. 그가 왜 유다 땅에서 느헤미야에게 왔는지, 또 그와 함께 온 사람들은 누구인지도 베일에 가려져 있습니다. 소개하고 있지만 자세히 알려주지는 않습니다.

이때 느헤미야는 갑자기 두 가지를 묻습니다. 사로잡힘을 면하고 남아 있는 자들의 형편이 어떠한가? 그리고 예루살렘 성의 형편이 어떠한가? '사로잡힘을 면하고 남아 있는 자들'은 성경에서 '남은 자'(사 4:3; 10:20-22 등)라고 불리는 참 이스라엘이요 선택된 사람들입니다. 특별히 이 문맥에서는 70년이 넘는 유배 생활, 이제는 적응하여 익숙해진 그 이방 나라를 등지고 다시 하나님의 언약을 기억하여 유다로 돌아간 사람들을 말합니다. 포로기 이후의 진정한 교회라고 보면 됩니다. 느헤미야의 첫 번째 관심은 이 교회에 가 있습니다. 그가 한 두 번째 질문은 '예루살렘의 형편이 어떠한가?'입니다. 바로 예루살렘 '성벽'에 대한 질문이며, 예루살렘 성은 성전과 하나님 나라와 깊은 관련이 있죠.

도대체 그는 왜 이런 것들이 궁금한 것일까요? 궁금증이 생깁니다. 3

절에서 하나니와 두어 사람들이 느헤미야의 질문에 대답합니다. 남은 자들은 큰 환난과 능욕, 즉 굉장한 고난과 부끄러운 일을 당하는 수치 가운데 있습니다. 예루살렘 성은 무너져 버린 상태로, 성문들은 불 가운데 타 버린 상태로 있습니다. 예루살렘 성의 모습이 남은 자들의 현재 상태를 상징적으로 잘 보여 주고 있습니다. 4절에서 느헤미야는 이 소식에 절망하며 큰 슬픔과 애통 가운데 금식하며 기도합니다. 그의 기도를 묘사하는 단어는 그의 슬픔이 얼마나 깊은지 알게 합니다. 그는 왜 그렇게까지 슬퍼했을까요? 그는 도대체 누구입니까?

우리는 느헤미야를 소개한 이 본문에서 그의 신상에 대해서는 아무것도 알 수 없습니다. 그러나 그것이 바로 성령님의 감동하심 가운데 이 글을 기록하고 있는 느헤미야의 의도라는 것을 발견해야 합니다. '하나님께서 위로하셨다.'(Yahweh has comforted)라는 이름 뜻을 가진 느헤미야는 자신에 대해서는 드러내지 않으면서, 교회가 예기치 못한 곳에서, 교회가 알지 못한 때에, 교회를 위한 위로를 준비하고 계신 하나님을 보여 주려는 의도로 이처럼 기록하고 있는 것입니다. 본문은 '삼위 하나님께서 교회의 회복을 위하여 예기치 못한 위로를 준비하신다.'고 말하고 있습니다.

예기치 못한 장소에서 위로를 준비하시는 하나님

첫째로, 삼위 하나님께서는 예기치 못한 '장소'에서 교회를 위한 위로를 준비하십니다. 오늘 느헤미야가 있는 이곳은 페르시아 제국의 수산 궁입니다. 페르시아 제국에는 여름 왕궁인 '악메다 궁'(스 6:2)이 있었고, 겨울 왕궁인 '수산 궁'이 있었습니다. 여호와 하나님의 나라라고 불리던 유다 왕국의 예루살렘 성은 무너지고 타버린 그대로 남아 있습니다. 그런데 이방 나라 페르시아 제국에는 계절마다 달리 사용하는 성이 두 개나 우뚝 서 있습니다. 무너진 성벽과 타버린 문을 짓밟고 하나님의 백성들을 공격하고 훼방하는 원수들이 판을 치고 있을 때, 수산 궁에서는 잔치가 열리고 즐거운 음악 소리가 끊이지 않았을 것입니다. 그런데 바로 그곳에서, 하나님은 교회를 위한 위로, 느헤미야를 준비하고 계셨습니다. 예루살렘의 남은 자들은 하나님의 위로가 수산 궁에서 준비되고 있으리라고는 상상하지 못했을 것입니다. 하나님의 위로가 이방의 나라 한가운데서 일어나고 있다는 것을 예상하지도 기대하지도 못했을 것입니다.

교회의 구원과 회복과 부흥은 예기치 못한 곳에서 준비됩니다. 성경에는 이에 대한 예가 너무나도 많습니다. 애굽의 노예로 살던 이스라엘 사람 중 그 누가 파라오의 왕궁에서 구원자가 자라고 있다고 기대했을까요? 시커먼 홍해를 마주했던 사람 중 그 누가 그 바다에서 애굽 군대를 이기는 구원이 나오리라 기대했을까요? 베들레헴 촌구석, 양을 먹이는 들판에서 골리앗을 쓰러뜨리고 이스라엘을 구원할 왕이 나올 것이라고는 그 아비조차 기대하지 않았습니다. 갈릴리 호수에서 고기 잡던 형제들이 신약 교회의 초석을 놓을지 누가 알았을까요? 바리새인 중의 바리새인, 위대한 랍

비 가말리엘의 학당에서 이방인의 사도가 자라고 있다는 걸 누가 알았습니까? "나사렛에서 무슨 선한 것이 날 수 있겠습니까"(요 1:46)? 예수 그리스도, 하나님의 아들이 나사렛에서 그 키와 지혜가 자라가고 있을 줄은 아무도 예상치 못했던 일이었습니다.

십자가에서 준비된 위로

사랑하는 성도 여러분, 우리 또한 어디에서 우리 삶의 참된 위로가 예비되고 있었는지 알지 못했습니다. 우리가 절망이라고 부르는 십자가에서, 위로이신 그분의 부활이 준비되고 있었음을 알지 못했습니다. 우리가 무덤이라고 부르는 곳에서, 위로이신 그분의 승천이 준비되고 있었음을 상상하지 못했습니다. 살아서나 죽어서나 우리의 위로가 그리스도 안에만 있다는 사실을 우리는 전혀 알지 못했습니다. 우리가 예기치 못한 그곳에서, 하나님은 교회를 위한 참된 위로를 준비하십니다. 이 사실을 기억할 때, 우리는 어떠한 상황 속에서도 겸손히 기대할 수 있습니다. 도무지 선한 것이 나올 수 없다고 여겨지는 이 땅 위 교회의 현실 속에서도, 삼위 하나님은 위로를 준비하고 계시다는 것을 신뢰할 수 있습니다.

수원시 우만동 수원 구치소 옆에 있는 작은 상가 교회에서 대한민국을 향한 하나님의 위로가 준비되고 있을지 누가 알겠습니까? 우리 집에 살고 있는 자녀들이 한국 교회 회복의 일꾼으로 준비되고 있을지 누가 알겠습니까? 보이는 대로 판단하게 되는 것이 우리의 습성이지만, 오늘 말씀을 통해 믿음의 눈을 떠야 합니다. 오늘 말씀을 기억하고 기도하며, 나와 교회에 절망과 좌절을 주는 사건과 상황 속에서 위로를 준비하시는 하나님을 볼 수 있는 눈을 가지게 되시기를 간절히 바랍니다.

예기치 못한 때에 위로를 준비하시는 하나님

둘째로, 삼위 하나님께서는 예기치 못한 '때'에, 예기치 못한 '시간'에 위로를 준비하십니다. 오늘 본문은 '아닥사스다 제 20년'이라는 시기를 밝혀 놓았습니다. 이때가 중요하기 때문에 밝혀 놓은 것이겠죠? 이때는 언제인가? 바로, 성전 재건을 위하여 첫 삽을 뜬 지 90년이 지난 첫해였고, 성전이 완공된 지 70년이 지난 첫해였습니다. 하나님의 용서와 임재의 상징인 성전이 세워지고도, 70년이 지나도록 회복되지 않고 있는 하나님 나라의 상황을 무너진 성벽과 타버린 성문을 통해 알려줍니다.

이 상황이 얼마나 절망적인지 예를 들어 설명해 보겠습니다. 2019년 5월 19일 오늘로부터 70년 전에, 우리나라는 6.25 전쟁을 치르고 있었습니다. 1950년에 인천상륙작전을 통해 서울을 수복한 것이 거의 70년 전 일입니다. 만약에 그때, 우리나라를 대표하고 상징하는 대한민국 정부 청사를 서울에 다시 지었다고 가정해 봅시다. 그 이후로 70년이 지난 오늘, 여전히 정부 청사만 덩그러니 서 있고, 서울 도성 내 사람들의 삶은 1950년대와 같이 전쟁으로 파괴된 건물 가운데 방치되고 있다고 상상해 봅시다.

다른 부요한 나라에 살던 여러분이 대한민국 정부 청사가 세워졌다는 소식을 듣고 안심한 이후 수십 년 만에 이 뉴스를 갑자기 전해 듣는다면 어떻겠습니까? 서울이 흑백필름으로 보았던 폐허 그대로라면, 다른 지방은, 내 고향은 어떨 것이라고 상상하게 되겠습니까? 느헤미야가 4절에서 슬퍼하고 놀라워하는 이유를 조금이나마 가늠해 볼 수 있을 것입니다.

성벽에 대한 보고는 포로 생활에서 귀환하여 성전을 완성했던 남은 자들의 나태함을 은근히 드러냅니다. 그들은 성전의 회복과 하나님 나라 재건의 사명감을 가지고 돌아간 자들입니다. 분명 그 시작은 뜨거웠을 것입니다. 그러나 시간이 지나며 그들은 원수들의 방해와 비난으로 괴로워했고, 결국 그들이 받은 사명인 하나님 나라 재건을 완성하는 일을 차일피일 미뤄왔던 것입니다. 70년 동안이나 말입니다. 이것이 '성벽이 무너진 그대로 남아 있었다.'는 보고에 담긴 내용입니다.

이 나태함은 악순환을 만들었습니다. 성벽이 없으니 원수들이 자유롭게 왕래할 수 있었고, 이는 원수들이 다시 하나님을 예배하며 예전의 영광을 되찾으려 했던 남은 자들을 손쉽게 괴롭힐 수 있게 했습니다. 그러나 하나님의 백성이 나태함에 빠져 있던 바로 그때, 하나님은 교회의 위로와 회복을 준비하고 계셨습니다. 교회가 사명을 잃어버리고 나태한 그때, 교회를 위하여 중보하며 기도할 사람 느헤미야를 준비하셨습니다.

"우리가 아직 죄인 되었을 때에"

사랑하는 성도 여러분, 우리를 위한 참된 위로는 우리가 알지 못하는 때에 예비되고 준비되어 왔습니다. 심지어 우리가 구원과 회복을 원치 않았을 때도 우리의 구원이 준비되어 왔음을 성경을 통해 확인합니다. "우리가 아직 연약할 때에 기약대로 그리스도께서 경건치 않은 자를 위하여 죽으셨"(롬 5:6)으며, "우리가 아직 죄인 되었을 때에 그리스도께서 우리를 위하여 죽으심으로 하나님께서 우리에게 대한 자기의 사랑을 확증하셨"(롬 5:8)습니다. 심지어 이 구원 계획은 우리가 전혀 알지 못하던 때, 곧 창세 전에, 영원 전에 삼위 하나님의 작정 가운데 있었습니다. "곧 창세 전에 그리스도 안에서 우리를 택하사 우리로 사랑 안에서 그 앞에 거룩하고 흠이 없게 하시려고 그 기쁘신 뜻대로 우리를 예정하사 예수 그리스도로 말미암아 자기의 아들들이 되게 하셨으니 이는 그의 사랑하시는 자 안에서 우리에게 거저 주시는바 그의 은혜의 영광을 찬미하게 하려는 것이라."(엡 1:4-6).

우리의 구원이 이처럼 예기치 못한 때에 준비되고 예상치 못한 때에 우리에게 적용되었던 것과 같이, 교회의 회복과 하나님 나라의 회복으로 주어지는 위로 역시, 우리가 예상치 못한 때에 준비되고 있으며 반드시 나타나게 될 것입니다. 그러니 사랑하는 성도 여러분, 깨어 있으십시오. 그 날과 그 시를 알지 못하는 자들에게 예수님께서 요구하신 것은 '깨어 있으라.'(막 13:35)는 것이었습니다. 제자들에게 "깨어 있으라 내가 너희에게 하는 이 말이 모든 사람에게 하는 말이니라."(막 13:37) 하시며 예수님께서는 오늘날 우리에게도 명령하셨습니다. 늘 말씀과 기도로 깨어 있어, 죄악 된 습성에 점점 나태해지는 우리의 삶을 깨우시기 바랍니다. '주일에 예배 잘 드리고 있으니, 일주일 내내 괜찮겠지.' 하지 마시고, 죄에 대해 더 민감할 수 있도록 여러분의 영을 일깨우는 말씀과 늘 함께하시기 바랍니다. 우리 자녀들도 '부모님이 나를 위해 기도 열심히 하니까' 하면서 나태해지지 마시고, "기도를 항상 힘쓰고 기도에 감사함으로 깨어 있으라."(골 4:2)는 말씀을 자신에게 적용하며 기도에 힘쓰기 바랍니다. 기도하면서, 예기치 못한 때에 우리에게 주어지는 이 놀라운 구원을 알아차리고, 깨닫고, 찬송할 수 있는 여러분이 되시기를 간절히 바랍니다.

예기치 못한 위로의 중보자를 준비하시는 하나님

셋째로, 삼위 하나님께서는 예기치 못한 위로의 중보자를 준비하신다는 점을 알려줍니다. 느헤미야는 그 이름 외에는 거의 모든 것이 베일에 가려져 있습니다. 정말 아무도 예상치 못한 인물이 '수산 궁의 느헤미야'입니다. 단지, 본문은 그의 말과 행동을 통해 그의 인격을 가늠할 수 있는 몇몇 단서들을 제공할 뿐입니다. 그가 예루살렘과 남은 자들의 절망적인 소식에 "수일 동안 슬퍼하며" "금식하며 기도"했다는 사실은 언약에 대한 그의 높은 관심을 보여 줍니다. 언약을 기억하고 예루살렘으로 돌아갔지만,

연약하여서 환난 가운데 있는 남은 자들에 대한 긍휼의 마음이 기도를 통해 드러납니다. 4절은 '기도하여'로 마치고 있는데, 이 단어는 '중보하다'라는 의미를 지닌 단어로 주로 '기도하다'(민 11:2; 21:7; 신 9:20; 삼상 12:23; 왕상 13:6; 렘 29:7 등)로 번역합니다. 본문은 그를 중보의 일을 하는 자로 소개하고 있습니다.

본문은 짧은 기사 가운데 느헤미야의 말과 행실과 인격과 사역을 보여 주며 그가 중보자의 직분을 가졌음을 암시합니다. 즉 느헤미야는 하나님과 백성 사이의 유일한 중보자로 계시는 예수 그리스도를 구약의 백성들에게 비춰주고 있는 것입니다. 4절의 느헤미야의 모습은 예수 그리스도의 중보 사역을 나타내고 있습니다. 느헤미야가 교회의 환난에 대한 애통으로 주저"앉아서" 기도했다면, 예수님께서는 겟세마네에서 교회를 위한 진노의 잔을 앞두고 "땅에 엎드리어"(막 14:35) 기도하셨습니다. 느헤미야가 교회를 위하여 한동안 금식하였다면, 예수님은 교회를 위한 모든 사역에 앞서 40일 동안 금식하셨습니다(마 4:2). 느헤미야가 무너진 성에 대한 소식을 듣고 슬피 울며 애곡하였다면, 예수님은 무너질 예루살렘을 미리 보시며 눈물을 흘리셨습니다: "가까이 오사 성을 보시고 우시며"(눅 19:41). 이렇게 예수님의 모습을 미리 보여 주는 느헤미야는 가장 먼저 기도했습니다. 중보했습니다. 본문은 그리스도의 중보 사역이 우리가 분명히 기억해야 할 교회 회복의 시작과 근본임을 알려줍니다.

헤아릴 수 없는 중보자의 은혜

사랑하는 성도 여러분, 우리가 죄인 되었을 때에, 우리가 모르는 곳에서, 우리의 구원을 일으키신 예수님은, 여전히 지금도 우리가 예기치 못한 일들을 위해 '기도'하고 계십니다. 이 기도하시는 중보자가 교회의 회복과 부흥의 근원입니다. 사회 운동처럼 교회가 갱신되는 것이 아닙니다. 우리의 기도가 교회를 다시 살리는 것이 아닙니다. 죽어가는 교회가 다시 사는 일 또한 오직 주 예수 그리스도의 중보 사역에 달려 있습니다. 기도하신 그리스도께서 바른 말씀이 선포되는 교회를 세우시고, 세례와 성찬이 바르게 시행되는 교회를 만드시고, 말씀의 사역자를 보내시고, 장로들을 세우시며, 집사들을 세우실 것입니다. 왜죠? 설교와 성례와 기도와 권징과 심방과 구제와 봉사를 통해 교회인 여러분 한 사람 한 사람을 온전히 세우기 위함입니다(딤후 3:17). 기도하시는 중보자 예수 그리스도, 그 뿌리로부터 이처럼 아름다운 교회가 꽃피고 열매 맺습니다.

이 사실을 기억할 때 우리는 장로 임직을 앞두고 기뻐하며 경배하지 않을 수 없습니다. 이 장로의 직분을 세우기 위하여 그리스도께서 기도하셨다는 것을, 기억하며 감사합시다. 교회에 속한 여러분을 하나도 잃어버리지 않고 구원하기 위하여, 한 사람 한 사람을 선한 일에 열심히 힘쓰는 자기 백성으로 삼으시기 위하여, 행복한 소망을 가지고 그리스도 예수의 영광을 기다리게 하시려고, 은혜의 양육을 받게 하기 위하여, 기도하신다는 사실을 기억합시다. 이 예기치 못한 중보자의 은혜에 감사하시기 바랍니다.

예기치 못한 선물을 소망하는 교회

하나님께서 교회의 회복을 위하여 예기치 못한 위로를 준비하십니다. 우리가 알지 못한 곳에서, 우리가 알지 못한 때에, 우리가 예기치 못한 중보자의 사역을 삼위 하나님께서 준비하십니다. 안으로는 예배를 보호하며, 밖으로는 하나님의 나라의 영광스러운 완성을 위하여 움직이고 일하며 나아갈 수 있는 이유도, 바로 이 예기치 못한 삼위 하나님의 준비 때문입니다. 예기치 못한 위로가 가득한 삶을 선물로 받으신 성도 여러분, 여러분의 평생에 그 선물들을 발견하며, 기뻐하며, 소망하며 살아가시기를 성부와 성자와 성령의 이름으로 간절히 축원합니다.

2

하나님 나라 회복의 시작

2
하나님 나라 회복의 시작

5 가로되 하늘의 하나님 여호와 크고 두려우신 하나님이여 주를 사랑하고 주의 계명을 지키는 자에게 언약을 지키시며 긍휼을 베푸시는 주여 간구하나이다 6 이제 종이 주의 종 이스라엘 자손을 위하여 주야로 기도하오며 이스라엘 자손의 주 앞에 범죄함을 자복하오니 주는 귀를 기울이시며 눈을 여시사 종의 기도를 들으시옵소서 나와 나의 아비 집이 범죄하여 7 주를 향하여 심히 악을 행하여 주의 종 모세에게 주께서 명하신 계명과 율례와 규례를 지키지 아니하였나이다 8 옛적에 주께서 주의 종 모세에게 명하여 가라사대 만일 너희가 범죄하면 내가 너희를 열국 중에 흩을 것이요 9 만일 내게로 돌아와서 내 계명을 지켜 행하면 너희 쫓긴 자가 하늘 끝에 있을찌라도 내가 거기서부터 모아 내 이름을 두려고 택한 곳에 돌아오게 하리라 하신 말씀을 이제 청컨대 기억하옵소서 10 이들은 주께서 일찍 큰 권능과 강한 손으로 구속하신 주의 종이요 주의 백성이니이다 11 주여 구하오니 귀를 기울이사 종의 기도와 주의 이름을 경외하기를 기뻐하는 종들의 기도를 들으시고 오늘날 종으로 형통하여 이 사람 앞에서 은혜를 입게 하옵소서 하였나니 그 때에 내가 왕의 술 관원이 되었었느니라_**느헤미야 1장 5–11절**

들어가며: 회복은 무엇으로부터 시작되는가?

'하나님 나라의 회복은 무엇으로부터 시작되는가?' 오늘은 이 질문으로 설교를 열겠습니다. 여러분은 어떻게 답하시겠습니까? 혹시 이 질문이 너무 추상적으로 느껴진다면 이렇게 질문해 보십시오. '교회의 회복은 무엇으로부터 시작되는가?' 혹 이것도 답하기에 너무 큰 주제다 싶으시면, 이렇게 질문해 보십시오. '내 삶의 회복은 무엇으로부터 시작되는가?'

사실 이 세 질문은 긴밀히 연결되어 있습니다. 하나님 나라는 교회의 회복과 함께 오는 것이고, 교회의 회복은 우리 각 성도의 진정한 삶의 회복과 함께 오는 것입니다. 성도 개개인의 삶이 엉망인데, 교회가 바로 설 수 없고, 교회가 엉망인데 하나님 나라가 흥왕할 수 없을 것입니다. 그러니, '하나님 나라 회복의 시작은 어디서 오는가?'라는 질문은 결코 추상적이거나 거창한 질문이 아닙니다. 지금 내 삶과 아주 깊은 관계가 있는 문제입니다.

답을 찾기 위한 다양한 시도들

'하나님 나라 회복은 무엇으로부터 시작되는가?'라는 질문에 답하기 위한 다양한 시도들이 있어 왔습니다. 예를 들어, '특별한 영성을 회복하는 것이 회복의 시작이다!'라는 답이 있습니다. 영성 집회, 성령 집회, 특별한 은사와 방언 기도 등을 하나님 나라와 교회 회복의 시작점으로 삼자는 주장입니다. 그러나 이 주장을 출발점으로 삼은 교회는 시간이 갈수록 사회와 단절되는 모습을 보였습니다. 또한, 삼위 하나님이 은혜의 수단으로 주신 말씀과 성례와 기도를 무시하면서, 특별한 은사를 가진 '사람'을 높이는 쪽으로 치우치는 경우가 많았습니다.

"교회 안에서 상식과 사회정의를 구현하는 것이 교회 회복의 시작이다!"라는 답도 있습니다. 주로 시위, 제보, 고발, 미디어를 도구로 교회에 뿌리내린 사회적 악습과 적폐를 청소하여 교회를 회복하자는 주장입니다. 그러나 여기서 출발한 일련의 운동들은 '악습'과 '적폐'의 기준을 교회 밖에 두고, 점점 교회와 교리 자체를 비난하고 공격하는 경향성을 보였습니다. 이러한 주장대로 개선된(?) 교회는 오히려 '믿지 않는 사람이 보아도 상식적이고 새롭긴 한데, 과연 이곳이 그리스도의 몸 된 교회인가? 이것이 삼위 하나님이 주관하시는 예배인가?'라는 의문에 대해서는 제대로 된 답을 하지 못합니다.

대형교회가 많은 우리나라에서는 '특별 이벤트'로 교회 회복을 도모하려는 시도가 많았습니다. 일례로, 2007년에 전국적인 행사로 열렸던 'Again 1907' 프로젝트를 기억하시는 분들이 있을 것입니다. 1907년, 평양에서 일어난 대 부흥 운동의 100주년을 맞아서, 동일한 부흥의 역사가 다시 일어나기를 소망하며 밤을 새워 기도하자는 취지였습니다. 전국의 대형교회를 중심으로 교회에서 가장 영향력 있는 유명 인사들이 힘을 합하여 교회 연합 프로젝트를 펼쳤습니다. 저도 대학생 때, 이 행사에 동원되었고, 밤새 찬양하고 기도하면서, 많이 졸았던 기억이 납니다. 우리가 기도하면, 우리가 무얼 하면, 하나님이 일하신다는 설교가 밤새 울려 퍼졌습니다. 밤을 새우고 토요일 아침에 끝난 이 집회로 많은 대학생이 주일에 늦잠을 자거나 예배 시간에 졸았습니다. 현재 이 행사를 부흥 운동으로 기억하는 사람은 아무도 없습니다.

최근에는 '교회의 회복은 노(NO)답이다.'라는 말이 가장 힘을 얻는 것처럼 보입니다. '이 땅의 교회에는 답이 없다.'며 교회의 회복에 대한 소망을 포기하는 성도들이 많습니다. 자신이 몸담기에는 너무나 더러운 교회를 떠나고 있는 것입니다. 교회를 떠나 있지만 스스로 신앙인이라고 여기는 것은 물론, 그리스도를 믿고 있다는 확신은 오히려 강하게 나타납니다. 이들은 개인적인 경건 생활, 독서, 묵상을 즐기며, 온라인 성도가 되어 자기 취향에 맞는 설교를 찾아 들으면서 더러운 교회가 깨끗해지기를 기다립니다.

다 나름대로 고심하여 찾은 답이었습니다. 그 나름의 소소한 성과들이 있었는지도 모릅니다. 그러나 이러한 답들은 '교회와 하나님 나라의 회복은 무엇으로부터 시작하는가?'에 대한 궁극의 답이라고 하기에는, 매우 협소하고 부족했던 것이 사실입니다. 무엇보다도 이러한 답들이 가지고 있는 치명적인 오류가 있는데, 그것은 바로 '교회는 나로부터 회복되며, 하나님 나라는 나로부터 이루어져 간다.'는 전제입니다. 내가 특별한 영성을 가지면 교회가 회복될 것이다? 내가 교회 제도를 사회적 정의에 맞추어 정상화하면 교회가 회복될 것이다? 내가 프로젝트를 시행하면 교회가 회복될 것이다? 심지어, 내가 답이 없다 하면, 교회는 답이 없는 것이다?

이런 자기중심적 생각이 전제된 것이죠. 노래도 있죠. "이 땅의 부흥과 회복은 바로 나로부터 시작되리!" 저도 참 많이 부른 기억이 있습니다. 그러나 이런 전제를 가진 사람들이 무엇을 한다고 해도 교회에 변화는 일어나지 않을 것입니다.

오늘 본문은 이러한 전제를 가진 사람들이 잘 사용하는 본문입니다. 느헤미야가 기도했다는 것입니다. "하나님께서 아무도 예상치 못한 중보자 느헤미야를 준비하셨고, 이제 때가 되매, 느헤미야가 기도함으로 회복이 시작되었다!" 이렇게 말하고 싶어 합니다. 그의 회개 기도가 성벽의 재건과 예루살렘에 돌아간 남은 자들의 부흥의 시작이었다는 것이죠. "기도했더니, 하나님이 길을 열어주셨고, 술 맡은 관원장이 될 수 있었다. 왕의 입으로 들어가는 술을 책임지는 자리, 왕이 전적으로 신뢰하지 않으면 오를 수 없는 그 높은 자리까지 올라간 것은 기도 때문이다. 기도가 답이다! 기도로 교회를 회복하자!" 목사는 본문을 이렇게 사용하고 싶은 유혹을 받습니다. 그러나 본문이 과연 이것을 말하고 있을까요?

느헤미야의 기도에 담긴 답

이제 본문을 자세히 살펴봅시다. 오늘 본문은 전체가 느헤미야의 기도입니다. 그리고 이 기도를 자세히 보면, 그가 이 기도문을 교훈적으로 썼다는 것을 알게 됩니다. 즉 이 글을 읽게 될 이스라엘 백성에게 어떤 내용을 가르치려고 기록했다는 사실이 분명히 나타납니다. 느헤미야는 이 기도를 통해 무엇을 보여 주고 있습니까? 세 가지를 보여 주고 있습니다: 첫째, 하나님이 누구신가? 둘째, 그의 백성은 누구인가? 셋째, 하나님과 그 백성이 맺은 언약은 무엇인가? 이 세 가지를 통해, 느헤미야는 '하나님 나라와 교회와 성도의 삶의 회복은 오직 하나님으로부터 시작한다.'는 믿음으로 기도하고 있습니다.

하나님께서는 누구신가?

느헤미야의 기도에 나타난 '하나님'은 누구십니까? '하늘에 계신 우리 아버지'이십니다. 5절이 밝히고 있습니다. "가로되 하늘의 하나님 여호와 크고 두려우신 하나님이여 주를 사랑하고 주의 계명을 지키는 자에게 언약을 지키시며 긍휼을 베푸시는 주여 간구하나이다" 하나님의 호칭들이 많이 나오는데, 크게 두 부분으로 나눌 수 있습니다. '하늘의 하나님 여호와 크고 두려우신 하나님'과 '주를 사랑하고 주의 계명을 지키는 자에게 언약을 지키시며 긍휼을 베푸시는 주여'입니다.

'하늘의 하나님 여호와 크고 두려우신 하나님'은 우리를 초월해 계시는 하나님을 부르는 칭호입니다. 하늘 멀리 계시는 하나님, 우리는 가늠할 수도, 이해할 수도 없이 무한하고 영원하며 불변하시는 하나님, 모세조차 그 앞에서 얼굴을 들 수 없는 두려우신 하나님을 부르고 있습니다.

'주를 사랑하고 주의 계명을 지키는 자에게 언약을 지키시며 긍휼을 베푸시는 주여'는 앞부분과는 대조적으로, 우리와 언약을 맺으시고 우리와 함께하시는 하나님을 보여 줍니다. 가까이 오시는 하나님, 우리 가운데 임재하시는 하나님, 자기 백성과 관계를 맺으시고 함께 걸으시며, 이스라엘을 '장자'라 부르시는 아버지 하나님을 부르고 있습니다.

"하늘에 계신 우리 아버지"

'하늘에 계신 우리 아버지'가 명확하게 나타나고 있습니다. 앞부분은 '하늘에 계신 하나님'으로 요약할 수 있고, 뒷부분은 '우리 아버지'로 요약할 수 있습니다. 그렇습니다. 하늘에 계신 우리 아버지, 그분이 우리의 하나님입니다. 하나님은 죄인인 인간이 감히 다가갈 수 없고, 가까이할 수 없으신, 크고 광대하신 분이십니다. 모든 죄인은 너무나도 거룩하신 하나님 앞에서 죄에 대한 그분의 진노하심에 두려워 떨 수밖에 없습니다. 그런데 그분이 이스라엘과 관계를 맺으려고 찾아오셨습니다. 아브라함을, 이삭을, 야곱을 방문하셨습니다. 출애굽을 이끄셨고 언약을 맺으셨고, "나는 너희의 하나님이 되고 너희는 내 백성이 되리라!"(렘7:23) 하셨습니다. 사람이 무언가를 드려서 이루어낸 관계가 아닙니다. 하나님의 주권적인 선택이 먼저 있었고, 이스라엘은 오직 은혜로 하나님의 백성, 하나님의 장자가 되었죠. 한마디로 하나님은 하늘 높은 곳에서 이스라엘에게 먼저 다가오셔서, 관계를 맺으시고, 계명을 지키는 자들에게 언약하신 대로 약속을 지키시며 긍휼을 베푸시는 아버지 하나님이 되어 주셨습니다. '바로 그 언약의 하나님이 이 기도를 들으시는 분이시다.'라고 분명히 교훈하면서 기도를 시작하고 있습니다.

백성은 누구인가?

그러면 하나님의 놀라운 사랑을 받은 '백성'은 누구입니까? 느헤미야의 기도에 나타난 이 백성은 그 하늘의 하나님 우리 아버지 앞에서 '범죄한 자들'입니다. 6절과 7절에서 밝히고 있습니다. "주 앞에 범죄한 백성", "주를 향해 심히 악을 행한 백성", "주께서 명하신 계명과 율례와 규례를 지키지 아니한 백성"입니다. 이것이 느헤미야가 하나님 앞에서, 그리고 이 기도를 읽고 들을 자들에게 밝히고 있는 백성의 정체성입니다. 이 기도에서 우리는 두 가지를 주목해서 보아야 합니다.

첫째, 관계를 파괴한 백성

먼저 느헤미야가 "주 앞에 범죄함을 자복하오니"라고 기도했다는 사실에 주목해야 합니다. '주 앞에'라는 표현은 이 범죄가 단지 죽은 법조문을 어긴 죄가 아니라, 살아 계신 하나님의 면전에서 행한 관계적인 죄라는 것을 밝히는 표현입니다. 단지 신호를 위반한 것이 아니라, 우리와 관계를 맺으신 하나님과의 언약을 깨뜨린 죄라는 뜻입니다. 언약 백성의 죄가 단지 법을 어긴 수준이 아니라 '관계'를 파괴하는 성격을 지닌 큰 범죄라는 느헤미야의 인식이 엿보입니다. '이 백성의 죄는 하나님과의 관계를 깨뜨린 중대한 죄다.' 이것이 첫 번째로 주목해야 할 부분입니다.

둘째, 회개한 백성도 여전히 죄인

두 번째로 주목할 점은, 느헤미야가 자신을 포함하여 '회개한 자들' 모두에게 이 죄를 적용하고 있다는 사실입니다. 이 기도에 등장하는 "이스라엘 백성"은 언약을 기억하며 다시 예루살렘으로 돌아온 사람들이라는 사실에 주목합시다. 이들은 회개한 자들입니다. 그러나 느헤미야는 그 회개한 자들 역시 관계를 파괴한 죄인이라 부릅니다. 더군다나 느헤미야는 이 죄인의 그룹에 자신까지 포함하고 있습니다. "나와 나의 아비 집이 범죄하여"(느1:6). 그는 예루살렘으로 돌아간 사람들에 속하지 않았습니다. 당연히 그들의 죄악을 말할 때, 자신은 제외할 수도 있었습니다. 그런데도, 느헤미야는 자신을 '주 앞에 범죄한 자'들 가운데 포함하고 있습니다. 예루살렘으로 돌아간 자들도, 수산 궁에 남은 느헤미야도, 하나님 앞에서 동일한 죄인일 뿐이라는 사실을 고백하고 있습니다.

"우리는 틀렸습니다!"

이 두 가지를 주목할 때, 느헤미야의 기도는 이렇게 풀어서 이해할 수 있습니다: '하나님의 나라는 우리가 모세의 계명과 율례와 법도를 순종함으로 회복될 수 없습니다. 우리가 아무리 회개한 자라도, 하나님 앞에서 여전히 죄인이기 때문입니다. 예루살렘으로 돌아간 자들의 나태함도, 예루살렘에 대한 나의 무관심도, 주님 앞에서는 관계를 파괴하는 큰 죄입니다.' 느헤미야는 언약 백성의 죄악과 전적인 무능력을 고백하고 있습니다. 달리 말하면, 이 부분은 하나님을 회복의 주님으로 부르짖는 기도가 됩니다: "우리는 틀렸습니다! 하나님 나라의 회복은 오직 하나님께서 시작하시는 수밖에는 없습니다. 우리로서는 안 됩니다! 하나님께서 맺으신 언약에 대한 신실하심만이, 하나님 나라의 회복을 가져올 수 있습니다!"

언약은 무엇인가?

셋째로, 그렇다면, 느헤미야의 모든 희망이 담긴 '언약'은 무엇입니까? 이 언약은 생사화복이 이스라엘의 순종 여부에 달린 조건적인 언약이었습니다. 8-9절에 신명기 30장의 조건적인 언약이 요약 및 인용되고 있습니다. "옛적에 주께서 주의 종 모세에게 명하여 가라사대 만일 너희가 범죄하면(조건) 내가 너희를 열국 중에 흩을 것이요 만일 내게로 돌아와서 내 계명을 지켜 행하면(조건) 너희 쫓긴 자가 하늘 끝에 있을찌라도 내가 거기서부터 모아 내 이름을 두려고 택한 곳에 돌아오게 하리라 하신 말씀을 이제 청컨대 기억하옵소서"(느 1:8-9).

조건적 언약? '사랑'

우선 언약에 대해 흔히 가질 수 있는 불만을 해소하고 넘어갑시다. 하나님은 백성이 조건을 완벽하게 지킬 수 없다는 것을 아시면서, 왜 이 어려운 조건에 우리의 생사화복을 달아 놓으셨을까요? 사랑하는 성도 여러분, 우리는 하나님이 언약 가운데 큰 의무와 함께 주신 '특권'을 생각해 보아야 합니다. 큰 의무를 지는 일에는 반드시 큰 권리가 동반됩니다. 결혼은 평생 한 여자만을, 평생 한 남자만을 사랑해야 한다는 크나큰 의무만 짐 지우지 않습니다. 평생 배우자의 사랑을 배타적으로 독점할 수 있는 특권을 의무와 같이 받는 일이 결혼입니다. 하나님께서 언약을 통해 우리에게 조건을 지키라는 큰 의무를 요구하신 것은 우리를 부려 먹을 노예가 아니라 '언약의 당사자'로, 즉 신부로, 진지하게 사랑하시겠다는 선언입니다. 영광스러운 선언이죠! 하나님의 독점적인 사랑을 받을 수 있는 특권을 주시면서, 동시에 하나님의 신부로서 교회가 당연히 드려야 할 사랑의 의무를 요구하신 것입니다. 우리가 순종할 수 있느냐 없느냐를 떠나서, 신랑을 사랑하는 신부라면, 이러한 요구 자체에 불만을 가질 수는 없을 것입니다.

언약을 지키시는 하나님, 그리고 백성의 절망

느헤미야가 드린 기도는, 조건을 어긴 이스라엘을 벌하신 하나님을 기억하게 합니다. 하나님께서는 '언약을 지키지 않으면 내리겠다.' 하신 벌을 실제로 내리셨습니다! 하나님은 겁만 주시는 분이 아니라, 실제 약속한 대로 이스라엘을 열국에 흩어버리신 의로운 하나님이십니다. 그런데 아이러니하게도, 이 징벌의 역사는 소망을 주기도 합니다. 약속대로 벌을 내리셨던 하나님이라면, “만일 내게로 돌아와서 내 계명을 지켜 행하면 너희 쫓긴 자가 하늘 끝에 있을찌라도 내가 거기서부터 모아 내 이름을 두려고 택한 곳에 돌아오게 하리라.” 하신 말씀도 반드시 지키실 것이기 때문입니다. 과거 이스라엘의 멸망은 회개하고 돌이킨 자들에게 회복을 분명하게 소망할 수 있는 증거가 되기도 하는 것입니다.

여기서 느헤미야의 기도를 다시 정리해 봅시다. 첫째, 하늘의 하나님, 크고 두려우신 분께서 우리에게 오셔서 긍휼과 사랑으로 구원을 베푸시고 언약 관계를 맺어주셨습니다. 둘째, 그러나 우리는 그 관계를 파괴한 죄인이며 회개를 하더라도 여전히 하나님의 기준에 미치지 못합니다. 셋째, 하나님은 언약의 조건에 따라 백성의 불순종에 벌을 주셨고, 이는 회개하고 순종하는 백성에게 복을 주실 것에 대한 소망이기도 합니다. 자, 그런데 문제가 있습니다. 소망을 이룰 방법이 없다는 것입니다. “내게로 돌아와서 내 계명을 지켜 행하면”. 이 말씀을 지킬 수가 없다는 것입니다. 그 누구도 하나님의 기준에 맞는 회개와 순종을 드리지 못하기 때문이죠. 둘째와 셋째가 충돌합니다. 우리는 아무리 많이 회개해도 삼위 하나님 앞에서 여전히 때가 묻어 있을 수밖에 없습니다. 절망입니다. 이 관계에서 하나님이 조건적인 언약만을 들이미시면, 우리에게 남는 것은 오직 절망뿐입니다.

결론: 다시, 구속자 하나님으로부터

9절까지 기도하면서 느헤미야의 마음은 절망 가운데 매우 슬펐을 것입니다. 그러나 여기서 느헤미야는 다시 여호와 하나님께 부르짖습니다. 10절을 보십시오. "이들은 주께서 일찍 큰 권능과 강한 손으로 구속하신 주의 종이요 주의 백성이니이다." 느헤미야는 '구속자'이신 하나님을 바라보며 울부짖습니다. 느헤미야는 이렇게 간청하고 있는 것입니다. "의로우신 하나님, 언약을 어기고 벌을 받은 우리는 도무지 하나님 앞에 설 수 없는 자들입니다. 하지만 하나님 기억하십시오. 하나님은 '구속자'이시지 않습니까? 조건적인 언약을 세우시기 전에, 강한 손과 편 팔로 이스라엘을 건지신 분이 하나님이지 않습니까? '나는 너를 애굽 땅, 종 되었던 집에서 인도하여 낸 너의 하나님 여호와'라 하신 그 하나님이 아니십니까(출 20:2)? 주께서 먼저 구속하셨기 때문에, 우리가 언약 안에 있는 것이 아닙니까? 구속의 주님께 다시 구합니다. 긍휼을 베푸시옵소서. 다시 은혜를 베풀어 주옵소서! 출애굽에서 나타난 그 구속의 은혜만이 우리가 회복될 수 있는 유일한 시작입니다!"

느헤미야는 이 기도에서 우리를 구속하신 주, 예수 그리스도를 당대 사람들에게 비춰주고 있습니다. 이 당시 백성들에게는 새벽 5시의 어두운 빛 속에서 보는 것처럼, 예수님이 '구속하시는 하나님'으로만 드러났지만, 이제 우리는 정오의 빛 가운데 느헤미야가 바라보고 기도했던 그 구속의 주님이 '그리스도 예수'라는 사실을 압니다. 느헤미야는 오실 그리스도를 바라보며, 담대하게 은혜의 보좌 앞으로 나아가 하나님께 은혜를 간청했습니다. 동시에 오직 그분만이 교회 회복의 시작이요 근원이요 토대요 터라는 사실을 기도로 교훈했습니다.

구속자를 의지하여 은혜를 구한 그는 하나님의 도움 가운데 술 맡은 관원장이 되어 예루살렘 성벽을 회복할 기회를 얻었습니다. 그리스도의 이름으로 기도하는 모든 사람이, 아버지 하나님의 응답을 받듯이, 그 또한 동일한 은총을 받은 것입니다. 이처럼, 오늘 본문은 느헤미야의 기도를 통해 하나님 나라의 회복은 오직 '하나님'으로부터 시작한다고 분명하게 선언하고 있습니다.

절망 속에서 구속하신 그리스도 바라보기

사랑하는 성도 여러분, 구속하시는 은혜의 하나님을 분명히 바라보는 것이 너무나도 중요한 시대를 살고 있습니다. 많은 사람이 교회를 향해 혀를 내두르는 것을 봅니다. 교회의 못난 모습, 교인들의 못된 모습, 목사와 직분자들이 일으키는 각종 범죄와 사회적 해악, 해결되지 않을 것 같은 분열과 교단 사이의 갈등을 계속 바라보면서 절망감에 빠져듭니다. '교회에 희망이 있는가?' 회의적으로 생각하면서 포기해 버립니다. 그러나 오늘 본문에서 느헤미야는 이미 그 한계를 정확하게 보고 있습니다. 교회로 모인 사람에게는 애초에 희망이 없습니다. 편한 삶을 포기하고 결심하여 예루살렘으로 돌아간 그 남은 자들도, 그 신실한 자들도, 원수들의 공격에 금방 나태해졌습니다. 사람은 비굴하게 타협해버릴 수 있고, 이 세상의 룰을 받아들일 수 있습니다. 사람은 누구나, 늘, 언제나 죄로 달려갈 준비를 하고 있습니다. 느헤미야는 백성들의 한계, 교회로 모인 사람들의 한계를 너무나도 명확하게 알고 기도하고 있습니다.

이 시대 교회의 모습은 참 못났습니다. 그러나 그렇기 때문에 절망할 것이 아니라, 우리는 처음 이 교회를 있게 하신 삼위 하나님을 바라보아야 합니다. 그 자비로우신 아버지, 구속하신 아들, 그리고 교회에 그리스도의 은혜를 적용하시는 성령님을 바라보아야 합니다. 자비로우신 아버지를 바라본다면, 그를 아버지라 부를 수 있도록 젖을 먹인 어머니 교회를 어찌 병들었다 하여 버릴 수 있겠습니까? 교회의 머리 되신 그리스도를 바라본다면, 더럽다고 하여 그의 몸 된 교회를 어찌 외면할 수 있겠습니까? 타락한 교회 가운데 여전히 남은 자들이 있고, 그들에게 성령님께서 적용하신 그리스도의 보혈을 아는데, 어떤 교회인들 쉽게 포기할 수 있습니까? 어떤 교회인들 사라져도 된다고 말할 수 있겠습니까? 그저 "나의 죄, 내 아비 집의 죄악입니다." 고백하며, 회개할 수밖에 없는 것입니다.

구속의 은혜에 감사함으로 새로워지기

회개를 일으킨 그리스도의 구속의 은혜가 결국 교회를 회복할 것을 믿습니다. 그 은혜에 감사로 반응하는 교회의 순종과 선행으로 하나님 나라는 다시 흥왕할 것입니다. 예수 그리스도의 보혈로부터 모든 회복이 시작된다는 것은 너무나 당연한 진리입니다. 그러나 저부터 교회에 대해서는 이 진리를 적용하지 않고 너무 오랜 기간 못난 교회의 모습에만 집중해왔던 것은 아닌지 돌아보게 됩니다.

교회의 회복은 하나님 나라의 회복, 그리고 성도 개인의 삶의 회복과도 연관이 있다고 서두에 말씀드렸습니다. 그 모든 회복 또한 그리스도의 구속의 은혜로부터 시작합니다. 직분자가 교회를 구속하신 그리스도의 은혜에 감사할 때, 그리스도께서 주신 직무에 헌신하게 될 것입니다. 부모가 자녀를 구속하신 그리스도의 은혜에 감사할 때, 멀어진 관계를 좁혀나갈 것입니다. 부부가 아내나 남편을 구속하신 그리스도의 은혜에 감사할 때, 서로를 돕고 섬기는 참사랑이 생동하게 될 것입니다. 학교와 회사와 마을에서 만나는 모든 사람 가운데 그리스도의 구속의 은혜를 받을 자들이 있음을 기억할 때, 그 어떤 이웃이라도 사랑하는 삶이 가능할 것입니다. 무엇보다 구원의 은혜를 베푸신 삼위 하나님을 사랑할 때, 삼위 하나님이 내게 주신 모든 깨어진 관계가 사랑으로 회복될 것입니다.

송영

도대체 이와 같은 신이 어디에 있습니까? 하늘보다 더 높이 우리를 초월해 계시면서, 이렇게 낮고 천한 곳까지 임하실 뿐 아니라 자기 아들의 피로 구속하시는 하나님이 어디에 있습니까? 이 하나님의 은혜를 깊이 묵상하는 것, 깊이 생각하는 것, 깊이 감사하는 것, 그것이 성도의 힘입니다. 사랑의 원천입니다. 회개의 동력입니다. 교회 개혁의 발화점입니다. 우리가 앞서 나가며 우리 삶을, 교회와 하나님 나라를 주도하고자 하는 교만을 버립시다. 모든 일의 근원이시며, 우리 앞서 모든 일을 행하시는 삼위 하나님의 은혜를 바라보시기를 바랍니다. 잠잠히 그 은혜 바라보고 의지하며 하루를 살아가는 여러분의 삶을 통하여, 오늘도 내일도 아버지의 나라를 점점 더 흥왕하게 하실, 교회의 참된 터이신 성부와 성자와 성령의 이름을 찬송합니다!

3

교회를 도우시는
하나님의 선한 손

3
교회를 도우시는 하나님의 선한 손

1 아닥사스다왕 이십 년 니산월에 왕의 앞에 술이 있기로 내가 들어 왕에게 드렸는데 이전에는 내가 왕의 앞에서 수색이 없었더니 2 왕이 내게 이르시되 네가 병이 없거늘 어찌하여 얼굴에 수색이 있느냐 이는 필연 네 마음에 근심이 있음이로다 그 때에 내가 크게 두려워하여 3 왕께 대답하되 왕은 만세수를 하옵소서 나의 열조의 묘실 있는 성읍이 이제까지 황무하고 성문이 소화되었사오니 내가 어찌 얼굴에 수색이 없사오리이까 4 왕이 내게 이르시되 그러면 네가 무엇을 원하느냐 하시기로 내가 곧 하늘의 하나님께 묵도하고 5 왕에게 고하되 왕이 만일 즐겨하시고 종이 왕의 목전에서 은혜를 얻었사오면 나를 유다 땅 나의 열조의 묘실 있는 성읍에 보내어 그 성을 중건하게 하옵소서 하였는데 6 그 때에 왕후도 왕의 곁에 앉았더라 왕이 내게 이르시되 네가 몇날에 행할 길이며 어느 때에 돌아오겠느냐 하고 왕이 나를 보내기를 즐겨하시기로 내가 기한을 정하고 7 내가 또 왕에게 아뢰되 왕이 만일 즐겨하시거든 강 서편 총독들에게 내리시는 조서를 내게 주사 저희로 나를 용납하여 유다까지 통과하게 하시고 8 또 왕의 삼림 감독 아삽에게 조서를 내리사 저로 전에 속한 영문의 문과 성곽과 나의 거할 집을 위하여 들보 재목을 주게 하옵소서 하매 내 하나님의 선한 손이 나를 도우심으로 왕이 허락하고 9 군대 장관과 마병을 보내어 나와 함께하게 하시기로 내가 강 서편에 있는 총독들에게 이르러 왕의 조서를 전하였더니_**느헤미야 2장 1-9절**

들어가며: 본문의 줄거리

느헤미야는 예루살렘 성의 소식을 듣고 큰 슬픔 가운데 때로는 울며, 때로는 금식하며 기도하고 있었습니다. 오늘 본문 1절은 이 사건이 '니산월'에 일어났다고 되어 있습니다. 그러니까 기도를 시작한 기슬르월로부터 4개월쯤 지난 때입니다. 느헤미야는 그 긴 기간 동안 구속의 은혜로 언약을 세우신 하나님께 자비를 구하며 때로 금식하며 기도했습니다. 그리고 드디어 오늘의 사건이 벌어지고, 느헤미야는 유다의 총독이 되어 예루살렘으로 떠나게 됩니다.

프로의 실수?

왕의 술 관원에서 유다의 총독이 되는 이 극적인 이야기는, 놀랍게도 느헤미야의 큰 실수로부터 시작됩니다. 아닥사스다 왕은 아마도 왕후와 함께 개인적인 만찬을 즐기고 있었던 것 같습니다. 느헤미야는 그의 직무에 따라 왕께 술을 올려드립니다. 느헤미야의 마음은 거의 넉 달 가까이 예루살렘 성과 남은 자들에 대한 근심으로 가득 차 있었지만, 그는 프로였습니다. 1절에서 밝히듯이, 이전에는 술을 올릴 때 단 한 번도, 표정이 굳은 적이 없었던 '프로 술 관원'이었습니다. 그런데 이날, 실수를 저지릅니다. 근심 어린 표정, 금식과 애통으로 상한 얼굴을 미처 감추지 못한 것입니다. 왕 앞에서 수종 드는 사람이 얼굴이 근심으로 가득하다는 것은, 예법에 어긋날 뿐 아니라 왕에 대하여 반역하는 마음을 가진 것으로 충분히 의심을 받을 수도 있었습니다. 술 관원은 왕을 가장 가까이에서 모시기 때문에 그 자리는 조금의 의심스러운 표정 변화도 허용되지 않는 자리였습니다.

놀랍게도 왕은 궁의 예법이 아닌 그의 근심의 이유에 주목합니다. 이때 느헤미야는 당황했고, 2절 끝에 보면 '크게 두려워하였다.'고 합니다. 왜 두려웠을까요? 우선 자기가 근심 어린 표정을 짓고 있다는 것을 그제야 알아차리고 아마 꽤 놀란 것 같습니다. 그리고 그보다 더 큰 두려움의 이유를 우리는 다른 성경을 통해 추론할 수 있습니다. 에스라 4장에는, 아닥사스다 왕이 성전이 완성되기 20년 전, 예루살렘 성전 공사를 중단하라고 명령한 사건에 대해 기록되어 있습니다. 당시 예루살렘은 성전과 성벽 재건을 통해 회복을 도모하고 있었습니다. 그러나 그것을 시기하던 예루살렘 주변의 대적들이 아닥사스다가 즉위하던 해에 고소장을 올립니다. '예루살렘은 자주 반역을 시도했던 나쁜 성이기 때문에, 공사를 중단시켜야 한다.'(스 4:11-16)라는 내용이었습니다. 그 고소장은 이렇게 끝납니다. "이제 감히 왕에게 고하오니 이 성읍이 중건되어 성곽을 필역하면 이로 말미암아 왕의 강 서편 영지가 없어지리이다"(스 4:16).

무슨 말입니까? 아닥사스다 왕은 왕위에 오르던 해에 '예루살렘은 반역하는 성'이라는 가짜 뉴스를 믿고 공사를 중단시킨 왕이라는 말입니다. 그런 선입견을 품고 있는 왕에게 예루살렘 성을 다시 쌓기를 원한다고 말한다면, 느헤미야는 과연 무사할 수 있겠습니까? 충성스러운 술 관원에서 반역을 꾀하는 밀정으로 단숨에 추락할 수도 있는 상황이었습니다.

얼마나 당황스럽고 두려웠겠습니까? 그러나 느헤미야는 그 순간 기도했고, 이 당황스러운 질문에 잘 대처했습니다. 오히려 느헤미야는 유다의 총독이 되어 왕이 내어준 '통행증'과 공사에 필요한 '목재 제공 허가증', 이 두 가지 조서를 손에 쥐고 수많은 군대 장관과 마병을 거느리며 예루살렘으로 떠납니다. 큰 실수로 시작된 이 대화가 하나님 나라를 위한 위대한 결과를 낳은 것입니다.

느헤미야는 이 모든 과정을 회상하며 '남은 자', 곧 교회에 남길 교훈을 생각하며 사건을 정리하여 기록합니다. 느헤미야의 결론은 8절입니다. "내 하나님의 선한 손이 나를 도우심으로 왕이 허락하였다." 이 말은 아닥사스다 왕의 허락이 떨어지기까지 일어난 모든 일, 즉 우연, 실수, 기도, 계획, 조사, 노력 등 모든 것이 '내 하나님의 선한 손이 나를 도우시기 위한' 일들이라는 고백입니다. 따라서 우리는 느헤미야와 같은 관점을 가지고, 왕의 허락까지 이르는 모든 과정을 '하나님의 선한 손'의 관점으로 보아야 합니다.

하나님의 선한 손, 섭리

'하나님의 손'이라는 표현은 교리문답에서 '섭리'를 설명할 때, 사용하는 표현입니다. 하이델베르크 교리문답 27문답은 "하나님의 섭리란, 언제 어디에나 미치는 하나님의 전능하신 능력으로, 하나님께서 마치 **당신의**

손으로 하시듯이, 하늘과 땅과 모든 피조물을 보존하시고 다스리시는 것입니다. 따라서 채소와 목초, 비와 가뭄, 풍년과 흉년, 양식과 음료, 건강과 질병, 부와 가난 등 세상 모든 것은, 우연이 아니라 하나님의 **아버지 같은 손길**에 의해 일어납니다."라고 정의하고 있습니다. 두 번이나 하나님의 손이라는 표현이 나옵니다.

느헤미야는 하나님의 놀라운 손의 섭리를, 이 기록을 읽게 될 모든 교회에게 가르치고 있습니다. '섭리하시는 하나님의 손이 교회의 회복을 도우신다.'라는 성경의 가르침을 선포하고 있는 것입니다. 따라서 오늘은 '섭리하시는 하나님의 손이 교회의 회복을 도우신다.'는 본문의 가르침을 좇아 세 가지를 살펴보려고 합니다:

> 첫째, 하나님의 손은 우리가 계획하지 못한 일을 도구로 교회를 도우십니다. 둘째, 하나님의 손은 우리가 세운 치밀한 계획을 도구로 교회를 도우십니다. 셋째, 하나님의 손은 우리의 계획을 막는 세력을 도구로 교회를 도우십니다.

계획하지 못한 일을 도구로 섭리하심

하나님의 손은 우리가 계획하지 못한 일을 도구로 교회를 도우십니다. 우리가 계획하지 못한 것, 우리 계획을 벗어나 있는 대표적인 것이 바로 사고, 실수, 우연과 같은 일입니다. 느헤미야는 의도치 않은 실수로 인해 두렵고 당황스러운 상황을 맞습니다. 그때, 하나님은 지혜의 영으로 함께하시면서 이성적이고 전략적으로 대답하도록 인도하셨습니다. 3절에 그 대답이 나옵니다. 느헤미야는 우선 '왕은 만세수를 하옵소서' 하며 정신을 차리고 왕에 대한 예를 다시 갖춥니다. 그리고 하는 말이 무엇입니까? '나의 열조의 묘실 있는 성읍이 이제까지 황무하고 성문이 소화되었사오니 내가 어찌 얼굴에 수색이 없사오리이까.' 입니다.

이 대답은 참으로 지혜로운 대답입니다. 서두에서 밝힌 것처럼, 아닥사스다 왕의 마음에는 '예루살렘' 하면 '반역하는 도시'라는 선입견이 형성되어 있습니다. 예루살렘이라는 단어 자체가 부정적인 감정을 불러일으킬 수 있었습니다. 느헤미야는 순간 예루살렘 대신 '나의 열조의 묘실이 있는 성읍'이라고 표현합니다. '나의 열조' 즉 '내 아버지들, 내 조상들의 무덤이 있는 성읍'이라는 뜻입니다. 이 표현은 자식 된 도리, 즉 아버지와 조상에 대한 충성심이 느껴지는 표현입니다. 예루살렘의 반역적 이미지는 감춰지고 충성스러운 느헤미야라는 사실이 드러나는 표현입니다.

거기에 느헤미야는 '어찌 얼굴에 수색이 없사오리이까?'라는 의문형 표현으로 쐐기를 박습니다. 이 말은 이런 뜻입니다: '왕도 알고 나도 알고 상식이 있는 사람이라면 누구나 알고 있듯이, 조상들의 무덤이 있는 도성을 무너진 채로 버려두는 것은 자녀 된 도리가 아니지 않습니까? 고로 제가 근심하는 것은 당연한 일이지 않습니까?' 고대 왕국에서 '혈통'이 왕권의 확립을 위해 얼마나 중요한지는 여러분도 상식적으로 잘 아실 것입니다. 즉 조상들의 무덤에 대한 이해가 깊은 고대 이방인 왕에게 이 표현은 깊은 공감을 이끌어 내는 표현이었을 것입니다. 상상력을 동원해보면, 아마도 왕에게는 더 빨리 알아차리지 못한 미안함과 함께 어서 빨리 보내줘야 할 것 같은 마음이 밀려왔을 것으로 추정이 됩니다.

지혜를 주시는 하나님의 선한 손

실수와 두려움이 마음과 사고를 얼어붙게 만들 수 있었던 이 당황스러운 순간, 느헤미야는 어떻게 이 모든 답을 생각해내고 담대히 말할 수 있었을까요? 느헤미야의 결론은 무엇이었습니까? 하나님의 선한 손의 도움이 함께하셨다는 것입니다. 구체적으로 우리는 성령님께서 함께하셨음을 믿을 수 있습니다. 이에 대해 예수님의 말씀을 주목해봅시다. 그분은 마지막 날 교회가 당할 고난의 때를 예언하시며 이렇게 말씀하셨습니다. "사람들이 너희를 끌어다가 넘겨줄 때에 무슨 말을 할까 미리 염려치 말고 무엇이든지 그 시에 너희에게 주시는 그 말을 하라." 그리고 이 말씀을 덧붙이셨습니다. "말하는 이는 너희가 아니요 성령이시니라"(막 13:11). 지혜의 영이신 성령님은 교회를 위하여 왕 앞에서 입을 열어야 했던 느헤미야를 도우셨고, 아닥사스다 왕의 마음을 여셨습니다. 그리고 동일한 성령님이 지금도 교회와 성도 여러분과 함께하십니다.

사랑하는 성도 여러분, 그러므로 계획을 벗어난 일을 만나더라도 염려

하지 마시기 바랍니다. 마음으로부터 후회가 되더라도 절망으로 빠져들지 마십시오. 의도치 않은 일, 통제할 수 없는 일, 큰 실수 가운데에서도 섭리하시는 하나님께서 지혜의 영으로 교회를 도우신다는 사실을 기억합시다. 교회가 두려움에 사로잡혀 얼어붙을 때에 놀라운 지혜로 마음과 사고를 녹여주실 것을 믿음으로 바라봅시다. 그 실수 때문에, 그 사고와 그 사건 때문에, 자책하기도 하고 많이 울기도 했지만, 결국 그 일로 주와 더 가까워지며, 주를 더 사랑하며 주께 더 감사하게 되었다는 고백, 하나님의 선한 손이 나를 도우셨다는 찬양이 우리 입에서 터져 나오게 되기를 간절히 바랍니다.

치밀한 계획을 도구로 섭리하심

하나님의 손은 우리가 세운 치밀한 계획을 도구로 교회를 도우십니다. 우리가 세운 계획에는 우리의 기도, 노력, 열심이 포함됩니다. 하나님은 이 급작스러운 상황 이전에, 느헤미야로 준비하게 하셨습니다. 구속의 은혜를 비추셔서 기도하게 하셨고, 회복에 대한 하나님의 뜻을 알려주셨고, 열심히 계획을 세우고 구체적으로 세밀하게 이 일을 준비하게 하셨습니다. 그것이 4절 이후로 나타납니다.

왕은 활짝 열린 마음으로 느헤미야에게 묻습니다. "그러면 네가 무엇을 원하느냐?" 아마 이때 느헤미야는 '하나님이 드디어 3개월 동안의 기도에 응답하시는구나!' 하고 확신했던 것 같습니다. 그래서 잠시, 아닥사스다 왕이 앞에 있었지만, 참된 통치자이신 하늘 왕께 눈을 돌립니다. '묵도' 하였던 것입니다. '묵도'라는 단어는 사실, 1장 4절에서 '내가 금식하며 기도하여' 할 때 그 '기도'와 같은 단어입니다. 매일 하던 기도가 왕 앞에서도 습관적으로 튀어나온 것입니다. '4개월 가까이 기도했던 응답을 이제 받는구나!' 확신하고 감사하며 기도합니다. 그리고 수개월의 기도 가운데 알게 된 하나님의 뜻을 전하기 시작합니다.

이 시점에 주목하십시오. 이 지점이 본문 전체 대화에서 결정적인 터닝포인트입니다. 지금까지는 아닥사스다가 왕이고, 느헤미야는 신하로서 대답했는지 모릅니다. 그러나 이 기도를 기점으로 이 관계가 완전히 뒤집힙니다. 즉 묵도 이후에는, 느헤미야가 술 관원으로 서 있는 것이 아니라, 하늘의 하나님, 만왕의 왕이신 하나님의 뜻을 전달하는 대사요, 사자로 서 있다는 것을 발견합니다. 느헤미야는 수개월 동안의 기도 중에 하나님께서 허락하신 계획들, 생각들, 전략들을 이 짧은 묵도의 순간에 모두 떠올린 후 아닥사스다에게 하나님의 어명을 전달하고 있습니다. 3개월 전에 시작된 기도는 하나님의 사자로서 어명을 선포하기 위한 준비과정이었습니다. 그 기도 기간이 없었다면, 실수를 기회 삼아 하나님의 계획을 이처럼 치밀하게 제시하지 못했을 것입니다. 하나님은 느헤미야의 기도를 그 손의 도구로 사용하셨습니다.

느헤미야의 실질적인 준비와 노력 역시 그의 기도만큼이나 뜨겁고 치밀했습니다. 7절 이하에서 우리는 그가 예루살렘 회복을 위한 사전 조사와 계획 수립에 얼마나 공을 들였는지 알 수 있습니다. 그는 여전히 예루살렘으로 가는 길목에 적대 세력이 있다는 정보를 알고 있습니다(7절). 이에 안전히 통행할 수 있는 조서를 써달라고 요청합니다. 또한, 예루살렘 근처에 왕의 숲이 있고, 거기에 건축 목재로 쓸 만한 나무들이 많다는 조사가 끝나있습니다(8절). 심지어 삼림을 감독하는 아삽에 대해서도 이미 파악을 했고, 목재 사용권을 받아 냅니다(8절). 3개월 동안 그는 기도한 만큼 전략을 세우고, 계획을 짜고, 길을 탐구하고, 자원을 확보했던 것입니다. 이러한 느헤미야의 모습은 그가 드린 기도가 단순히 입술 노동만은 아니었다는 것을 증명합니다. 그는 기도했고, 그 기도가 이루어질 것을 실제로 준비하는 기도의 삶을 살았습니다. 하나님은 그의 기도와 열심 어린 준비를 왕의 허락을 받아 내는 섭리의 도구로 사용하셨습니다.

계획을 도우시는 하나님의 선한 손

사랑하는 성도 여러분, 우리가 섭리를 생각할 때 가장 흔하게 오해하는 것이 있습니다. '내가 좀 나태하거나 게으르더라도, 하나님이 어떻게든 하시겠지.' 하는 생각입니다. '교회가 어떻게 해도, 하나님이 알아서 승리하도록 섭리하시는 거 아닌가?' 혹은 '내가 내 마음대로 살아도, 선택받은 백성이라면 결국 구원받는 것 아닌가?' 이런 부당한 생각을 합니다. 오늘 느헤미야를 보시면 아시겠지만, 하나님의 섭리를 참으로 믿는 성도는 게으르게 살지 못합니다. 느헤미야가 하나님의 섭리를 믿지 않아서 그렇게 열심히 노력했습니까? 정반대입니다. 하나님께서 섭리하실 때에, 나의 기도와 나의 삶이 그 섭리를 이루는 도구가 되리라는 것을 믿기에, 오히려 열심히 최선을 다해 하나님의 일에 삶 전체를 집중시키고 노력했던 것입니다.

성도 여러분, 섭리는 '하나님이 알아서 하십시오, 나는 모르겠습니다.'와 같은 태도와 전혀 상관이 없습니다. 그것은, 나태함과 게으름을 선하다고 하실 분이 하나님이라고 고백하는 것과 같습니다. 우리의 노력은 섭리하시는 하나님의 손에 들린 도구 중 하나입니다. 하나님의 손이 우리를 도우신 결과로 우리가 열심히 움직이고 부지런히 살며 기동하는 것입니다. 그래서 하나님께서는 마치 하나님의 일이 우리 손으로 실현되는 것처럼 그렇게 이루어지게 하십니다.

왜입니까? 함께 기뻐하기 위함입니다. 교제의 기쁨을 나누기 위함입니다. 하나님의 손으로 이루시는 일의 보람과 기쁨을 그분의 교회도 그들의 손으로 누리게 하시기 위함입니다. 모든 일을 마치고 나서는, '이 모든 일이 하나님의 손으로 하신 일입니다!' 하고 찬양하도록, 하나님께서 다 하셨다고 모든 영광을 돌려도 억울할 것 하나 없이 감사하고 즐거워할 수 있도록, 하나님은 그분의 위대한 섭리에 우리의 기도와 노력을 포함해 놓으셨습니다.

사랑하는 성도 여러분, 이 선한 뜻을 악용하지 마시기 바랍니다. 기도하면서, 나의 경건의 회복과, 가족의 신앙의 회복과, 형제자매와 교회의 회복을 위한 구체적인 계획을 세우고 실천하고 노력하는 여러분이 되시기 바랍니다. 그 기도와 그 계획을 하나님께서 그 손의 도구로 사용하셔서 우리가 예상치 못한 아름다운 결과를 이루실 때 감사하고 찬양하는 여러분이 되시기를 간절히 바랍니다.

계획을 막는 세력을 도구로 섭리하심

하나님의 손은 우리의 계획을 막는 세력을 도구로 교회를 도우십니다. 하나님은 교회를 적대하는 세력도 섭리의 도구로 사용하십니다. 오늘 아닥사스다 왕은 누구입니까? 이방 나라의 왕입니다. 이스라엘에게 이방 나라 왕이란 늘 '심판'의 도구였습니다. 때리는 막대기였고, 하나님 손의 채찍이었습니다. 그런데 오늘 본문에서 아닥사스다는 마치 하나님의 신하와 같이, 하나님의 뜻을 좇습니다. 사실 아무리 느헤미야가 기도하고 준비하고, 우연히 이런 대화의 장이 마련되었다 하더라도, 아닥사스다가 느헤미야를 허락하지 않았다면 아무 일도 일어나지 않았을 것입니다. 그래서 그는 중요합니다.

4절 이후로 느헤미야가 아닥사스다에게 소원을 말하면서 반복하는 표현이 있습니다. 5절에 보시면, "왕이 만일 즐겨하시고"라고 되어 있죠. 6절과 7절에도 "왕이 만일 즐겨하시거든"을 사용합니다. 이 말은, '당신이 보시기에 이 말이 옳거든', 즉 '제 말을 당신이 선하게 여기시거든'이라는 뜻입니다. 실제로 왕은 느헤미야의 요청을 다 옳게 여기고 허락합니다. 단지 허락할 뿐 아니라 보너스도 줍니다. 즉 하나님의 선한 계획이 왕의 눈에도 다 옳게 보이도록, 하나님의 선한 손이 역사하셨던 것입니다.

물론 왕이 느헤미야를 보낸 이유는 하나님에 대한 신앙 때문이 전혀 아니었습니다. 여기에는 아닥사스다의 지극히 개인적이고 인간적인 욕심과 욕망과 계획이 작용합니다. 특히 6절에, 왕후가 왕의 곁에 있었다고 굳이 기록을 해두었습니다. 이 일이 결정될 때 왕후가 하나님의 손의 도구로 사용되지 않았다면, 느헤미야가 굳이 기록할 이유가 없는 내용입니다. 아마도, 바로 이어지는 아닥사스다의 말을 볼 때, 왕은 왕후 앞에서 자신이 얼마나 관대한 왕인지 뽐내고 싶어 했던 것 같습니다.

'나는 관대하다. 내가 이 신하 한 사람도 이렇게 후하게 대우하는 자비로운 왕이다!' 자랑하고 싶었던 거죠. 그래서 6절을 자세히 보면, "어느 때에 돌아오겠느냐?" 물어본 후에, 대답도 듣지 않고 느헤미야를 보내기를 즐거워했다고 합니다. 돌아올 시기는 이후에 정하게 됩니다. 즉 왕은 느헤미야의 답을 들으려고 질문한 것이 아니라, 왕후에게 자신을 뽐내려고 질문했다는 것이 납득할 만한 해석입니다. 하나님은 이방 왕의 개인적인 욕심을 사용하셔서 교회를 도우셨습니다.

당시 국제 정세가 이 결정에 영향을 미쳤다고 보는 견해도 있습니다. 아닥사스다는 8절에서 느헤미야가 요청한 모든 것을 '허락합니다.' 특별히 느헤미야가 거할 집을 짓는 것도 허락하는데, 이 집은 총독의 공관을 뜻합니다. 즉 느헤미야가 유다의 총독으로서 예루살렘 지역에 관한 모든 재량권을 다 받았다는 것을 말합니다. 어떤 학자들은 이 결정이 당시 페르시아와 이집트의 국경지대 방어 때문에 이루어진 것이라고 합니다(김의원). 즉 왕은 페르시아의 주권을 보호하기 위하여 국경지대에서 자주 일어나는 이집트의 공격에 대해 고심하던 중 느헤미야의 성벽 재건 공사를 흔쾌히 허락하고, 그가 요청하지도 않았던 총독 자리를 주었다고 보는 것이죠.

중요한 것은, 이런 내용을 성경이 언급조차 하지 않았다는 사실입니다. 성경은 구속의 역사에 주목합니다. 8절에서 드러났듯이, 아닥사스다 왕은 하늘 보좌에 앉으신 왕의 도구였을 뿐입니다. 본인은 관대하게 자비를 베풀고, 허가하고, 허락했다고 믿었겠지만, 그는 예루살렘에 대한 모든 결정이 왜 그의 마음에 선하고 옳게 받아들여지는지의 이유는 알지 못했을 것입니다. 하나님은 이렇게 교회를 반대하는 세력으로 여겨지던 이방 왕을 회복을 위한 수단으로 적극적으로 사용하십니다.

이 사실은 큰 위로와 함께 두려움을 갖게 합니다. 교회를 반대하는 세력, 신앙생활을 할 수 없게 만드는 환경, 회복하려 하는 교회를 거스르는 질병과, 죽음과, 사람들의 반대가 하나님의 통치 아래 있다는 사실이 얼마나 큰 위안이 됩니까? '하나님이 계시면, 어떻게 이런 일이 일어날 수 있나!' 하는 악한 사건들 속에서도, 하나님의 가장 의로운 심판을 소망하면서, 이 일로 어떤 선을 이루어 가실지 기대할 수 있다는 것이 얼마나 큰 위로가 됩니까? 한편, 하나님의 뜻은 아랑곳하지 않고 자기 마음대로 살아가는 사람들, 하나님을 공격하고 교회를 비난하고 무시하고 조롱하는 사람들조차도 교회를 위한 도구로 쓰실 수 있다는 이 전능하심이 얼마나 두렵습니까? 느헤미야는 그 두려우신 하늘의 하나님을 목도했고, 그 이후 아닥사스다 앞에서 전혀 두려워하지 않게 됩니다.

의로 통치하시는 하나님의 선한 손

사랑하는 성도 여러분, 섭리의 하나님, 그 자비로우신 아버지만 두려워하며 삽시다. 아무것도 두려워하지 마십시오. 우리의 계획대로 되는 일이든, 미처 계획하지 못한 일이든, 계획을 망치려고 공격하는 모든 일에서, 두려워하거나 염려하거나 분노하거나 좌절하지 않을 수 있는 이유를 우리는 가지고 있습니다. 동시에, 그 모든 것을 통치하시는 두려우신 하나님을 아는 지식이 우리를 사로잡고 있습니다. "겁내는 자에게 이르기를 너는 굳세게 하라, 두려워 말라, 보라 너희 하나님이 오사 보수하시며 보복하여 주실 것이라 그가 오사 너희를 구하시리라"(사 35:4). 우리가 두려워하는 모든 것이, 유일하게 두려우신 하나님의 손안에서 두려워하고 있음을 기억합시다. 정말 두려워해야 할 분만을 두려워하는 여러분이 되시기를 간절히 바랍니다.

섭리 신앙의 반석, 예수 그리스도

말씀을 들었지만, 여전히 섭리를 믿는 신앙의 삶은 결코 쉽지 않은 일입니다. '도대체 이 일이 왜 일어났을까.' 이해가 안 되는 사건, 알 수 없는 죽음과 질병이 얼마나 많이 발생합니까? 숨겨진 뜻 가운데 일어나는 일들 속에서 섭리의 하나님을 붙드는 것은 거의 불가능한 일입니다. 그래서 우리는 하나님의 섭리가 구체화되어 나타나는 말씀을 굳게 붙들어야 합니다. 느헤미야가 무엇을 붙들었었는지 기억합시다. 그는 이미 주어진 언약을 기억했고, 기록된 언약의 증거에 따라 구속의 하나님을 붙들었습니다. 즉 하나님이 나타내신 뜻, 하나님께서 나타내신 말씀을 붙들고 기도하며 준비했습니다. 그것이 그의 반석이었습니다. 그 위에 있었기에 실수해도 흔들리지 않았고, 예상하지 못한 우연에도 지혜롭게 대처했고, 담대했고, 두려움이 없었습니다.

우리 역시 이 반석 위에 서야 합니다. 주어진 말씀, 선포되는 그리스도를 붙들어야 합니다. 섭리를 믿는 신앙은, 받아들일 수 없는 일을 받아들이기로 하자며 억지 부리는 것을 뜻하지 않습니다. 여전히 이해되지 않아 슬피 울 때, 그리스도라는 확고한 반석 위에서 우는 것입니다. 하나님의 숨기신 뜻을 다 이해하고 섭리를 붙드는 것은 불가능합니다. 그러나 그리스도를 알고 그분을 붙들며 그 진리와 그 길로 하늘 아버지께로 나아가는 것은 충분히 가능합니다. 하나님은 다른 일들은 감춰 두시더라도, 그리스도는 보여 주시며 하나님에 대한 확신을 가지게 하십니다. 그리스도가 '섭리를 믿는 신앙'의 근본이며 반석이십니다. 그 위에서, 실수도 하고, 거센 저항도 만날 것입니다. 그러나 그리스도 위에서 우리는 흔들리지 않을 것입니다.

그러므로 말씀을 붙들고 그 위에서 기도하고 계획을 세우고 실천하십시오. 말씀으로 세운 계획을 벗어나는 우연이나 실수들, 또 말씀으로 세운 계획에 저항하는 원수들은 하나님께 맡기고, 그리스도께서 명령하신 말씀을 신실하게 따르며, 기도하며 계획하고, 실천하며, 씨름합시다. 그리스도의 반석 위에서, 섭리의 하나님을 바라보는 우리를, 성령님께서 붙드실 것입니다. 삼위 하나님의 선하심을 믿는 여러분에게 삼위 하나님의 도우심이 늘 함께하기를 성부와 성자와 성령의 이름으로 간절히 축원합니다.

4

말씀으로 교회를 일으키시는 하나님

4
말씀으로 교회를 일으키시는 하나님

10 호론 사람 산발랏과 종 되었던 암몬 사람 도비야가 이스라엘 자손을 흥왕케 하려는 사람이 왔다 함을 듣고 심히 근심하더라 11 내가 예루살렘에 이르러 거한지 삼일에 12 내 하나님이 내 마음을 감화하사 예루살렘을 위하여 행하게 하신 일을 내가 아무 사람에게도 말하지 아니하고 밤에 일어나 두어 사람과 함께 나갈쌔 내가 탄 짐승 외에는 다른 짐승이 없더라 13 그 밤에 골짜기 문으로 나가서 용정으로 분문에 이르는 동안에 보니 예루살렘 성벽이 다 무너졌고 성문은 소화되었더라 14 앞으로 행하여 샘문과 왕의 못에 이르러는 탄 짐승이 지나갈 곳이 없는지라 15 그 밤에 시내를 좇아 올라가서 성벽을 살펴본 후에 돌이켜 골짜기 문으로 들어와서 돌아왔으나 16 방백들은 내가 어디 갔었으며 무엇을 하였는지 알지 못하였고 나도 그 일을 유다 사람들에게나 제사장들에게나 귀인들에게나 방백들에게나 그 외에 일하는 자들에게 고하지 아니하다가 17 후에 저희에게 이르기를 우리의 당한 곤경은 너희도 목도하는 바라 예루살렘이 황무하고 성문이 소화되었으니 자, 예루살렘 성을 중건하여 다시 수치를 받지 말자 하고 18 또 저희에게 하나님의 선한 손이 나를 도우신 일과 왕이 내게 이른 말씀을 고하였더니 저희의 말이 일어나 건축하자 하고 모두 힘을 내어 이 선한 일을 하려 하매 19 호론 사람 산발랏과 종이 되었던 암몬 사람 도비야와 아라비아 사람 게셈이 이 말을 듣고 우리를 업신여기고 비웃어 가로되 너희의 하는 일이 무엇이냐 왕을 배반코자 하느냐 하기로 20 내가 대답하여 가로되 하늘의 하나님이 우리로 형통케 하시리니 그의 종 우리가 일어나 건축하려니와 오직 너희는 예루살렘

에서 아무 기업도 없고 권리도 없고 명록도 없다 하였느니라_**느헤미야 2장 10-20절**

본문의 줄거리

오늘은 본문 자체를 자세히 살펴보도록 하겠습니다. 이 본문이 느헤미야 전체를 이해하는 데 중요한 부분이기 때문에, 본문 이야기 자체를 앞쪽에서 자세히 다루려고 합니다. 그 이후에 하나님께서 교회를 일으켜 세우시기 위하여 말씀 사역을 어떻게 이루어 가시는지를 함께 나누도록 하겠습니다. 먼저 본문의 이야기는 크게 세 부분으로 나눌 수 있습니다: 1) 느헤미야의 야간 시찰 2) 느헤미야의 설교 사역 3) 대적과의 결별 선언

첫째, 느헤미야의 야간 시찰 (11-16절)

느헤미야는 예루살렘에 도착한 후 우선 3일의 휴식을 취합니다. 앞서 기록된 에스라서는 바벨론에서 예루살렘까지는 약 4개월이 걸리는 긴 여행길이라는 것을 알려줍니다(스 7:9-10). 3일 동안 휴식이 필요할 만큼 힘든 여정이었던 것 같습니다. 3일 동안 느헤미야는 피로도 풀고 현지 적응도 했겠지만, 무엇보다 습관에 따라 기도했을 것입니다. 12절 말씀대로 하나님이 감화하신 내용, 즉 '하나님께서 마음에 주신 예루살렘을 위한 계획'을 계속 묵상하며 기도했을 것입니다. '어떻게 유다 백성들을 설득할 수

있을까? 어떻게 이 일에 다 함께하도록 독려할 수 있을까? 반대하는 사람들은 어떻게 대처해야 하나?' 여러 가지 고민을 했을 것입니다.

기도 끝에 그는 움직이기 시작합니다. 한밤중에 예루살렘 성을 돌아보기 위해 몰래 집을 빠져나옵니다. 그는 두세 사람과 함께 당나귀 같은 작은 짐승을 타고 성을 시찰했습니다(12절). 어스름한 달빛에 의존해서 성벽을 돌아보았고, 귀로 들었던 내용을 눈으로 확인했습니다. 어떤 구간은 짐승이 지나갈 수 없을 정도로 파괴되어버린 황폐한 성이었습니다(14절). 성이 그토록 엉망인데 그 안에 사는 사람들의 삶이라고 온전했겠습니까? 무너진 성벽 근처에 사는 사람들이 어떤 환난 가운데 있었는지도 충분히 짐작되었겠죠. 그는 쓰레기 하치장이었던 '분문'부터 왕이 살았던 궁전 근처의 '왕의 연못'에 이르기까지, 예루살렘 사람들의 삶을 가장 낮은 곳부터 가장 높은 곳까지 자세히 살폈습니다(13-14절). 캄캄한 밤이었지만, 그는 그곳에서 생활하는 사람들의 삶을 생생히 그리며 시찰했을 것입니다. 어쩌면 그는 눈물을 꾹 참고 절망적인 성벽과 성문터를 걷고 걸어 숙소로 돌아왔을지 모릅니다. 모두 함께 예루살렘 성을 쌓기 위한 치밀한 계획이 이 날 밤의 눈물의 시찰을 통해 만들어졌을 것입니다.

둘째, 느헤미야의 설교 사역 (17-18절)

준비를 마친 느헤미야가 말씀을 선포합니다. 이 설교가 언제 어디에서 어떤 방식으로 전달되었는지는 기록이 없기에 알 수 없습니다. 그러나 분명한 것은 이 설교가 예루살렘의 남은 자 모두에게 회개와 믿음을 일으켰다는 사실입니다. 느헤미야의 설교가 회개와 믿음을 촉구했기 때문입니다.

"우리의 당한 곤경은 너희도 목도하는 바라 예루살렘이 황무하고 성문이 소화되었으니 자, 예루살렘 성을 중건하여 다시 수치를 받지 말자"(17절). 먼저 느헤미야는 예루살렘의 현재에 대해 정확한 진단을 내립니다. 여기서 '곤경'이라고 번역된 단어는 히브리어로 '악'을 뜻하는 단어입니다. '우리가 속해 있는 이 악을 너희도 눈으로 보고 있다! 150년 가까이 성벽이 무너진 상태로 성문이 타버린 상태로 있는 것은 단지 건물의 문제가 아니다. 성이 왜 무너졌는가? 우리의 악 때문이 아닌가? 하나님과의 언약을 어기고, 수많은 경고의 메시지를 무시하고, 끝까지 회개하지 않은 우리의 악함이 이 무너진 성터가 뜻하는 바가 아닌가! 이것을 재건하지 않는 나태함 역시 우리가 처해 있는 악함이 아닌가!' 느헤미야는 교회가 처한 악한 상태를 먼저 드러내고 있습니다.

이제 느헤미야는 회개로 초청합니다. '자'라고 번역된 단어는 'Come!', 즉 '오라!'입니다. "오라! 우리는 예루살렘 성을 다시 건축할 것이고, 그럼 다시는 수치가 없을 것이다!" 느헤미야는 선포합니다. 예루살렘 성을 다시 건축하자는 것은 단지 건물 공사에 함께 하자는 초대가 아닙니다. "수치가 없도록" 성을 다시 쌓는 것, 곧 회개하고 수치를 떨어버리고 회개의 열매를 맺자는 의미입니다. '이 성은 언약의 하나님께 대한 우리의 죄악 때문에 하나님이 무너뜨리셨다. 그러나 회개하고, 그 회개의 열매로서 성을 쌓고, 다시는 이 성이 하나님의 심판으로 무너지지 않도록, 더 이상 죄로 인한 수치가 없도록 우리의 신앙과 삶을 돌이키자!' 느헤미야는 회개로 초대하고 있는 것입니다.

이어진 18절의 내용은 회개를 위한 '믿음'을 불러일으키는 메시지였습니다. "우리는 악함 가운데 있었지만, 그때에도 하나님의 선한 손이, 우리 모두를 위해 나를 도우셨다. 그 자비의 하나님의 손이 성을 다시 쌓으라는 페르시아 왕의 결정을 이끌어 내셨다. 하나님이 예루살렘을 위하여 일하셨다. 그리고 지금 너희들과 함께 일하시려고 나를 보내셨다. 언약을 깨뜨리지 않으시고 다시 기회를 주시는 자비롭고 은혜로운 하나님께 믿음을 보이자. 도우시는 하나님을 믿음으로 이 선한 일에 신실하게 헌신하자!" 이렇게 믿음으로 백성을 초청합니다. 이 설교를 들은 예루살렘 성읍의 남은 자들, 곧 교회는 잃어버렸던 믿음과 사명을 되찾았고, 두려움과 나태함과 게으름으로 보낸 지난날을 회개하며 다시 일어서서 성벽을 쌓는 일에 착수합니다. 18절의 "모두 힘을 내어 이 선한 일을 하려 하매"는 직역하면 '선을 향하여 그들의 손을 강하게 하였다.'라는 의미입니다. 하나님의 말씀을 들은 모든 사람이 이제 악한 상태에서 벗어나고 있습니다. 하나님의 선한 손의 도움을 힘입어 다시 선한 일을 힘있게 시작하고 있습니다.

셋째, 대적과의 결별 선언 (10절, 19–20절)

이렇게 감동적인 교회의 이야기의 시작과 끝을 교회의 대적에 관한 기사가 둘러싸고 있습니다. 이러한 기사의 배치는 마치 대적들에게 둘러싸인 예루살렘의 형편을 보여 주는 듯합니다. 느헤미야는 예루살렘에 오는 동안 많은 도시를 통과하며 왕께 받은 통행증을 제시했을 것이고, 그때마다 심사를 받으며 여행 목적을 밝혔을 것입니다. 느헤미야가 밝힌 목적은 대적들에게도 전해졌고, 그 때문에 대적들은 매우 근심하고 있습니다(10절). 이 부분을 직역하면 느헤미야의 기록 의도를 더욱 분명하게 파악할 수 있습니다. '호론 사람 산발랏과 그 종 암몬 사람 도비야가 이스라엘 자손들의 **선**을 이루기 위해 한 사람이 왔다는 소식을 들었고, 그것은 그들에게 매우 **악**했다.'

무슨 말입니까? 이스라엘에게 '선'을 행하려는 느헤미야의 등장이 그들에게는 '악' 그 자체였다는 말입니다. 산발랏과 도비야가 교회가 회복되는 것을 싫어하는 대적들이라는 사실이 분명히 드러납니다. 그런데 이들의 면면을 살펴보면 정말 놀라운 점이 많습니다. 산발랏은 사마리아의 총독이었습니다. 그의 이름은 바벨론식 이름이었지만, 놀랍게도 그의 아들들의 이름은 '들라야'Delaiah와 '셀레먀'Shelemiah입니다. 두 아들의 이름에 '야', 즉 '여호와(야웨)'의 이름이 들어가 있습니다. 나중에 산발랏의 딸은 결혼하여 대제사장 가문에 속하게 됩니다(느 13:28). 유다 동편 암몬의 총독인 도비야는 심지어 '여호와 하나님은 선하시다.'라는 이름을 가지고 있으며, 그의 아들 '여호하난'(느 6:17–18) 역시 여호와에 대한 신앙을 드러내는 이름입니다. 이 아들은 영향력 있는 유다 지도자의 딸과 결혼합니다(느

6:18; 13:4).

이들은 겉보기에는 영락없이 교회입니다. 그러나 실제로는 교회의 대적입니다. 양의 탈을 쓰고 울타리 안으로 들어온 늑대들이었습니다. 예루살렘의 땅이나 유다에서 높은 지위를 누리는 등 사적인 이득을 취하려는 사람들, 이스라엘이 선을 회복하는 것을 심각한 악으로 여기는 이런 사람들이 교회에 섞여 있었습니다. 성벽이 없었기 때문에, 대적들은 쉽게 교회 안으로 들어와 하나님의 백성 노릇을 할 수 있었습니다.

대적들과 내통하는 유다인들이 이미 존재했습니다. 느헤미야의 활동에 대해 예의주시하는 사람들이 있었습니다. 그래서 느헤미야가 시찰을 밤에 몰래 할 수밖에 없었던 것입니다. 그러나 한밤의 시찰을 통해 준비되었던 느헤미야의 설교 사역은 모든 상황을 반전시켜 버렸습니다. 느헤미야의 설교 사역을 통해 교회는 모두 힘을 내어 일어섭니다. 이에 다시 대적들은 업신여기고 비웃으며 반역죄로 엮어버리겠다고 엄포를 놓습니다. "업신여기고 비웃어 가로되 너희의 하는 일이 무엇이냐 왕을 배반코자 하느냐."(19절). 그러나 말씀에 힘을 얻어 일어난 교회는 더 이상 대적의 겁박에 요동하지 않습니다.

느헤미야는 오히려 공식적으로 대적과의 결별을 선언합니다. "하늘의 하나님… 그의 종 우리가!"라고 외칩니다(20절). '하늘의 하나님께 속한 그분의 종은 우리뿐이다! 지금까지 하이에나처럼 기웃거리던 너희는 이제 우리와 하늘의 하나님에 대해 아무런 권리가 없다!' 이렇게 선언한 것입니다. 느헤미야는 '기업, 권리, 명록' 이 세 단어로 대적들이 이스라엘과 아무런 관계가 없다는 사실에 못을 박습니다. "오직 너희는 예루살렘에서 아무 기업도 없고 권리도 없고 명록도 없다"(20절). '기업'은 약속의 땅을 차지한 후 이스라엘 각 지파에게 분배된 땅입니다. 그래서 '그가 이곳에 기업이 있다.'면, 그가 이곳에 속한 사람이라는 뜻입니다. '권리'는 하나님 나라에서의 시민적인 자격이나 법적인 권리를 뜻합니다(삼하 19:28). '명록'은 오랜 기간 계승되어 온 전통적 권리 사항들을 담은 공적 자료를 뜻하는데, 아마도 예루살렘 성전 제사에 참여할 수 있는 권리에 대해 기록되어 있는 문서로 보입니다. 느헤미야는 대적들이 별 탈 없이 누려온 이 모든 권리를 박탈합니다. 성벽 재건의 시작부터 하나님 말씀의 사역을 통하여 대적들이 교회에서 제외되었습니다.

교회를 일으켜 세우는 도구, '말씀'

본문을 요약하자면, 본문은 무너진 성터 위에서 절망하던 교회가 느헤미야의 말씀 사역으로 굳세게 일어나 하나님의 일에 즐거이 헌신하게 되었고, 겉으로 교회인 척하며 속으로는 이득을 취하던 자들은 교회에서 쫓겨나 큰 고민에 빠지게 되었다는 내용입니다. 이 모든 일을 하나님께서 섭리하시는 가운데 이루셨다는 것이 오늘 본문이 말하고자 하는 바입니다. 특별히 섭리의 도구인 '말씀'이 강조됩니다. 느헤미야가 밤에 시찰을 나선 것은 교회와 또 대적자들에게 선포할 말씀을 준비하기 위함이었습니다. 느헤미야가 '하나님의 선한 손' 즉 하나님의 섭리에 대해 설교할 때, 교회는 일어나 성벽을 짓는 일에 착수하였습니다. 말씀을 비웃으며 본색을 드러낸 대적에게 느헤미야는 하늘의 하나님의 권위로 꾸짖습니다. 본문은 오늘 설교의 제목처럼 '하나님께서 말씀의 능력으로 교회를 일으켜 세우신다.'고 가르치고 있습니다. 그렇다면, 교회를 일으켜 세우기 위하여 하나님은 말씀 사역을 어떻게 이루어가시는지 두 가지를 살펴보겠습니다.

첫째, 삶의 현장에서 준비되는 설교를 도구로

첫째, 먼저 말씀이 준비되도록, 하나님은 당신의 사역자를 성도가 처한 삶의 현장으로 보내십니다. 하나님은 교회가 처한 악함과 슬픔과 고난의 현장을 느헤미야의 눈으로 직접 보게 하셨습니다. 모두가 잠든 시간에, 느헤미야가 깨어서 거룩한 교회가 처한 악한 상태를 면밀히 조사하게 하셨습니다. 쓰레기 하치장부터 왕의 연못까지 두루 다니며, 이들을 어떻게 고치고 다시 세워야 할지를 생각하고 고민하게 하셨습니다.

오늘날 말씀의 사역자 역시 성도들의 삶의 현장으로 보냄을 받습니다. 목사의 집은 산속 깊은 곳에 있지 않고 여러분이 사는 동네 그 어딘가에 있습니다. 목사는 홀로 살지 않고 여러분과 같이 가정을 이루고 자녀를 양육하며, 더할 나위 없는 행복과 스트레스를 동시에 경험하며 살아갑니다. 목사와 장로는 고해성사하러 오는 회중을 기다리지 않고, 심방하러 회중을 향하여 나아갑니다. 집사도 가난하고 소외된 성도를 구제하기 위해 가정을 심방합니다.

이유가 무엇입니까? 예수 그리스도, 잃어버린 양 한 마리도 망설임 없이 찾아 나서는 우리의 목자장 때문입니다. 낮고 천한 이 땅에 연약한 사람의 몸을 입고 찾아오시는 분이 우리 구주 그리스도이시기 때문입니다. 우물가의 한 여인을 만나시려고 굳이 사마리아로 통행하시고(요 4:4), 세리 하나를 만나시려고 굳이 여리고로 들어 지나가시는 분(눅 19:1)이 우리의 목자이시기 때문입니다. 그래서 말씀 사역자들은 그리스도의 말씀을 가지고 여러분의 집으로, 사업체와 직장과 학교로, 병원과 장례식장으로, 한 사람 한 사람을 찾아갑니다. 이 모든 만남을 통해 회중이 들어야 할 가장 적실한 말씀을 준비하게 하시는 것입니다. 성도들이 처한 영적 현실을 파악하고, 성도들이 대적들의 공격에 대비하도록 하시는 것입니다.

사랑하는 성도 여러분, 그렇다면, 지금 강단에 목사가 서 있다는 것은 무엇을 의미하겠습니까? 하나님께서 여러분의 삶을 일으켜 세우실 준비를 마치셨다는 뜻입니다. 목사가 설교를 준비해서 강단에 오를 때마다, 하나님께서 우리 모두를 일으켜 세우실 것을 기대하시기 바랍니다. 물론 목사 개인은 인간적인 연약함과 부족함, 실수와 모자람을 가지고 있어서, 언제나 이 사역에 방해만 되는 존재일 뿐입니다. 이 말씀을 가장 먼저 듣는 성도로서 늘 두려워 떨며 회개해야 할 사람일 뿐입니다. 그럼에도 불구하고, 성령님께서 목사의 인간적인 한계를 초월하여, 설교를 가지고 일하시기 위해 얼마나 많은 준비를 하시는지, 여러분은 모르실 것입니다.

저는 이 일에 증인입니다. 성령님께서 저를 여러분의 삶의 문제 속으로 보내시고, 여러분의 문제를 가지고 함께 씨름하는 가운데 설교를 준비하며 얼마나 많은 밤을 지새우게 하셨는지, 제가 압니다. 거룩한 복음 설교로 여러분의 마음에 믿음을 일으키기 위하여, 악함 가운데 있는 우리를 선한 손으로 건지시기 위하여, 성령님께서 설교 한 편을 어떻게 준비하게 하시는지에 대해 제가 증언할 수 있습니다. 좋은 설교 영상이 넘쳐나고, 곧 인공지능이 설교를 작성하는 날이 도래할 것이라고들 합니다. 그러나 여러분 곁으로 보내심을 받고, 여러분의 고난을 함께 당하게 하신 목사의 설교는 오직 우리 교회 이 강단 위에서만 선포됩니다.

말씀의 사역자를 여러분의 삶 가운데 보내셔서 설교를 준비하게 하시는 하나님께 감사합시다. 설교가 준비되는 이 과정을 기억하며, 매 주일 설교를 주의 깊게 들으십시오. 귀로 듣고 흘리지 마시고, 마음에 새기며, 새긴 말씀을 붙들고 삶 속에서 씨름하시기 바랍니다. 교회와 그 속에 있는 나를 위하여 준비된 말씀임을 믿음으로 받으시고, 공예배가 끝난 시점부터 다음 공예배까지 늘 묵상하시기 바랍니다. 성도들과 함께 가족과 함께 말씀의 은혜를 나누시기를 바랍니다. 가능하다면 직장에서도 신령한 대화를 이어가시기 바랍니다. 이 모든 삶으로 삼위 하나님께 감사하시기 바랍니다.

둘째, 단순한 복음 선포를 도구로

교회를 일으켜 세우기 위하여 하나님은 말씀의 사역을 어떻게 이루어 가십니까? 둘째, 단순하게 복음을 선포하게 하십니다. 느헤미야가 성을 다시 쌓자고 선포한 것은 그 시대와 상황에 국한된 말씀처럼 보입니다. 하지만 이 설교는 삼위 하나님에 대한 믿음과 회개, 즉 보편적인 복음의 선포였습니다. "회개하고 복음을 믿으라."(막 1:15) 하신 예수님의 선포와 다르지 않다는 것입니다. 단순하게 복음을 전파하는 곳에서, 복음의 진가가 드러납니다. 복음은 모든 믿는 자에게 구원을 주시는 하나님의 능력(롬 1:16)이라 하셨습니다. 삼위 하나님께서 '지혜의 권하는 말로 하지 아니하고 다만 성령의 나타남과 능력으로 하여 우리 믿음이 사람의 지혜에 있지 아니하고 다만 하나님의 능력에 있게'(고전 2:4-5) 하셨습니다.

단순한 복음이 능력이라는 사실을 우리 모두 믿어야 할 때입니다. 전하는 자도 믿어야 하고, 듣는 자도 믿어야 합니다. 오늘날 교회는 힘을 잃고, 신천지와 같은 이단은 더 큰 소리를 내고 있습니다. 이러한 상황에 이르게 된 데에는 여러 가지 요인이 있겠지만, 복음의 부재 혹은 변질된 복음이 가장 큰 이유일 것입니다. 강단에서 순수한 복음을 회복하고, 회중이 순수하게 복음을 받아들일 때 교회는 분명히 다시 힘을 내어 일어나게 될 것입니다.

그럼에도 교회 안팎에서 우리의 대적은 이렇게 외칠 것입니다. "말씀만으로는 안 된다. 설교만으로는 안 된다. 뭔가 다른 것이 필요하다. 설교의 부족함을 채울 수 있는 것이면 무엇이든지 해야 한다!" 날이 갈수록 교회 안에서 본말이 전도된 이와 같은 목소리가 힘을 얻어가고 있는 것을 봅니다. 말씀과 기도에 전무하는 목사를 세상 물정 모르는 바보로 취급하거나, 순전히 말씀만 의지하는 교회를 두렵게 만드는 이러한 소리들은 산발랏과 일당들이 '너희가 왕을 배반하고자 하느냐.'라고 협박하는 소리와 다르지 않습니다.

사랑하는 성도 여러분, 이럴 때일수록 우리는 더욱 단순한 복음에 뿌리를 깊이 내리며 살아갑시다. 복음이 순수하게 선포될 수 있도록 강단을 위해 기도하시기 바랍니다. 그리고 단순한 복음 외에 다른 것에 미혹되지 않도록 여러분의 마음을 지켜달라고 기도합시다. 목사가 흔들리면 성도가 흔들리는 것처럼, 성도가 흔들리면 목사도 영향을 받습니다. 저와 여러분 모두가 단순한 복음을 전하고 듣는 것에 그저 만족할 수 있어야 합니다. 만일, 말씀을 들었는데 아무 일도 일어나지 않으면, 어찌해야 합니까? 다른 길을 찾지 말고, 더욱 복음을 붙들 수 있도록 기도합시다. 그래도 아무 일도 일어나지 않으면, 어떻게 합니까? 그때는 더욱더 복음을 강력하게 붙들 수 있도록 간구합시다. 이 길 외에 다른 길은 상상조차 하지 않는 저와 여러분이 되기를 바랍니다.

결론: 절망의 시대, 소망의 말씀을 붙들기

이렇게 설교하고는 있지만, 제가 보기에도 교회가 당면한 현실은 참 녹록지 않아 보입니다. 그러나 교회의 회복은 우리가 교회의 현상을 희망적으로 보느냐 절망적으로 보느냐에 달린 문제가 아닙니다. 우리의 눈을 믿지 말고 말씀하시는 하나님을 신뢰하십시오. 교회의 회복은 삼위 하나님께서 주권적으로 이루실 일입니다. 느헤미야가 오기 전, 예루살렘 성의 남은 자들에게는 희망이 보이지 않았습니다. 그들은 전혀 예상치 못하던 때에 선물처럼 느헤미야를 만났고, 그의 설교를 들었으며, 선한 손으로 교회를 도우시는 하나님을 만났습니다. 그로 인해 낙담과 근심은 한순간 기쁨과 용기로 변해버렸습니다. 이 땅의 교회를 일으켜 세우시는 은혜도 언제 어떻게 주어질지 알 수 없습니다. 그러므로, 친히 그분의 손으로 이 모든 일을 이루실 삼위 하나님에 대한 굳건한 믿음과 소망 위에 서서, 이 일을 이루시기 위하여 사용하시는 은혜의 수단, 말씀을 붙듭시다.

한 주간 동안 말씀의 사역자를 준비시키셔서 여러분을 만나실 삼위 하나님의 음성을 사모하며 예배의 자리에 나아오십시오. 나아와서 단순한 복음을 들으십시오. 들으며 그리스도를 만나고, 삼위 하나님과 교제하시기 바랍니다. 하나님은 그렇게 한 사람 한 사람을 말씀으로 일으켜 세우실 것이며, 동일한 말씀으로 마침내 교회를 회복하실 것이며, 동일한 말씀으로 대적들을 잠잠하게 하실 것이며, 동일한 말씀으로 하나님의 나라가 임하는 것을 보게 하실 것입니다. 동일한 말씀을 사모하는 모든 성도에게 삼위 하나님께서 함께하시기를, 성부와 성자와 성령의 이름으로 간절히 축원합니다.

5

하나님이 기억하시는 '그 다음' 사람들

5
하나님이 기억하시는 '그 다음' 사람들

1 때에 대제사장 엘리아십이 그 형제 제사장들과 함께 일어나 양문을 건축하여 성별하고 문짝을 달고 또 성벽을 건축하여 함메아 망대에서부터 하나넬 망대까지 성별하였고 2 그 다음은 여리고 사람들이 건축하였고 또 그 다음은 이므리의 아들 삭굴이 건축하였으며 3 어문은 하스나아의 자손들이 건축하여 그 들보를 얹고 문짝을 달고 자물쇠와 빗장을 갖추었고 4 그 다음은 학고스의 손자 우리아의 아들 므레못이 중수하였고 그 다음은 므세사벨의 손자 베레갸의 아들 므술람이 중수하였고 그 다음은 바아나의 아들 사독이 중수하였고 5 그 다음은 드고아 사람들이 중수하였으나 그 귀족들은 그 주의 역사에 담부치 아니하였으며 6 옛 문은 바세아의 아들 요야다와 브소드야의 아들 므술람이 중수하여 그 들보를 얹고 문짝을 달고 자물쇠와 빗장을 갖추었고 7 그 다음은 기브온 사람 믈라댜와 메로놋 사람 야돈이 강 서편 총독의 관할에 속한 기브온 사람들과 미스바 사람들로 더불어 중수하였고 8 그 다음은 금장색 할해야의 아들 웃시엘 등이 중수하였고 그 다음은 향품 장사 하나냐 등이 중수하되 저희가 예루살렘 넓은 성벽까지 하였고 9 그 다음은 예루살렘 지방 절반을 다스리는 자 후르의 아들 르바야가 중수하였고 10 하루맙의 아들 여다야는 자기 집과 마주 대한 곳을 중수하였고 그 다음은 하삽느야의 아들 핫두스가 중수하였고 11 하림의 아들 말기야와 바핫모압의 아들 핫숩이 한 부분과 풀무 망대를 중수하였고 12 그 다음은 예루살렘 지방 절반을 다스리는 자 할로헤스의 아들 살룸과 그 딸들이 중수하였고 13 골짜기 문은 하눈과 사노아 거민이 중수하여 문을 세우며 문짝을 달고 자물

쇠와 빗장을 갖추고 또 분문까지 성벽 일천 규빗을 중수하였고 14 분문은 벧학게렘 지방을 다스리는 레갑의 아들 말기야가 중수하여 문을 세우며 문짝을 달고 자물쇠와 빗장을 갖추었고 15 샘문은 미스바 지방을 다스리는 골호세의 아들 살룬이 중수하여 문을 세우고 덮으며 문짝을 달며 자물쇠와 빗장을 갖추고 또 왕의 동산 근처 셀라 못가의 성벽을 중수하여 다윗 성에서 내려오는 층계까지 이르렀고 16 그 다음은 벧술 지방 절반을 다스리는 자 아스북의 아들 느헤미야가 중수하여 다윗의 묘실과 마주 대한 곳에 이르고 또 파서 만든 못을 지나 용사의 집까지 이르렀고 17 그 다음은 레위 사람 바니의 아들 르훔이 중수하였고 그 다음은 그일라 지방 절반을 다스리는 자 하사뱌가 그 지방을 대표하여 중수하였고 18 그 다음은 그 형제 그일라 지방 절반을 다스리는 자 헤나닷의 아들 바왜가 중수하였고 19 그 다음은 미스바를 다스리는 자 예수아의 아들 에셀이 한 부분을 중수하여 성 굽이에 있는 군기고 맞은편까지 이르렀고 20 그 다음은 삽배의 아들 바룩이 한 부분을 힘써 중수하여 성 굽이에서부터 대제사장 엘리아십의 집 문에 이르렀고 21 그 다음은 학고스의 손자 우리야의 아들 므레못이 한 부분을 중수하여 엘리아십의 집 문에서부터 엘리아십의 집 모퉁이에 이르렀고 22 그 다음은 평지에 사는 제사장들이 중수하였고 23 그 다음은 베냐민과 핫숩이 자기 집 맞은편 부분을 중수하였고 그 다음은 아나냐의 손자 마아세야의 아들 아사랴가 자기 집에서 가까운 부분을 중수하였고 24 그 다음은 헤나닷의 아들 빈누이가 한 부분을 중수하되 아사랴의 집에서부터 성 굽이를 지나 성 모퉁이에 이르렀고 25 우새의 아들 발랄은 성 굽이 맞은편과 왕의 윗 궁에서 내어민 망대 맞은편 곧 시위청에서 가까운 부분을 중수하였고 그 다음은 바로스의 아들 브다야가 중수하였고 26 (때에 느디님 사람은 오벨에 거하여 동편 수문과 마주 대한 곳에서부터 내어민 망대까지 미쳤느니라) 27 그 다음은 드고아 사람들이 한 부분을 중수하여 내어민 큰 망대와 마주 대한 곳에서부터 오벨 성벽까지 이르렀느니라 28 마문 위로부터는 제사장들이 각각 자기 집과 마주 대한 부분을 중수하였고 29 그 다음은 임멜의 아들 사독이 자기 집과 마주 대한 부분을 중수하였고 그 다음은 동문지기 스가냐의 아들 스마야가 중수하였고 30 그 다음은 셀레먀의 아들 하나냐와 살랍의 여섯째 아들 하눈이 한 부분을 중수하였고 그 다음은 베레갸의 아들 므술람이 자기 침방과 마주 대한 부분을 중수하였고 31 그 다음은 금장색 말기야가 함밉갓 문과 마주 대한 부분을 중수하여 느디님 사람과 상고들의 집에서부터 성 모퉁이 누에 이르렀고 32 성 모퉁이 누에서 양문까지는 금장색과 상고들이 중수하였느니라_**느헤미야 3장 1-32절**

들어가며: 성경 읽기의 난관

우리가 성경을 읽다 보면 오늘 본문과 같은 난관에 봉착할 때가 종종 있습니다. 눈으로 따라오기에도 힘이 드시죠? 수많은 건물의 이름, 수많은 사람의 이름들이 우리를 가로막습니다. '왜 이런 기록을 성경에 두셨을까? 당시에는 중요했겠지, 그런데 지금 나와는 무슨 상관이 있나?' 이런 생각까지 들기도 합니다. 그래서 빠른 속도로 읽으며 대충 넘어가기 마련이죠. 그러나 제가 예전에도 한 번 언급했던 것처럼, 하나님의 말씀은 다 하나님의 말씀에 걸맞은 무게를 지니고 있습니다.

비록 우리가 선뜻 이해하기 어렵더라도, 오늘 본문은 정말 중요합니다. 사실 이야기의 흐름에 따라서는 2장 끝에서 3장을 뛰어넘고 4장 처음으로 가도 아무런 문제가 없습니다. 그런데 잘 전개되고 있는 스토리를 중간에서 딱 끊고, 이 긴 명단을 집어넣은 것입니다. 심지어 시점도 일인칭 주인공 시점에서 삼인칭 관찰자 시점으로 바뀝니다. 이뿐만 아니라 시간적으로도 마치 성문과 성벽이 다 완성된 것처럼 기록합니다. 실제로는 이제 막 성을 짓기 시작했는데 말입니다. 4장에서는 이 시간 흐름을 되찾습니다. 한마디로, 이 명단을 통해 뭔가 전하고자 하는 메시지와 의도가 있는 것입니다. 느헤미야의 의도뿐 아니라 그에게 영감을 주신 성령님의 의도도 있습니다. 성령 하나님은 느헤미야의 의도를 파악함으로, 삼위 하나님의 뜻까지 깨달을 수 있도록 길을 열어 놓으셨습니다.

명단을 기록한 의도

그렇다면 느헤미야는 왜 이 명단을 기록했을까요? 먼저 문맥상 2장 끝에서 느헤미야는 교회에 가만히 들어오려고 했던 대적들을 향해 완전한 결별을 선언했습니다. 그 마지막 말이 무엇이었습니까? 너희는 "명록도 없다"(느 2:20)였습니다. 명록이란, 성전 제사에 참석할 수 있는 권한이 기록된 문서를 말하는데, '이름의 목록'이라는 한글 성경의 번역이 그 뜻을 직관적으로 잘 전달해줍니다. 느헤미야의 결별 선언은 "우리의 오랜 예배의 전통 가운데는 너희가 이름을 올릴 자리는 없다!"라는 선언이었죠. 즉 느헤미야는 예배하는 교회에 가만히 들어오려고 했던 이교도 대적들을 배제한 것입니다. 그리고 진짜 교회 안에 있어야 할 자들의 명단을 이어서 기록하고 있습니다. 이 목록을 감싸고 있는 2장과 4장은 모두 대적들의 비난과 공격을 다룹니다. 느헤미야는 대적들의 포위 가운데서도 하나님 나라 회복을 위해 일으켜 세워진 교회가 있다고 기록하고 있습니다. 대적들의 공격에도 회개의 열매를 맺으며 성을 재건한 사람들이 있다는 기록입니다. 즉 하나님의 말씀 사역으로 일어난 교회가 대적들의 방해와 공격 속에서 어떻게 성벽 전체를 재건할 수 있었는지 예고편처럼 보여 주고 있습니다.

여기서 우리는 성령님께서 이 말씀을 기록하신 목적을 발견할 수 있습니다. 성령님께서는 이 본문을 읽는 모든 남은 자, 곧 교회에게, 저와 여러분에게, 하나님 나라를 세워가는 일이 어떤 방식으로 진행될 것인지를 미리 보여 주고 계십니다. 이 방식을 정확하게 드러내는 말씀이 신약에 있습니다. 에베소서 4장 15-16절 말씀입니다. "...그는 머리니 곧 그리스도라 그에게서 온몸이 각 마디를 통하여 도움을 입음으로 연락하고(연결하고) 상합하여(결합하여) 각 지체의 분량대로 역사하여 그 몸을 자라게 하며 사랑 안에서 스스로 세우느니라." 하나님의 말씀 사역으로 힘있게 일어선 교회는 어떻게 하나님 나라를 이루는가? "각기 다른 은사와 다른 직분을 받은 성도들이 교회의 머리이신 그리스도로 인해 서로 연결되고 결합되어서 각자의 분량대로 역사하는 방식"으로 하나님의 나라를 세워 나갑니다. 이것이 바로 오늘 본문이 말씀하는 주제입니다.

"그 다음은"

서로 연결되고 결합이 되는 동시에 각자의 분량대로 일하는 이 방식을 잘 전달하기 위하여 3장 전체에서 반복적으로 많이 사용하는 표현이 있습니다. 바로 설교 제목에서 언급한 '그 다음'입니다. 세어보시면, 3장 서른

두 절에서 총 서른 번 등장하는 표현입니다. '그 다음'이라는 표현은 '연결고리'입니다. 앞이 있고 '그 다음'이 있고, 뒤가 있습니다. 이 연결고리 앞뒤로 각 지체가 자기가 맡은 분량에 따라 성을 쌓고 있음을 확인할 수 있습니다. '또 그 다음은, 그 다음은,' 하면서 이 성이 처음부터 끝까지 하나로 이어집니다. 각기 분량에 따라, 하나로 결합되어 완성되는 하나님 나라를 시각적으로 잘 묘사하고 있습니다.

우리는 '그 다음은'이라는 연결고리를 두 가지 측면에서 살펴볼 것입니다.

첫째로 '그 다음'의 시작과 끝을 보겠습니다: '그 다음이' 있기 전에, 그 시작점에는 무엇이 있고, 그 다음이 끝난 후 마지막 지점에는 무엇이 있는지 살펴볼 것입니다. 둘째로 '그 다음'으로 연결되는 각 사람들을 보겠습니다: 그들의 면모와 그들이 맡은 분량에 대해 살펴보겠습니다.

이 두 가지를 살펴보며 하나님께서 오늘날 교회에 주시는 명령과 위로가 무엇인지 함께 상고해 보고자 합니다.

'그 다음'의 시작과 끝, '양문'

그 다음의 시작과 끝에는 무엇이 있습니까? 문이 하나 있습니다. 양문입니다. 그리고 그 양문을 건축하는 대제사장 엘리아십과 형제 제사장이 있습니다. 3장의 명단은 1절의 양문으로 시작하여 시계 반대 방향으로 어문, 옛문, 골짜기문, 분문, 샘문, 수문, 마문, 함밉갓문, 양문으로 한 바퀴 돌아 32절의 양문까지 이르는 순서를 따라 기록되어 있습니다. 양문은 희생 제사에 쓸 양들이 예루살렘 성읍으로 들어오는 통로였습니다. 즉 성 밖에서 성전으로 바로 이어지는 문이었죠. '제사와 예배'에 깊은 연관이 있는 문입니다. 예배와의 깊은 연관성을 보여 주려는 것처럼, 이 공사는 대제사장이 일어나 직접 건축합니다. 1절을 보면 "대제사장 엘리아십"과 "형제 제사장들"이 공사를 시작하는 사람들입니다.

놀라운 장면이죠. 대제사장이 벽돌을 쌓고 문을 새로 다는 장면은 매우 희귀한 일입니다. 또 일부 잔재가 남아 있는 것을 보수하고 수리했다는 의미의 '중수했다'가 아닌, 다 무너진 곳을 처음부터 쌓는, '건축했다'라는 단어를 씁니다. 바닥부터 차곡차곡 새로 쌓아 올려야 했던 공사입니다. 성전 예배 전체를 주관하는 종교지도자, 대제사장이 이 일을 가장 먼저 시작한 것입니다. 또한 양문을 성별할 때, 문과 성전을 지키는 "함메아 망대부터 하나넬 망대까지"(느3:1) 함께 성별하였다는 점도 주목해보아야 합니다. '성별'이란, '거룩하게 하였다, 거룩히 구별하여 하나님께 봉헌하였다.'는 뜻입니다. 거룩히 성별된 양문과 망대로부터 '그 다음'으로 '그 다음'으로 연결되어 성이 완성되도록 한 것입니다.

성벽 공사의 시작과 끝, 알파와 오메가가 양문이며, 대제사장이 그 문을 손수 다시 건축하고 거룩히 구별했다는 것은, 이 공사 전체의 목적을 분명히 보여 주고 있습니다. 바로 이 성이 '하나님을 예배하는 성'으로 다시 세워지고 있음을 밝히고 있는 것입니다. '그 다음'으로 이어지는 모든 공사가 이 양문과 연결되도록 만들어서, 이 공사가 단지 성벽의 재건축이 아니라 '하나님을 예배하는 영적인 나라의 재건'을 의미한다는 것을 분명하게 보여 주는 것입니다. 그뿐만 아니라 이 공사에 참여하는 모든 사람이 대제사장의 모범을 따라서 제사장 나라의 일원으로 함께 하나님 나라를 세워가야 한다는 것을 보여 주고 있습니다. 모든 사람이 대제사장과 같은 일을 하며, 왕 같은 제사장처럼 하나님을 예배하는 나라를 세우는 노동에 참여하고 있다는 것입니다.

대제사장을 좇아 예배하는 나라 세우기

사랑하는 성도 여러분, 우리에게 임하고 있는 하나님의 나라도 동일하게 삼위 하나님을 예배하는 나라입니다. 예전에 우리는 이 나라에 참 어울리지 않는 사람들이었습니다. 우리 죄로 인해 하나님을 예배할 수 없는 위치에 놓여 있었습니다. 그러나 대제사장이신 예수 그리스도께서는 우리 죄를 위하여 자기 몸을 제물로 삼아 참된 예배요 영원한 제사를 하나님께 드리셨습니다.

"오직 그리스도는 죄를 위하여 한 영원한 제사를 드리시고 … 저가 한 제물로 거룩하게 된 자들을 영원히 온전케 하셨느니라"(히 10:12, 14). 그리스도께서는 그의 피로 거룩하고 온전하게 만드신 우리를 왕 같은 제사장으로 불러 주셨습니다. "오직 너희는 택하신 족속이요 왕 같은 제사장들이요 거룩한 나라요 그의 소유된 백성이니"(벧전 2:9). 대제사장 그리스도께서는 우리를 제사장으로 부르시며, 또한 하나님께로 나아가 예배할 것을 명령하십니다. "또 하나님의 집 다스리는 큰 제사장이 계시매 우리가 마음에 뿌림을 받아 양심의 악을 깨닫고 몸을 맑은 물로 씻었으니 참 마음과 온전한 믿음으로 하나님께 나아가자"(히 10:21-22). 참 마음과 온전한 믿음으로 하나님께 나아가 예배하는 나라의 일원으로 삼으신 것입니다. 삼위 하나님을 예배하는 나라, 이 예배가 지금 우리가 속해 있고, 끝 날에 온전히 임할 하나님 나라의 핵심입니다.

그렇다면, 우리가 드려야 할 예배는 무엇입니까? 우리가 쌓아야 할 벽돌은, 고쳐야 할 문은 구체적으로 무엇입니까? "그러므로 형제들아 내가 하나님의 모든 자비하심으로 너희를 권하노니 너희 몸을 하나님이 기뻐하시는 거룩한 산 제사로 드리라 이는 너희의 드릴 영적 예배니라"(롬 12:1). 공예배 가운데 설교자가 하나님의 모든 자비하심으로 권하는 말씀을 듣는 것이 예배입니다. 또한 말씀을 듣고, 힘을 내어 일어나서, 우리의 몸으로 우리가 사는 삶의 현장에서, 늘 성령의 인도하심을 받으며 순종의 삶을 드리는 것입니다. '아버지의 뜻이 하늘에서와 같이 땅에서도 이루어지이다!' 기도하며 실제로 따르는 삶을 말입니다. 이것이 우리가 드려야 할 영적 예배요, 쌓아야 할 벽돌이며, 세워야 할 문입니다. 하나님 나라의 핵심은 예배라는 이 사실을 기억하며, 우리의 대제사장이신 그리스도와 함께 그분을 좇아서 삼위 하나님을 예배하는 천국의 삶을 지금부터 누리게 되시기를 간절히 바랍니다.

'그 다음'으로 연결되는 사람들의 '다양성'과 '통일성'

이제 양문에서 출발하여 다시 도착하기까지, '그 다음'으로 연결되는 사람들을 살펴보도록 하겠습니다.

다양성

명록에 포함된 이 사람들, 즉 교회가 가지는 첫 번째 특징은 엄청난 다양성을 가지고 있다는 것입니다. 우선 이들은 다양한 지역, 다양한 가문 출신에, 다양한 신분과 은사와 직업을 가지고 있습니다. 어떤 이들은 금장색 길드, 향품 장사 길드를 형성하고 있는 노동자 계층이었으며(8절, 웃시엘 등, 하나냐 등), 어떤 이들은 예루살렘 지방의 절반을 다스리는 지도자였습니다(9절). 앞서 말했듯이 제사장도 있었고(28절), 성전에서 봉사하던 사람들도 있었습니다(26절, 느디님 사람). 어떤 이들은 '딸들'로서 이 역사에 함께 참여하기도 했습니다(12절).

심지어 어떤 사람은 지도자 느헤미야와 사이가 좋지 않았습니다. 대표적으로 대제사장 엘리아십은 나중에 사마리아의 대적자인 산발랏과 자녀의 혼인으로 연결되는 사람입니다. 그는 직분자로서는 대제사장의 역할을 잘 수행했지만, 엘리아십 개인으로는 느헤미야를 좋게 보지는 않았을 것입니다. 베레갸의 아들 므술람(21, 30절) 역시 대적 암몬 사람 도비야의 장인입니다(느 6:18). 5절의 드고아의 귀족들과 지도자들은 대놓고 참여하지 않았습니다. 느헤미야에 대한 저항의 표시였죠. 그런데 반대로, 드고아의 백성들은 공사 구역을 두 군데나 맡으면서, 지도자들과 반대로 느헤미야에게 적극적으로 협조하는 정말 다양한 모습을 보여 줍니다.

사람들의 다양성에 따라서 느헤미야는 분량에 따라 각각의 일을 적당하게 나누어 주었습니다. 어떤 이들은 집과 마주한 곳, 즉 집 근처에 있는 벽을 세웠고(10, 23절 등), 어떤 이들은 예루살렘에서 18Km나 떨어져 있는 곳에서 와서 참여했습니다(5절, 드고아). 어떤 이들은 아주 짧은 구간, 어떤 이들은 긴 구간을 담당하도록 했습니다. 어떤 이들은 완전히 무너진 곳을 건축하였고, 어떤 이들은 일부 부서진 곳을 복원하였습니다. 느헤미야는 성벽과 문을 42구역으로 나누어 다양한 사람들의 상황과 분량에 맞게 정한 후 '그 다음은'을 통해 빠진 곳 없이, 빈틈없이 성을 복구할 수 있도록 질서를 정했습니다. '그 다음은'으로 연결되는 사람들 중에서 한 부류의 사람들만 빠져도 '그 다음'으로 이어지지 않습니다. '그 다음' 사람들이 없이는 미완성인 채로 남는 나라가 바로 하나님의 나라입니다.

통일성

서로 너무나 다름에도, 하나를 이룰 수 있었던 것은 통일성 때문입니다. 이들의 통일성은 '말씀'으로부터 온 것입니다. 모두가 느헤미야의 설교로 선한 일을 하려고 힘을 내어 일어난 사람들이라는 점에서 그들은 하나였습니다(느 2:18). 말씀만이 이 다양한 사람들을 하나로 연합하게 하고,

결합하게 하여 그들이 자발적으로 이 일에 헌신하게 만든 것입니다. 그리고 각 사람이 받은 분량은 다 다르지만, 모두가 하나의 사명에 헌신하고 있습니다. '그 다음은'으로 끝까지 연결될 수 있는 하나의 일, 하나의 성을 쌓고 있습니다. 하나님의 나라를 세운다는 사명은 같다는 것입니다. 분량이 다를 뿐 내용은 같습니다. 상황이 다를 뿐 방향은 같습니다. 그러기에 이 사실을 아는 자들끼리 서로 무시할 수 없습니다. 분량이 자기보다 적은 사람도 존중할 수밖에 없습니다. 작든 크든 그 일 자체가 하나님의 성을 쌓는 일이기 때문입니다. 맡은 일이 아무리 많아도 자랑할 수 없습니다. 전체 공사에 비하면 일부에 불과하기 때문입니다. 하나가 되기에는 매우 어려울 정도로 다양한 사람들이 말씀의 능력으로 결합되어 하나님께서 주신 하나의 사명을 분량대로 이루어가는 방식, 그것이 교회가 하나님께 받은 회복의 방식이라는 점을 본문은 잘 보여 주고 있습니다.

각기 다른 지체들과 함께 하나의 나라 세우기

사랑하는 성도 여러분, 너무나 다양한 사람들이 모여 사도적 복음 아래 거룩한 하나의 공교회를 이루고 있습니다. 오늘 여기에 모인 우리 각 사람 역시 각자의 분량대로 은사와 사명을 받았습니다. 내게 주어진 상황에서 하는 작은 순종과 예배가 하나님의 도성을 완성하는 데 없어서는 안 될 순종과 예배입니다. 많은 백성이 자기 집 근처에서 성을 쌓도록 요구받았습니다. 이처럼 우리 중 대부분은 내 집, 내 직장, 내 학교, 내 생활 반경이 사명을 이루어야 할 장소가 됩니다. 한 사람이 자기가 맡은 구역을 건축하지 않으면 예루살렘 성이 완성되지 않는 것처럼, 한 그리스도인이 자기 사명에 소홀할 때 그 일이 하나님 나라 전체에 얼마나 악영향을 끼치는지를 우리는 각종 뉴스를 통해 확인하기도 합니다.

지혜의 주님이신 그리스도께서 각자의 분량대로 사명을 주시고, 우리를 보내십니다. 우리는 주어진 삶으로 보냄 받은 자들입니다. 바로 거기에서 하나님의 뜻을 이루어야 합니다. 예배 끝마다 주기도문으로 찬송하며 기도하는 것처럼, 나의 작은 선택에서 하나님의 뜻을 이루는 것으로 하나님의 나라가 오게 되고, 하나님의 이름이 거룩히 여김을 받게 됩니다. 나의 작은 순종이 하나님의 영광과 관련이 되는 이 복된 사명의 자리에 세워주신 것입니다. 하루하루 경건한 것이, 순간의 유혹을 이기는 것이, 그 작은 순종이 하나님 나라를 세우는 가장 큰 일이라는 사실을 기억합시다.

우리가 각자의 분량대로 은사를 받았다는 말은 우리 모두 부족할 뿐이라는 것을 의미합니다. 하나님의 나라는 혼자서는 이룰 수가 없는 것입니다. 모두가 다 전체의 아주 조그마한 일부만 감당합니다. 부족한 자들이 각자 부족하게 감당합니다. 그래서 교회에서는 자랑할 수 있는 사람이 아무도 없습니다. "이는 아무 육체라도 하나님 앞에서 자랑하지 못하게 하려 하심이라"(고전 1:29). 목사도 장로도 집사도 일부를 감당할 뿐입니다. 형제들도 자매들도 자녀들도 모두가 일부를 감당합니다. 내 집 앞을 감당할 뿐이며, 주어진 만큼만 감당할 뿐입니다. 그리스도 앞에서 이 겸손을 가질 때만 우리는 서로를 인정하고 사랑할 수 있습니다.

이 겸손이 없으면, 교회는 싸움이 일어나기 가장 좋은 곳이 됩니다. 우리가 얼마나 서로 다릅니까? 나이도 직업도 성별도 고향도 정치색도 다 다릅니다. 서로를 알면 알수록, 우리의 다른 점을 다 많이 발견하게 될 것입니다. 그럴수록, 모두가 한 가지 일을 하고 있음을 기억합시다. 우리가 다 한 말씀을 듣고, 한 영으로, 하나의 사명에 헌신하고 있다는 사실, 한 분 삼위 하나님께서 맡기신 하나의 일을 동역하고 있다는 통일성 아래에서만 모든 분쟁이 사라집니다. 각자의 삶에서 맡은 사명을 감당하고 있다는 것을 존중하면서, 내가 아무리 충성스레 헌신하더라도, 나로서는 이 나라를 완성할 수 없음을 인정합시다. "내 앞에 있는 당신이, 나 다음에 있는 당신이 나의 사명을 완성합니다."라고 서로 고백합시다. 그리스도 앞에 겸손히 무릎 꿇고, 지체들을 돌아보며 하나 됨을 이루어내는 교회가 되기를 간절히 바랍니다.

삼위 하나님이 기억하시는 '그 다음의' 이름들

결론적으로, 오늘 말씀을 통해 우리가 발견하는 것은, 하나님께서 이러한 교회를 기억하신다는 사실입니다. 주어진 분량대로 힘써 사명을 이루며 살아가는 여러분 한 사람 한 사람의 이름을 기억하신다는 사실입니다.

예루살렘 성벽을 재건한 이 사건은 하나님의 구속 역사 속에서 매우 중요한 사건입니다. 하나님께서 예루살렘을 회복하겠다 약속하신 말씀이 성취되는 사건이요, 미래에 이루어질 새 하늘과 새 땅의 회복을 바라보게 하는 예언적 사건이기도 하기 때문입니다. 보통 이런 사건에서 부각되는 것은 신앙의 영웅들입니다. 모세나 다윗과 같은 사람들이죠. 그러나 생각해보면, 그런 인물들이 활동한 시대에 이름 없이 빛도 없이 신앙을 지키며 순종하며 살아간 성도들이 있었습니다. 빛이 보이지 않던 시기에도 숨어서 하나님을 예배하며 살아갔던 사람들이 있었습니다. 느헤미야는 하나님이 성벽을 재건하는 놀라운 일에 사용하신 많은 사람의 이름을 기억하며 기록합니다. 이 중요한 사건에 느헤미야의 이름은 없습니다. 16절의 느헤미야는 동명이인입니다. 느헤미야는 자신의 이름을 넣지 않았습니다. 대신에 작은 일에 충성한 많은 사람을 기록에 남기고 있습니다. 이 이름들은 궁극적으로, 성령 하나님께서 기록하신 이름, 삼위 하나님께서 기억하신 이름들로 성경에 기록된 것입니다.

오늘 본문은 하나님께서 작은 자들의 수고와, 작은 자들의 예배를 기억하신다는 사실을 분명히 보여 주고 있습니다. 비록 성의 귀퉁이 한 곳을 수리했을 뿐이지만, 비록 문 하나를 세웠을 뿐이지만, 그것은 너무나 부족하고 모자란 헌신이지만, 그것도 너무 버거운 것이 나의 현실이지만, 우리의 왕께서는 "네가 예루살렘 성을 완성하기 위하여 네게 주어진 '그 다음'을 채웠구나, 착하고 충성된 종아!" 하시며 칭찬하고 기억하신다는 사실을 보여 줍니다. 따라서 3장의 말씀은 그 시대에만 중요하고 나와는 상관 없는 말씀이 전혀 아닙니다. 작고 소소한 충성에도 기뻐하시는, 저와 여러분을 향한 아버지 하나님의 마음을 읽을 수 있기 때문입니다.

그 다음은, 여러분

사랑하는 성도 여러분, 시간은 흘러 흘러 이제 여러분이 '그 다음'의 위치에 서 계십니다. 하나님 나라, 그 다음은 여러분입니다. 여러분의 작은 헌신, 작은 수고, 작은 순종과 자기 부인의 예배가 하나님의 나라를 이루도록 삼위 하나님이 역사하실 것입니다. 우리 서로 너무나 다르지만, 한 말씀 한 성령으로 일어나 같은 사명을 품고 범사에 충성을 다하는 자들로 서로를 대하며 사랑합시다. 그 사랑 안에서 참된 것을 하며 우리의 머리 되신 그리스도에게까지 자라갑시다. "오직 사랑 안에서 참된 것을 하여 범사에 그에게까지 자랄찌라 그는 머리니 곧 그리스도라 그에게서 온 몸이 각 마디를 통하여 도움을 입음으로 연락하고 상합하여 각 지체의 분량대로 역사하여 그 몸을 자라게 하며 사랑 안에서 스스로 세우느니라"(엡 4:15-16). 삼위 하나님께서 여러분이 속한 곳에서 여러분에게 주어진 '그 다음' 벽을 쌓게 하시며, '그 다음' 문을 고치게 하시며, 그 다음에는 하나님의 나라가 오게 하시기를, 성부와 성자와 성령의 이름으로 축원합니다.

6

대적의 조롱과
교회의 응전

6
대적의 조롱과 교회의 응전

1 산발랏이 우리가 성을 건축한다 함을 듣고 크게 분노하여 유다 사람을 비웃으며 2 자기 형제들과 사마리아 군대 앞에서 말하여 가로되 이 미약한 유다 사람들의 하는 일이 무엇인가, 스스로 견고케 하려는가, 제사를 드리려는가, 하루에 필역하려는가, 소화된 돌을 흙 무더기에서 다시 일으키려는가 하고 3 암몬 사람 도비야는 곁에 섰다가 가로되 저들의 건축하는 성벽은 여우가 올라가도 곧 무너지리라 하더라 4 우리 하나님이여 들으시옵소서 우리가 업신여김을 당하나이다 원컨대 저희의 욕하는 것으로 자기의 머리에 돌리사 노략거리가 되어 이방에 사로잡히게 하시고 5 주의 앞에서 그 악을 덮어 두지 마옵시며 그 죄를 도말하지 마옵소서 저희가 건축하는 자 앞에서 주의 노를 격동하였음이니이다 하고 6 이에 우리가 성을 건축하여 전부가 연락되고 고가 절반에 미쳤으니 이는 백성이 마음 들여 역사하였음이니라_**느헤미야 4장 1-6절**

들어가며: 전투하는 교회

이 땅의 교회를 가리켜 흔히 '전투하는 교회'라고 표현합니다. 이 말을 듣고 '교회는 잘 싸우는 곳이구나, 교회는 원래 싸움이 많은 곳이구나.' 하는 오해를 하면 안 됩니다. 이 전투는 어떤 전투입니까? 오히려 사람 사이의 갈등과 싸움을 일으키는 죄와 사탄에 대항하는 싸움입니다. 죄악 된 욕심을 부추겨 질투하고 이간질하고 다투고 경쟁하게 만드는 모든 악한 영들에 대항하는 싸움입니다. 사실 사람들이, 단체들이, 때로는 국가가 교회에 싸움을 걸어올 때가 있습니다. 그들은 교회를 괴롭히면서 자신이 사탄의 하수인 노릇 하고 있다는 것을 드러내기도 합니다. 그러나 우리는, 교회는 그 공격의 이면을 볼 수 있어야 합니다. 실체를 볼 수 있어야 합니다. "우리의 씨름은 혈과 육에 대한 것이 아니요 정사와 권세와 이 어두움의 세상 주관자들과 하늘에 있는 악의 영들에게 대함이라"(엡 6:12). 교회의 싸움은 영적입니다. 어떠한 싸움 속에서도 그 뒤에서 권세를 가지고 역사하는 영의 실체를 주목하고 그와 대항해야 합니다.

느헤미야서는 영적 전투 가운데 있는 교회의 모습을 잘 보여 줍니다. 산발랏을 비롯하여 많은 사람 대적들은 마귀의 의도를 잘 드러냅니다. 대적들이 왜 언약 백성을 공격하는지 개인적인 이유는 보이지 않습니다. 이들이 언약 백성을 공격하는 이유는 단 하나, 예루살렘 성이 회복된다는 소식에 화가 나기 때문이죠. 그 외 개개인의 속사정은 당시 역사 정세를 분석한 학자들의 도움을 통해 충분히 추론할 수 있지만, 성경의 원저자이신 성령님께서는, 그 인간적인 이유들을 숨기셨습니다. 이를 통해 우리는 이들 뒤에서 역사하는 실체, 마귀의 목적을 분명하게 바라보게 되는 것입니다.

기승전결

느헤미야는 1–6장에서 특별한 이야기 전개 방식을 통해 악한 영과 전투하는 교회의 모습을 잘 보여 줍니다. 저는 오늘부터 이 전개 방식을 알기 쉽게 '기승전결'이라고 부르겠습니다.

기: 대적의 등장
승: 교회의 소식
전: 대적의 적대 행위
결: 교회의 응전

오늘 본문도 정확하게 이 전개를 따르고 있습니다.

기: 대적자 산발랏이 등장해서 (1절, 대적의 등장)
승: 성을 건축한다는 것을 듣고 (1절, 교회의 소식)
전: 분노하여 비웃으며 말하되 (1절, 적대 행위)
결: 느헤미야의 대응 기도 (4절, 교회의 응전)

이러한 전개 방식은 벌써 두 번이나 나왔고(2:10, 19), 1장에서 6장까지 총 일곱 번 나오면서 교회의 치열한 전투를 묘사합니다. 특히 세 번째 기승전결인 오늘 본문에서부터는 대적들과 교회 사이의 실제적인 충돌이 일어납니다. 앞서 2장에 나타난 두 번의 도발은 '성벽 공사가 시작되기 전'에 일어난 기 싸움 정도였습니다. 그러나 이제는 언약의 백성들이 말씀을 듣고 일어났고, 각기 분량대로 하나가 되어 벽을 쌓기 시작했습니다. 실제로 하나님의 약속이 실현되기 시작한 것입니다. 이에 따라, 대적들도 군사들을 모으고 결집하여 실제적인 전투에 들어가고 있습니다. 그리고 본격적인 첫 번째 공방이 오가는 장면이 바로 오늘 우리가 읽은 본문입니다.

사랑하는 성도 여러분, 개인이든 가정이든 교회든 한 번 무너졌다가 다시 일어서는 일은 결코 쉽지 않습니다. 왜 그렇습니까? 무너진 삶과 절망적인 상황에서, 말씀을 붙들고 막 일어난 그 때, 옆 사람과 그 다음 사람이 손을 잡고, 원팀(one-team)이 되어 온 교회가 힘을 내어 일을 시작하는 그때, 막 소망이 움트기 시작한 그 시점에, 마귀가 싹을 잘라버리기 위해 맹렬한 공격을 퍼붓기 때문입니다. '이제 막 시작했으니 좀 봐줄게.'와 같은 자비가 사탄에게는 전혀 보이지 않습니다. 교회가 힘을 내면, 사탄도 힘을 다해 역사하며 이제 막 다시 일어선 교회를 주저앉히려고 합니다.

조롱의 공격과 기도의 응전

본문은 사탄이 이제 막 절망의 자리에서 일어난 교회를 주저앉히기 위해 사용하는 무기 가운데 하나를 보여 줍니다. 조롱입니다. 비웃는 소리들입니다. 또한 본문은 그 무기를 제압할 수 있는 교회의 무기가 있다는 것도 보여 줍니다. 기도입니다. 조롱의 공격과 기도의 응전을 통해, 오늘 본문은 대적의 조롱과 비웃음 가득한 상황 속에서도, '하나님은 기도하는 자의 마음과 생각을 지키신다.'는 것을 분명히 선포하고 있습니다. 오늘 본문을 살펴보면서 전투하는 교회가 기도를 통해 하나님으로부터 받는 은혜와 유익에 관해 상고해 보겠습니다.

대적의 무기: 조롱

먼저 대적들의 조롱을 살펴봅시다. 그 조롱의 특징은 한마디로 뼈를 때리는 팩트 폭력이라 할 수 있습니다. 한 마디 한 마디가 흘려들을 수 없는, 일단의 진실을 담고 있는 팩트, 즉 사실들로 우리를 조롱한다는 것입니다. 산발랏은 동맹을 맺고 '형제'라 부르던 도비야 같은 사람들과, 자기 군대인 사마리아 군대를 집결시킵니다. 그리고 분노에 찬 연설을 시작합니다(2절). 자기 사람들을 불러놓고 이렇게 분노의 연설을 한다는 것은 사실 그가 얼마나 당황했는지를 보여 줍니다. 느헤미야가 실제로 공사가 진행되게 하는 것을 보고, 자기 사람들의 불안을, 그 전에 자신의 불안을 떨쳐내기 위한 연설이기도 한 것입니다. 여기서 우리는 대적들 역시 불안하고 나약한 인간이라는 것을 알 수 있습니다.

그는 흔들리는 자신감을 완전히 회복하려는 듯이, 언약 백성들이 다 듣도록 무지막지한 독설을 퍼붓기 시작합니다. 그 하나하나가 팩트로서 폭력이 될 수 있는 상당한 진실을 담고 있습니다. "이 미약한 유다 사람들의 하는 일이 무엇인가? 스스로 견고케 하려는가?"(2절) 이 문장을 딱 여섯 글자로 줄일 수 있습니다. '네까짓 게 무슨?' 산발랏은 이렇게 말하고 있습니다. "너희 같은 유다 사람들이 무슨 성을 다시 짓겠다는 거냐? 너희가 스스로 성을 세울 만한 능력이 되냐?" 실제로 역사 기록에 따르면, 당시 사마리아는 북이스라엘이 멸망한 이후에 사르곤 2세에 의해 성이 재건되었는데, 멸망 이전의 모습보다도 더 좋았다고 합니다(J. B. Pritchard). 그래서 '우리는 가능했지만 너희는 안 돼!' 할 수 있었습니다. 반박 불가한 사실이었습니다. 그리고 실제로 유다 백성들이 다 성을 멋지게 쌓을 수 있는 전문가들이 아니었습니다. 3장의 명단을 기억하시죠? 대제사장도 성을 쌓아야 할 만큼 비전문적인 공사였습니다. '그래 나까짓 게 뭘 하겠어.' 하고 절망해도 아무 이상할 것 없는 뼈아픈 사실입니다.

"제사를 드리려는가?" 당시 성전은 있었고 제사도 있었기 때문에 이 제사는 '성벽 봉헌'의 제사를 의미할 것입니다. "성을 다 완성하고, 봉헌 예배를 드리겠다고? 그 날이 올 것 같아?"라는 조롱입니다. 갓 입대한 신병들에게 절망을 주기 위해 병장들이 이런 말을 자주 하곤 하죠. "전역할 날이 올 것 같아?" 이제 막 시작한 자들에게 이만큼 효과적으로 낙심을 불러일으키는 말이 없습니다. 특히 이 조롱은 '제사'라는 말을 통해, "하나님이 제사를 드릴 수 있는 완성의 날을 주실 것 같아?"라는 의미도 담깁니다. 그러니까, 여호와 하나님에 대한 그들의 신앙까지 조롱하며 이 일이 불가능하다고 말하고 있는 것입니다. 충분히 유다 백성을 흔들 수 있는 말입니다. 말씀을 붙들고 일어선 지 얼마 되지 않았기 때문입니다. '내가 믿음을 가진 게 얼마나 되었다고.' 하며 쓰러져도 아무 이상할 것 없는 뼈아픈 사실입니다.

"하루에 필역하려는가?" 하며 기간을 꼬집는 것은 이러한 절망에 딱 어울리는 자연스러운 연결입니다. '단기간에 끝낼 수 있겠는가? 너희들 꼴을 보니 며칠 못할 것 같은데 이게 단숨에 지을 수 있는 성이냐?' 이 사실도 팩트입니다. "소화된 돌을 흙 무더기에서 다시 일으키려는가?"라는 조롱은 재료와 자원에 관한 것입니다. '타버린 돌, 상처 난 돌, 흙 쓰레기 더미에서 무슨 아름다운 성을 쌓겠다는 건가?' 하는 조롱입니다. 예루살렘 성의 건축용 돌은 석회암이었습니다. 이 돌은 불에 약해서 타버리면 강도를 잃어버립니다. 여기 '다시 일으키려는가'라는 표현은 직역하면 '소생시키다, 새로운 활력을 주다.'라는 뜻입니다. '불타 버리고 활력을 잃은 돌을 다시 소생시키겠는가?' 하는 말은 '새 성을 위해서는 연약하게 되어버린 돌에 강도와 활력을 불어넣어야 하는데, 너희가 그렇게 할 수 있느냐?'라는 조롱입니다. 이 말 역시 팩트입니다. 느헤미야가 아닥사스다 왕에게 목조 재료를 공급받기 위한 허가증은 가져왔지만, 돌을 다듬어 다시 활력을 불어넣는 일은 전체 공사 속도를 너무 늦추는 작업이었습니다. 그들에게는 시간이 없었습니다.

정리해 봅시다. 유다 백성들은 이런 조롱 앞에 서 있습니다. "네까짓 게 되겠어? 네가 무슨 능력이 있어? 하나님께 기도하면 되겠어? 그 날이 올 것 같아? 얼마나 일하면 되겠어? 재료는 어디서 구하겠어? 너희에게 남은 자원이 있어?" 하나같이 팩트입니다. 사실입니다. 반박을 못 합니다. 입이 닫히는 소리입니다. 할 말이 없습니다. 이처럼 사탄은 이제 막 일어선 교회를 끌어 내리고 주저앉히기 위해 우는 사자처럼 최선을 다합니다.

교회를 비웃는 소리

회복을 위해 다시 일어선 성도와 교회를 주저앉히려는 노력은 오늘날도 이와 동일하게 불어 닥칩니다. 총회 기간에 교계 뉴스를 전하는 언론사들의 논조에도 악한 영의 조롱이 담겨 있습니다. 내가 신앙이 있다고 말할 때, 나를 보며 수군거리는 회사 동료들의 표정에도 사탄의 비웃음이 보입니다. 홀로 신앙생활 하는 나를 두고 토론을 벌이는 가족들의 대화에서도 나를 주저앉히려는 영적 의도가 나타납니다. 그 때, 사람들은 나를 향해 말하지 않지만, 우리 마음에는 이런 소리가 들려 옵니다.

"네가 무슨. 교회의 회복 좋아하네. 부흥이 그렇게 빨리 되겠어? 회복이 그렇게 쉽게 되겠어?"

"너 하나 가지고 되겠어? 너네 교회 하나로 되겠어? 어느 세월에? 무슨 돈으로?"

"너 같은 나이롱 신자가 뭘 하겠어? 다시 시작하겠다니 너 같은 믿음으로 뭘 할 수 있는데?"

"이제 교회에 무슨 자원이 남았는데? 그런 목사들로? 그런 직분자들로? 다 타고 남은 돌 같은 사람들이 교회를 어떻게 바꿀 수 있는데? 그들이 정말 제대로 된 사역자로 소생할 수 있을까?"

이상합니다. 교회 밖에서 그들끼리 하는 이야기인데, 그 소리는 울타리를 넘어 우리 안에서도 울려 퍼집니다. 세상은 교회를 비웃는 듯이 교회를 대신할 수 있다고 선전하며 대안 공동체를 만듭니다. '진짜 사랑이 있는 공동체. 진짜 정의가 있는 공동체, 진짜 나눔이 있는 공동체가 있습니다!' 하고 광고합니다. 소소하지만 진짜 행복이 있는 수많은 동호회와 모임, 대안적 교회와 공동체라는 것들이 계속 생깁니다. 새롭게 세워진 사마리아 성에서 무너진 예루살렘을 조롱하듯, 새로운 공동체가 교회를 비웃습니다.

너무나 가슴 아픈 것은, 이 모든 조롱 소리가 우리 마음에도 수긍이 간다는 것입니다. '틀린 말 있는가? 교회는 늘 싸우고, 나뉘고, 분열하고, 주님과 함께 돈도 사랑하고, 이웃을 사랑하지만 계산은 확실하고, 논리는 있으나 차가운 비판의 입만 살아 있지 않은가? 그랬던 내가, 그랬던 교회가, 다시 시작한다고?' 이 소리가 다시 시작하려는 우리 마음을 절망의 자리로 끌어 앉히는 것입니다. 가히 '공격'이라고 부를 수 있을 만큼, 조롱은 우리를 절망에 빠뜨리는 놀라운 위력을 가지고 있습니다. 우리는 이 소리들을 무시할 수 없을 것입니다. 분명 얕잡아 봐서는 안 될 대적의 공격입니다.

교회의 무기: 기도

그렇다면 교회는 이러한 소리에 어떻게 대응해야 합니까? 참습니까? 한 귀로 듣고 한 귀로 흘립니까? 애써 정신을 다잡고 무시해야 할까요? 아닙니다. 우리도 참지 말고 분노해야 합니다. 우리도 모욕과 조롱에 대항하여 싸워야 합니다. 단, '기도 가운데' 분노하고 '기도 가운데' 싸워야 합니다. 사람의 목소리 가운데 다른 영의 목소리가 있음을 꿰뚫어 보고, 성령님 안에서 기도하며 제대로 싸워야 합니다. 오늘 느헤미야의 기도는 바로 이 영적 전투에서 이기는 길을 제시하고 있습니다.

첫째, 기도로 전시 통제권을 하나님께 드릴 것

가장 먼저 우리는 기도를 통해 우리만으로는 악한 영적 힘에 대항할 수 없음을 겸손히 인정해야 합니다. 느헤미야는 산발랏의 말이 끝나기 무섭게, 적에게 아무 대꾸 없이, 곧바로 기도로 직행합니다. "우리 하나님이여 들으시옵소서!"라고 외치며 이 싸움의 전시 통제권을 하나님께 곧바로 의탁합니다(4절). 기도는 이렇게 우리로서는 싸울 수 없다는 무력함을 고백하는 행위입니다. 하나님의 은혜가 아니면 사탄이 쏟아내는 독설을 다 인정할 수밖에 없는 죄인이라는 것을 고백하는 자리입니다. 우리 힘으로 마귀의 조롱에 맞서고자 한다면, 이 싸움은 지는 싸움이 되는 것이죠. 그 사실을 인정하는 것이 승리의 첫걸음입니다. 이 싸움을 이기시는 분에게 달려가 온전히 의지하는 기도부터 우리의 승리가 시작되는 것입니다. 절망스러운 비웃음 소리를 직접 상대할 수 없는 우리의 연약함을 인정합시다. 그렇게 하나님만을 승리의 주로 높이며 전쟁터로 나아가는 여러분이 되시기를 간절히 바랍니다.

둘째. 기도로 조롱의 핵심을 정조준할 것

기도할 때 우리는 조롱의 핵심을 정조준해야 합니다. 느헤미야는 대적들이 언약 백성들을 조롱함으로 궁극적으로는 '하나님'을 조롱하고 있음을 간파하며 기도하고 있습니다. 즉 사람의 입을 통해 하나님의 역사를 가로막는 악한 영을 직시하며 그에게 대항하여 기도하고 있습니다. 그는 사적인 보복으로써 기도하고 있는 것이 아닙니다. 분명히 느헤미야는 분노하고 있습니다. "이방에 잡혀가게 하시고 악을 덮어두지 마시고 그 죄를 사해주지 마소서." 저주에 가까운 기도를 쏟아냅니다. 그런데 5절 끝에 이유가 나옵니다. "(왜냐하면) 그들이 주의 노를 격동하였기 때문입니다." 이것이 이 기도의 핵심입니다.

'노를 격동하였다.'는 단어는 다른 성경, 특히 신명기에서 자주 등장합니다. "네가 만일 스스로 부패하여 무슨 형상의 우상이든지 조각하여 네 하나님 여호와 앞에 악을 행함으로 그의 노를 격발하면"(신 4:25), "너희가 여호와의 목전에 악을 행하여 그를 격노케 하여 크게 죄를 얻었음이라"(신 9:18), 언약 백성이 하나님을 대항하여 죄짓는 행위를 '하나님의 노를 격동했다.'고 표현합니다. 즉 느헤미야는 산발랏과 대적들이 성벽을 재건하는 자들의 사기를 저하시키고, 그들을 절망에 밀어 넣으려 한 이 행위가 '하나님께 대항하는 악을 행한 죄'라고 분명하게 인식했기 때문에 이런 기도를 드린 것입니다.

어떻게 한낱 성 건축을 방해하기 위한 조롱이 하나님의 노를 격동하는 죄가 됩니까? 그 이유는 대적의 조롱이 하나님의 영광스러운 계획을 막는 행위이기 때문입니다. 하나님께서 보내신 수많은 선지자가 예루살렘의 멸망을 하나님의 나라 '유다의 멸망'과 동일시합니다(사 1:7; 3:8; 렘 1:15; 26:18; 미 3:12). 동시에 하나님 나라의 회복은 곧 남은 자들이 파괴된 예루살렘으로 돌아와 성을 재건하는 것이라고 선포하였습니다(사 44:28; 렘 30:18; 31:38; 33:6-7). 더 나아가 선지자들은 온 열방의 구원이란, 회복된 예루살렘으로 열방이 나아오는 것이라고 선포합니다(사 2:2-3; 60:1-22; 미 4:1-2). 시온성의 회복은 하나님이 임재하시는 참 성전이요 하나님께서 세우신 참 왕이신 메시야, 예수 그리스도께서 세우실 새 예루살렘을 소망하게 할 것입니다. 이것이 하나님의 작정이요 계획입니다. 느헤미야는 이 언약의 하나님에 대한 분명한 지식을 가진 사람입니다. 느헤미야는 하나님의 영광을 위한 계획을 막아서고 있는 이들의 죄를 간파하며 기도하고 있습니다. 다시 말해, 느헤미야는 산발랏 일당의 뒤에서 역사하며 하나님의 계획을 조롱하는 악한 영을 정조준하며 기도하고 있다는 말입니다. 인간을 향한 저주 기도 같이 보이지만, 이 기도의 날 끝은 사탄의 목을 향해 있습니다.

그러므로 이 기도를 예수님의 가르침과 단순 비교하면서 마음으로 꺼려서는 안 됩니다. 예수님은 분명히 원수를 사랑하며 핍박하는 자를 위해 기도하라 하셨고(마 5:44), 실제로 자신을 못 박은 사람들을 향해 "아버지여 저희를 사하여 주옵소서."(눅 23:34)라고 기도하셨습니다. 스데반은 돌에 맞아 죽어갈 때 "주여 이 죄를 저들에게 돌리지 마옵소서."(행 7:60)라고 기도하며 하나님의 자비의 영광을 드러냈습니다. 그러나 예수님께서는 성전에서 장사하는 자들을 향하여서는 불같은 분노를 감추지 않으셨습니다. "저희에게 이르시되 기록된바 내 집은 기도하는 집이라 일컬음을 받으리라 하였거늘 너희는 강도의 굴혈을 만드는도다."(마 21:13) 하시며, 종교 지도자들을 향해 강도라고 말하기를 꺼리지 않으셨죠. 예수님을 거부한 가버나움에 대해서는 "가버나움아 네가 하늘에까지 높아지겠느냐 음부에까지 낮아지리라."(눅 10:15) 하고 선언하시며 저주하신 적도 있습니다. 예수님은 복음을 거부하고 조롱하고 방해하는 사탄의 종들에게 내려질 하나님의 공의의 영광을 선포하신 것입니다. 예수님의 저주에 가장 큰 위협을 받은 존재는 마귀였습니다.

핵심은 삼위 하나님의 영광입니다. 하나님의 작정을 조롱하고, 하나님의 영광을 위하여 다시 일어난 교회의 사역을 방해하는 악한 세력의 배후를 직시하며 저주하는 기도는 정당한 기도입니다. '하나님이 개입해주시고, 이 상황 속에서 주님의 공의를 드러내시고, 원수의 계획을 무너뜨려 주소서!' 그렇게 하나님의 영광에 민감하게 반응하며, 하나님의 수치에 대해 분노하며, 기도해야 합니다.

기도 소리로 조롱의 소리를 이겨내기

사랑하는 성도 여러분, 나를 주저앉히고, 나를 계속 절망의 자리에 가

두는 소리의 핵심부를 향해 분노를 가지고 기도하시기 바랍니다. 하나님께서 영광스럽다 하신 교회가 아니라, 다른 곳에 희망이 있다는 소리의 근원에 맞서 싸우며 기도합시다. 말씀과 기도 가운데 우리의 눈을 높이 들어 올려, 우리를 조롱하는 사람들 뒤에 있는 마귀를 직시합시다. 그 영이 원하는 것이 바로 우리가 사람에 대해 흥분하고, 사람을 향해 똑같이 보복함으로 죄를 저지르는 일입니다. 마귀와 그 손에 놀아나는 사람들을 구분하는 일은 쉽지 않은 일이지만, 하나님께서는 성령 안에서 기도하는 자들에게 분별력을 허락하실 것입니다. 이러한 기도 가운데서 우리는 사람에 대해서는 용서의 마음을, 사탄과 죄악에 대해서는 분노의 마음을 드러내며, 하나님의 자비와 공의의 영광을 드러내는 교회로 점점 변화되어 갈 것입니다. 하나님의 영광에 시선을 고정하며, 성령 안에서 기도함으로 승리하는 여러분이 되시기를 간절히 소망합니다.

기도의 결과

조롱을 부끄럽게 만드는 교회

본문은 하나님께서 이 기도에 응답하셨음을 명백하게 보여 주며 끝이 납니다. “이에 우리가 성을 건축하여 전부가 연락되고 고가 절반에 미쳤으니” 모두가 함께 드린 공적 기도를 통해 연결되고 하나가 되어 성의 절반까지 단숨에 세워버렸다는 것입니다. 조롱한 내용이 더 이상 팩트가 아니게 되어버렸습니다. 조롱한 자들이 부끄러움을 당하게 되어버렸습니다.

기도의 원인: 기도에 응답하시는 하나님의 은혜

느헤미야는 어떻게 이런 일이 가능했는지를 이어서 설명하고 있습니다. "백성이 마음을 들여 역사하였느니라." 이 말씀은 직역하면 "하고자 하는 마음을 가진 백성들 때문에", "일하기로 마음먹은 백성들 때문에"입니다. 그들은 성을 계속 짓기로 마음먹었습니다. 마음을 지켰습니다. 이것이 기도의 응답이었습니다. 악한 영들의 뼈를 때리는 조롱 속에서도 '마음'을 지켜내고, 성벽 공사를 계속할 수 있었던 것입니다.

"무릇 지킬만한 것보다 더욱 네 마음을 지키라 생명의 근원이 이에서 남이니라"(잠 4:23). 성경은 말씀합니다. 여러분이 말씀을 듣고, 마음먹고 일어나 회복을 향해 한 걸음 떼자마자, 조롱의 총공격이 시작될 것입니다. 교회가 함께 일어나 각자의 맡은 분량대로 삶의 현장에서 벽돌 한 장 올리자마자, 비웃음이 빗발칠 것입니다. '넌 회복이 안 돼! 너희들이 무슨 개혁이야?' 하며 교회를 조롱하는 소음이 우리의 마지막 날까지 계속될 것입니다. 소음 가득한 삶 가운데서, 우리의 생명이 달린 우리의 마음을 지키는 일은 '기도'를 통하여 옵니다. 삼위 하나님으로부터 옵니다. 은혜로 우리에게 옵니다. 이 은혜에 의지하여 기도하시기 바랍니다. 하나님의 영광을 위하여 분노의 기도를 토하며, 하나님의 계획을 가로막는 대적을 기도로 대적합시다. 성령님 안에서 기도하며 사악한 영을 정죄하되, 그 손에 놀아나는 자들에게는 자비 베푸시기를 구하는 여러분을 통하여 하나님의 나라를 속히 오게 하시기를, 성부와 성자와 성령의 이름으로 간절히 축원합니다.

7

교회를 위하여 싸우시는 하나님

7
교회를 위하여 싸우시는 하나님

7 산발랏과 도비야와 아라비아 사람들과 암몬 사람들과 아스돗 사람들이 예루살렘 성이 중수되어 그 퇴락한 곳이 수보되어 간다 함을 듣고 심히 분하여 8 다 함께 꾀하기를 예루살렘으로 가서 쳐서 요란하게 하자 하기로 9 우리가 우리 하나님께 기도하며 저희를 인하여 파숫군을 두어 주야로 방비하는데 10 유다 사람들은 이르기를 흙 무더기가 아직도 많거늘 담부하는 자의 힘이 쇠하였으니 우리가 성을 건축하지 못하리라 하고 11 우리의 대적은 이르기를 저희가 알지 못하고 보지 못하는 사이에 우리가 저희 중에 달려들어가서 살륙하여 역사를 그치게 하리라 하고 12 그 대적의 근처에 거하는 유다 사람들도 그 각처에서 와서 열 번이나 우리에게 고하기를 너희가 우리에게로 와야 하리라 하기로 13 내가 성 뒤 낮고 넓은 곳에 백성으로 그 종족을 따라 칼과 창과 활을 가지고 서게 하고 14 내가 돌아본 후에 일어나서 귀인들과 민장과 남은 백성에게 고하기를 너희는 저희를 두려워 말고 지극히 크시고 두려우신 주를 기억하고 너희 형제와 자녀와 아내와 집을 위하여 싸우라 하였었느니라 15 우리의 대적이 자기의 뜻을 우리가 알았다 함을 들으니라 하나님이 저희의 꾀를 폐하셨으므로 우리가 다 성에 돌아와서 각각 역사하였는데 16 그 때로부터 내 종자의 절반은 역사하고 절반은 갑옷을 입고 창과 방패와 활을 가졌고 민장은 유다 온 족속의 뒤에 있었으며 17 성을 건축하는 자와 담부하는 자는 다 각각 한 손으로 일을 하며 한 손에는 병기를 잡았는데 18 건축하는 자는 각각 칼을 차고 건축하며 나팔 부는 자는 내 곁에 섰었느니라 19 내가 귀인들과 민장들과 남은 백성에게 이르기를 이 역사는 크

고 넓으므로 우리가 성에서 나뉘어 상거가 먼즉 20 너희가 무론 어디서든지 나팔 소리를 듣거든 그리로 모여서 우리에게로 나아오라 우리 하나님이 우리를 위하여 싸우시리라 하였느니라 21 우리가 이같이 역사하는데 무리의 절반은 동틀 때부터 별이 나기까지 창을 잡았었으며 22 그 때에 내가 또 백성에게 고하기를 사람마다 그 종자와 함께 예루살렘 안에서 잘찌니 밤에는 우리를 위하여 파수하겠고 낮에는 역사하리라 하고 23 내나 내 형제들이나 종자들이나 나를 좇아 파수하는 사람들이나 다 그 옷을 벗지 아니하였으며 물을 길으러 갈 때에도 기계를 잡았었느니라_**느헤미야 4장 7-23절**

들어가며: '기승전'과 다른 '결'

오늘 본문은 외부에서 공격하는 대적들과 전투하는 교회의 영적 전쟁을 다루고 있습니다. 이 영적 전쟁을 드러내기 위한 느헤미야 특유의 전개 방식 '기승전결'이 뚜렷하게 드러납니다.

기, 승, 전…

기. 대적들이 등장합니다. 7절에 나오는 산발랏과 도비야, 아라비아, 암몬, 아스돗입니다. 산발랏과 도비야의 조롱 작전이 실패하자 대적들도 힘을 합하고 모이고 연대합니다. 여기서 주목할 것은 이들의 위치입니다. 예루살렘을 중심으로 북 산발랏, 남 아라비아, 동 암몬, 서 아스돗입니다. 예루살렘의 소식에 분노하고 이를 가는 대적들이 동서남북 사방에서 일어나 성을 둘러쌌습니다.

승. 이들은 교회의 어떤 소식을 듣고 분노합니까? “예루살렘 성이 중수되어 그 퇴락한 곳이 수보되어 간다 함을 듣고”(7절) 분노합니다. ‘퇴락한 곳이 수보되어 간다.’는, 직역하면 ‘벽의 치유가 계속 진행된다.’는 소식 때문이었습니다. 성벽을 다시 쌓는 일은 하나님 나라의 치유이자 언약 백성의 회복이라는 사실을 이 단어가 설명합니다. 하나님 나라가 회복되면, 하나님의 영광이 다시 찬란히 빛날 것이며, 사탄은 이것을 가장 싫어합니다. 4장 전체에서 대적들은 바로 이 사탄적인 이유로 분노합니다. 하나님의 나라가 회복되어 그동안의 수치를 털어버리고 다시 영광을 되찾는 것에 분노하고 있습니다.

전. 이에 따라 대적들의 적대 행위가 시작됩니다. “가서 쳐서 요란하게 하자”(8절). 좀 더 풀어 쓰면, ‘들어가서, 전투하고, 혼란스럽게 만들자!’라는 강한 표현입니다. 이제 조롱하고 비웃으며 말로만 심리전을 펼치는 게 아니라 실제적이고 물리적인 공격을 준비합니다.

결...?

결. 이에 느헤미야와 온 교회가 함께 기도하며 응전합니다. “우리가 우리 하나님께 기도하며 저희를 인하여 파수꾼을 두어 주야로 방비하는데”(9절). 여기서 기도와 실제적인 방어가 나타납니다. 느헤미야 1장에 등장했던 ‘기도에 따르는 노력’이 다시 등장합니다. 이제 설교의 제목과 같이, 하나님께서 교회를 위하여 싸우시기만 하면 끝날 것 같습니다. 그런데 이야기는 그렇게 쉽게 끝나지 않습니다. '기, 승, 전'까지는 4장 전반부와 비슷한 양상인데, '결'이 흔들립니다. 교회가 연약한 모습을 보이며 대적의 영향을 받기 시작하는 것입니다. 성을 쌓기 시작한 이후 마주하는 가장 심각한 위기입니다. 그러나 느헤미야는 뛰어난 지도력으로 교회를 지켜냅니다. 궁극적으로는 느헤미야를 통해 하나님께서 교회를 어떻게 지켜내시는지를 보여 주고 있습니다. 지금부터 본문을 살펴보며 하나님은 교회를 위하여 어떻게 싸우시는지를 함께 상고하며 은혜를 나누겠습니다.

대적의 공격에 대한 교회의 반응

먼저 대적의 공격에 대한 교회의 반응을 살펴보겠습니다. 교회는 기도했고 파수꾼을 두어 방비를 했음에도 불구하고 당황합니다. 교회가 대적들의 공격 소식에 굉장히 당황하는 모습이 뚜렷이 보입니다(10-12절). 당황한 교회는 두 가지 반응을 보입니다.

첫째, 피로감

첫째는 절망적인 피로감의 소리입니다. "흙 무더기가 아직도 많거늘 담부하는 자의 힘이 쇠하였으니 우리가 성을 건축하지 못하리라"(10절). 사실 이 시점에서 피로를 말하는 것은 납득할 수 있는 일입니다. 성벽 공사가 반 정도 진행되었는데(6절), 이 때가 일을 하면서 가장 피곤할 때입니다. 이룬 것은 많지 않고, 이뤄야 할 것들은 많아 보이는, 마치 6, 7월 더운 여름처럼, 마음이 지쳐가는 지점입니다.

피로에 지친 백성의 소리는 몸의 피로에서 나왔다기보다는 마음의 절망에서 나온 소리입니다. 우리는 이 절망을 '애가 형식'에서 발견합니다. 10절 말씀은 '애가' 즉 슬픈 노래의 형식을 띠고 있습니다. 일하며 노동요를 부르는데 '흙은 아직도 많고, 일꾼은 비틀거리니, 우리는 성을 완성하지 못하리.' 이 슬픈 노래를 계속 부르고 반복하면서 일합니다. 절망을 내면화합니다. 애가는 언제 불렀습니까? 나라가 망했을 때 불렀습니다. 대적의 공격 소식에 예루살렘 성이 무너지던 날을 떠올리며 절망적인 피로감에 사로잡힌 것입니다.

둘째, 두려움

대적의 공격에 교회가 보인 반응 두 번째는 과도한 두려움의 소리입니다. 11절을 보면, 대적들이 무시무시한 기습공격을 예고하고 있습니다. "우리의 대적은 이르기를 저희가 알지 못하고 보지 못하는 사이에 우리가 저희 중에 달려 들어가서 살륙하여 역사를 그치게 하리라." 그런데 이 말을 열 번이나 전달하며 교회 전체에 두려움을 심고 있는 사람들은 누구입니까? '변방의 유다 사람들'입니다. "그 대적의 근처에 거하는 유다 사람들도 그 각처에서 와서 열 번이나 우리에게 고하기를 너희가 우리에게로 와야 하리라"(느 4:12). 성벽 공사를 하는 사람들 중에는 유다를 둘러싼 동서 남북의 대적들과 근접한 곳 출신도 있었습니다. 그들의 가족들이 열 번이나 찾아와서 '아버지 지금 공사할 때가 아닙니다. 그만 돌아오십시오! 우리 가족이 다 죽게 생겼는데 무슨 예루살렘 성벽 공사요!'라고 말한 것입니다. 앞서 '애가'가 절망을 내면화했다면, 이 열 번의 요청은 교회 전체에 두려움을 내면화했을 것입니다.

문제의 핵심: 우리의 연약함

무엇이 문제입니까? 우선 표면적으로 보면 말이 문제입니다. 말이 교회를 두려움과 절망으로 얼어붙게 만듭니다. 그러나 그보다 더 핵심적인 문제가 있습니다. 피로와 가족의 안위를 핑계 대고 있지만, 두 가지 소리는 한마디로 무슨 말입니까? '이제는 성벽 쌓는 일을 멈추어야 한다.'는 말입니다. '이 정도 위협은 하나님 나라의 일을 접을만한 일이다!'라는 생각, 이것이 더 큰 문제입니다. 이것은 사탄이 가장 원하는 말 아닙니까? '공사를 멈추겠다!'는 말 말입니다. 아직 물리적으로 공격이 시작되기도 전에, 교회가 스스로 사탄의 목적을 받아들이려 하는 것입니다.

여기서 우리는 교회가 가지고 있는 연약함, 곧 우리의 연약함을 발견합니다. 성벽을 쌓는 일, 즉 하나님 나라의 일이 중요하다는 사실은 우리 모두 다 잘 알고 있습니다. 그러나 그 일이 실제로 나를 피곤하게 할 때,

우리는 뒤로 물러서려고 합니다. 그 일이 실제로 나를 두렵게 할 때 우리는 감당해야 할 의무를 포기하려고 합니다. 내 사회생활의 일부를 포기해야 할 만큼 계명을 따라야 하는가? 내게 큰 이득이 되는 선택을 포기해야 할 만큼 정직하고 진실할 필요까지 있을까? 피로를 이겨내고 지켜야 할 만큼 경건의 시간이 중요한가? 내 소중한 시간을 희생해야 할 만큼 이 직분이, 이 봉사가 가치 있는 일인가?

이 갈등을 제삼자의 입장에서 볼 때는, 참 선택하기 쉬워 보입니다. '당연히 하나님을 위해 내 것을 포기해야 하지 않아?'라고 말할 수 있습니다. 그러나 이 선택이 나의 일이 될 때, 그 누구도 쉽게 선택하지 못합니다. 예를 들어, 만약 일본이 다시 우리나라를 집어삼켰다고 가정해 봅시다. 또다시 목사들에게 "신사 참배 하지 않으면 죽이겠다!"라고 한다면, 목사인 저는 두 살, 세 살, 일곱 살 아이들을 아내에게 맡겨두고 단두대에 쉽게 오를 수 있을까요? 모든 회사가 신사 참배로 일과를 시작해야 한다면, 우리는 쉽게 퇴사를 결정할 수 있을까요?

우리 자녀들도 생각해 보십시오. 실제로 이런 일이 있었습니다. 1948년 정부 수립 후, 학도 호국단이 창설되고 각 중학교에 군대 장교들이 배치되었습니다. 그리고 애국심을 고취하기 위하여 각종 행사에서 국기에 대해 배례, 즉 국기를 향해 절을 하게 하거나, 손을 들어 경례하게 했습니다. 이때, SFC에 속해 있던 학생들 중에 국기에 대한 배례와 경례는 우상숭배라고 하여 거부한 학생이 있었고, 결국 몇몇 학생은 퇴학을, 많은 학생이 정학을 당했습니다. 이 상황에 놓인다면, SFC 여러분, 국기에 대해 절하지 않기 위해 퇴학을 결정할 수 있겠습니까?

굳이 무서운 예를 들지 않더라도, 생활 속에서 아주 작은 갈등 앞에 놓일 때, 우리의 기도를 생각해 봅시다. 하나님 나라의 유익과 나의 유익 사이에서 갈등이 일어날 때, 어떻게 기도합니까? 대적 자체를, 문제 자체를, 갈등 자체를 없애 달라고 기도하지 않습니까? 그래서 하나님의 일도 이루시고, 나도 아무 손해가 없는 그런 결과를 달라고 기도합니다. 하나님도 손해 보지 마시고, 대신에 나도 손해 보지 않게 해달라고 기도합니다. 하나님 나라의 성을 계속 쌓을 테니, 내 생활을 위협하는 적도 알아서 싹 치워달라고 기도합니다. 적들의 공격에 '교회는, 나는 무엇을 하기 원하십니까?' 여쭤볼 생각은 하지도 못하고, 두려움과 절망을 내면화하면서 이 불편한 감정을 없애기 위해서, 나를 위해서만 기도하게 됩니다.

연약한 교회를 위하여 싸우시는 하나님

사랑하는 성도 여러분, 이렇게 교회는, 우리는, 연약합니다. 신사 참배 명령을 거부하고 감옥으로, 무덤으로 향했던 신앙의 선배들도 똑같이 갈등했을 것입니다. 국기에 대한 배례를 거부하고 퇴학을 당한 신앙 선배들도 그 선택이 쉬웠던 것은 아니었을 것입니다. 그들은 특별한 사람들이 아닙니다. 우리와 같이 오늘 본문의 유다 사람들과 같이 연약한 사람입니다.

위인이 아닌 그들이 위인적인 결단과 선택을 할 수 있었던 이유는 무엇입니까? 본문에서 절망과 두려움에 사로잡힌 백성들이, 다시 신실하게 성벽을 쌓을 수 있게 된 이유는 무엇입니까? 우리를 위하여 싸우시는 삼위 하나님 때문입니다. "우리 하나님이 우리를 위하여 싸우시리라"(느 4:20). 이스라엘의 용사이신 하나님께서 자기 백성을 위하여 싸우시기 때문에, 이들은 두려움 없이, 신실하게, 이제는 무장하여 성을 직접 지키면서 하나님 나라를 세우는 일을 계속할 수 있었습니다. 그렇다면 우리는 하나님께서 어떻게 교회를 위하여 싸우시는지를 살펴보아야 합니다.

지도자를 통해 교회를 강한 용사로 만드시는 하나님

하나님께서 교회를 위하여 싸우시는 방법은 무엇입니까? 한마디로, 자기 백성을 '강한 용사로 만들어서' 싸우십니다. 우리가 원하는 대로, 대적을, 문제를, 갈등 자체를 충분히 없애버리실 수 있는 능력의 하나님이십니다. 그러나 그것은 하나님께서 우리를 위하여 싸우시는 방법이 아닙니다. 하나님이 그렇게 문제를 해결해버리시면, 우리는 성장하지 못합니다. 비슷한 문제, 비슷한 대적의 공격에 다시 슬픈 노래를 부르며 사명을 버리려 할 것입니다. '교회를 위하시는' 하나님께서 '교회를 위하여' 싸우시는 방법은 다릅니다. 자기 백성을 무장시키시고, 용사로 만들어서 그 대적과 그 문제를 이기게 하시는 방법으로 싸우십니다. 그래서 우리가 강해지고 담대해질뿐더러, 승리의 영광을 오직 하나님께만 돌리게 하십니다.

느헤미야는 이스라엘을 강한 용사로 만들기 위하여 준비된 지도자였습니다. 하나님은 기도의 사람, 아주 짧은 순간에도 기도로 하나님의 뜻을 묻는 느헤미야를 준비하셨습니다. 하나님은 그를 통하여 하나님의 뜻대로 유다의 남은 자들을 무장시키셨습니다. 느헤미야의 비상 대책과 상시 대책을 통해 성을 쌓는 사명이 멈추지 않게 하셨습니다. 우리는 느헤미야를 보며 그를 통해 일하시는 하나님을 발견할 수 있습니다.

느헤미야의 비상 대책: 말씀 선포

느헤미야는 대적의 공격에 맞서 비상 대책과 상시 대책을 세웁니다. 비상 대책으로 그는 잠시 공사를 중단하고 무장시킨 군사들을 잘 보이는 "낮고 넓은 곳"에 배치합니다(13절). 예루살렘은 산지입니다. 적들은 아래쪽에서 위쪽을 볼 수밖에 없습니다. 그래서 비교적 낮고 평평한 곳에 군사를 두면 높고 보이지 않는 곳에도 군사가 있으리라 상상할 것입니다. 섣불리 공격하지 못할 것입니다. 굉장히 지혜로운 전략이 아닐 수 없습니다.

시간을 벌었습니다. 이때 느헤미야는 더 중요하고 핵심적인 일을 진행하는데, 그것이 바로 말씀 선포입니다. 언약 백성이 자신의 정체성을 재확인하도록 말씀을 선포하는 일이 이 전투에서 가장 중요한 일이었습니다. "너희는 저희를 두려워 말고 지극히 크시고 두려우신 주를 기억하고 너희 형제와 자녀와 아내와 집을 위하여 싸우라"(느 4:14). 이 말씀 앞에 모든 백성을 세운 것입니다. 이 말씀에는 세 가지 명령이 포함되어 있습니다.

첫 번째 명령은 '두려워 말라.'는 것입니다. 이것은 명령이자 권면이며, 위로입니다. 하나님은 모세를 통해 홍해와 애굽 군대 사이에서 두려워하는 백성을 위로하셨습니다. "모세가 백성에게 이르되 너희는 두려워 말고 가만히 서서 여호와께서 오늘날 너희를 위하여 행하시는 구원을 보라 너희가 오늘 본 애굽 사람을 또 다시는 영원히 보지 못하리라"(출 13:14). 하나님은 여호수아를 이 말씀으로 위로하셨으며(수 1:9; 8:1; 10:8), 여호수아도 백성을 이 말로 위로하였습니다. "여호수아가 군장들에게 이르되 두려워 말며 놀라지 말고 마음을 강하게 하고 담대히 하라..."(수 10:25). 하나님은 느헤미야의 입을 통해 놀란 백성의 마음을 먼저 달래십니다. 두려움을 멈추어도 된다고 선언해주십니다.

두 번째 명령은 '지극히 크시고 두려우신 주를 기억하라!'는 것입니다. '지극히 크시고 두려우신'이라는 표현은, 우주를 초월하시는 창조주 하나님을 묘사하는 표현입니다. '기억하라'는 것은 곧 이 하나님에 대한 '믿음'의 요청입니다. 애초에 이 공사가 어떻게 시작되었습니까? 페르시아 왕을 그의 오른손으로 다스리시는 섭리의 하나님에 관한 소식을 듣고 기억하고 믿었을 때, 백성이 나태함을 버리고 힘을 다해 일어났고, 성벽 공사가 시작되었습니다. 느헤미야는 "대적보다 두려우신 하나님이 너희 하나님이다!"라고 외치며 다시 믿음을 불러일으키고 있습니다.

세 번째 명령은 '너희 형제와 자녀와 아내와 집을 위하여 싸우라.'는 명령입니다. 이 명령이 '너희 형제와 자녀와 아내와 집을 위하여 집으로 돌아가라!'가 아님에 주목합시다. 많은 믿음의 선조들이 이 하나님의 뜻을 받들어, 어린 자녀와 아내를 남겨두고 감옥으로 향했습니다. 그것이 가족을 위하여 택할 수 있는 가장 좋은 길이라 믿었기 때문일 것입니다. 신사참배를 거부한 믿음의 선조들은 영원한 집에 이르기까지 가족들을 지켜내실 하나님의 손에 그들을 맡긴 것이지, 무책임하게 가족을 버린 것이 아닙니다. 신사 참배를 찬성하고 집으로 돌아간 사람들이 언제까지 가족을 지킬 수 있었겠습니까? 참 신앙의 모습을 죽음으로 가르치는 것이 가족의 영생을 지키는 더 현명한 선택이었습니다. 우리는 형제를 위해 싸워야 할 싸움을 해야 합니다. 자녀를 위해 싸울 싸움을 해야 합니다. 맡은 사명과 성도의 삶을 포기하지 않는 것이 가족을 진정으로 지키는 길이라는 것을 기억하기 바랍니다. 느헤미야 역시 이스라엘 백성이 이 사실을 기억하며 가족을 위하여 싸우기를 요청합니다.

이 세 가지 명령이 선포된 이후, 놀랍게도 적들의 공모와 작전이 무산됩니다. 하나님이 대적의 꾀를 폐하심으로, 대적의 실질적인 공격은 이루어지지 않았습니다. 사실 애초에 이 공격 시도는 불가능했습니다. 그 이유는 느헤미야가 왕의 조서를 받고 왕이 허락한 합법적인 공사를 하고 있었기 때문입니다. 예루살렘을 공격하는 것이 오히려 반역적인 일이었습니다. 그것도 모르고 백성들은 두려워 떤 것이죠. 결과적으로, 하나님은 대적을 통해 자기 백성을 단련시키셨습니다. 이 일로 드러난 유다 백성들의 영적 취약점을 보강하신 것입니다. 말씀으로 위로하시고, 믿음을 요청하시며, 교회를 위해 싸워야 할 싸움을 피하지 않도록 강하게 하셨습니다.

느헤미야의 상시 대책: 마음 무장

느헤미야는 이제 비상 대책에서 상시 대책으로 넘어갑니다. 느헤미야는 낙담으로부터 회복되어 성으로 돌아온 자들을 '무장'시키기 시작합니다. 느헤미야의 개인 군사들과 짐 나르는 자, 그리고 건축하는 자, 이렇게 세 그룹이 각자의 임무에 맞는 무기를 지급받습니다. 한 손으로 일하는 자에게는 한 손에 무기를, 두 손으로 일하는 자에게는 허리에 칼을 차게 합니다(17-18절). 또 가깝거나 멀거나 성에 있는 모든 사람이 보호받을 수 있도록 '나팔수'를 둡니다(18절). 잘 때도 깨어 있을 때도 대적들로부터 보호받을 수 있도록 파수꾼을 세웠으며(22절), 느헤미야 자신도 옷을 벗지 않고, 물을 뜨러 갈 때도 손에서 무기를 놓지 않습니다(23절). 늘 깨어서 경계하며 성을 지키는 동시에 성벽 공사를 멈추지 않도록, 연약한 백성을 무장시킵니다.

무엇보다 느헤미야는 이들의 연약한 마음을 무장시킵니다. 느헤미야는 무장한 자들에게 외칩니다. "너희가… 나팔소리를 듣거든… 모여서 우리에게로 나아오라!"(20절) 즉 나아올 때는 반드시 이 믿음을 가지고 나아오라고 외칩니다: "우리 하나님이 우리를 위하여 싸우시리라"(20절). '하나님이 우리를 위하여 싸우신다는 믿음'이 없다면, 무장이나 경계나 아무런 소용이 없다는 것을 느헤미야는 알았습니다. 하나님은 당신께서 세우신 지도자의 입술을 통해 하나님을 아는 지식을 전달하시며 믿음을 일으키셨습니다. 우리를 위해 싸우시는 하나님, 그 하나님에 대한 믿음으로 성을 쌓고 성을 지키게 하셨습니다.

이 일의 결과로 몸은 더 힘들어졌습니다. 노동의 시간은 저녁 별이 뜰 때까지로 늘어났으며(21절), 손에 든 무기와 허리에 찬 칼 때문에 일의 속도는 더 느려졌습니다(18절). 예전보다 몸이 훨씬 피로한 상황이 되었습니다. 그럼에도 불구하고, 이제 이스라엘을 보십시오. 그들은 하나님 나라를 계속 힘차게 세워갑니다. 여전히 연약하고 피로할 수 있는 상황이었으나, 절망적인 불평도 슬픈 노래도 두려움 가득한 요청도 사라집니다. '우리를 위하여 싸우시는 우리 하나님'에 대한 믿음으로 신실하게 사명을 이루어갑니다. 이것이 하나님께서 느헤미야를 통해 백성의 마음을 무장시키신 결과입니다.

느헤미야보다 뛰어난 지도자, 예수 그리스도

사랑하는 성도 여러분, 그렇다면 오늘날 우리의 영적 전쟁에서 하나님은 우리를 위하여 어떻게 싸우시겠습니까? 오늘 말씀에서 확인한 대로 우리를 강한 용사로 만드는 방식으로 싸우실 것입니다. 말씀으로 하나님을 증언하며 믿음으로 마음을 무장하게 하실 것입니다. 이 일을 위하여 하나님은 느헤미야보다 더 뛰어난 대장을 우리에게 보내셨으니, 그분이 바로 주 예수 그리스도이십니다. 느헤미야는 '하나님을 기억하라'고 선포하여 믿음을 촉구했으나, 그보다 뛰어나신 예수 그리스도께서는 친히 하나님을 보여 주는 참된 계시로서 믿음을 주시고 또 온전하게 하십니다(히 12:2). 느헤미야는 왕의 조서를 받은 자로서 대적들을 두렵게 했으나, 그보다 뛰어난 예수 그리스도께서는 지극히 높으신 왕께 하늘과 땅의 모든 권세를 받은 왕으로서 원수를 두렵게 하십니다(마 28:18). 느헤미야는 각 사람을 무기와 칼로 무장시켜 하나님 나라를 이루어가게 하였으나 예수 그리스도께서는 세례를 통해 우리를 그리스도로 옷 입히시며(갈 3:27), 어떤 공격도 막아낼 전신 갑주를 은혜로 주시며 무장하라고 명령하십니다(엡 6:13).

우리는 여전히 약합니다. 자기 눈꺼풀조차 이길 장사가 없다고 하죠. 우리는 피로에게 집니다. 절망을 직접 상대해서 이길 수 없습니다. 그러나 교회의 머리이신 그리스도, 그분으로부터 모든 무기, 모든 지혜, 모든 용기와 담대함과 능력을 성령님 안에서 믿음으로 받을 때, 우리는 절망적 피로와 과도한 두려움을 이겨낼 것입니다. 승리하신 그리스도께서 보여 주시는 삼위 하나님을 믿는 자들이 이 싸움을 이깁니다. 그 승리를 통하여 하나님은 이 땅에 하나님 나라가 결국 오게 하실 것입니다.

우리 교회는 승리하신 하나님에 대한 살아 있는 증거들을 가지고 있습니다. 국기에 대해 거수경례와 배례가 폐지되고 오른손을 왼쪽 가슴에 얹는 '주목'으로 바뀐 것이 그 증거들 가운데 하나입니다. 믿음으로 1계명을 지킨 SFC 학생들의 퇴학과 정학으로, 총회 차원에서 국기 배례 거부 운동이 일어났습니다. 결국 이승만 대통령에게까지 이 일이 보고되었고, 국기에 대한 배례가 폐지되고 주목으로 바뀌어 오늘날에 이르게 되었습니다. 고려신학대학원 역시 가족을 하나님의 손에 맡기고 감옥으로 향했던 성도들을 통해 하나님께서 이 땅에 세우신 개혁주의 복음화의 전초기지라 할 수 있습니다. 이 모든 것이 대단한 영웅적 신앙인들이 이뤄낸 일이 아니라, 그리스도께서 주신 믿음의 방패와 성령의 검, 곧 말씀으로 절망과 두려움을 이겨낸 보통 사람들을 통해 하나님께서 싸우신 결과들입니다.

결론: 당신의 영광을 위하여 교회를 통해 싸우시는 하나님

사랑하는 성도 여러분, 하나님께서는 하나님의 영광을 위해, 연약한 우리를 통해 싸우실 것입니다. 초인적인 의지의 사람들이 아니라, 잘난 사람들이 아니라, 영웅들이 아니라, 저와 여러분처럼 나약한 자들을 들어 싸우실 것입니다. 그 은혜의 손을 온전히 의지하는 연약한 사람들이 절망과 두려움의 시대를 통과하며 끝까지 사명을 이룰 것입니다.

하나님도 나도 아무 손해가 없는 그런 결과가 아닌, 오직 하나님의 영광을 구하게 하실 것입니다. 하나님도 나도 손해 보지 않는 그런 간사한 결과 말고 오직 하나님의 나라를 구하게 하실 것입니다. 저와 여러분이, 감히 이 일을 이루게 하실 것입니다. 이 불가능해 보이는 일을 이루실 우리 대장 그리스도 예수를 신뢰합시다. 그리스도를 바라보고, 그를 통하여 지극히 크고 두려우신 삼위 하나님을 바라보며, 성령 안에서 기도하는 우리를 위해 삼위 하나님이 싸우실 것입니다. 이 말씀을 믿고, 의지하여 일상으로 돌아가 전투하는 여러분 모두를 그 은혜의 손으로 굳게 붙드시어 강하게 해주시기를, 성부와 성자와 성령의 이름으로 간절히 축원합니다.

8

경외함으로 사랑을 이루는 교회

8
경외함으로 사랑을 이루는 교회

1 때에 백성이 그 아내와 함께 크게 부르짖어 그 형제 유다 사람을 원망하는데 2 혹은 말하기를 우리와 우리 자녀가 많으니 곡식을 얻어먹고 살아야 하겠다 하고 3 혹은 말하기를 우리의 밭과 포도원과 집이라도 전당 잡히고 이 흉년을 위하여 곡식을 얻자 하고 4 혹은 말하기를 우리는 밭과 포도원으로 돈을 빚내어 세금을 바쳤도다 5 우리 육체도 우리 형제의 육체와 같고 우리 자녀도 저희 자녀 같거늘 이제 우리 자녀를 종으로 파는도다 우리 딸 중에 벌써 종된 자가 있으나 우리의 밭과 포도원이 이미 남의 것이 되었으니 속량할 힘이 없도다 6 내가 백성의 부르짖음과 이런 말을 듣고 크게 노하여 7 중심에 계획하고 귀인과 민장을 꾸짖어 이르기를 너희가 각기 형제에게 취리를 하는도다 하고 대회를 열고 저희를 쳐서 8 이르기를 우리는 이방인의 손에 팔린 우리 형제 유다 사람들을 우리의 힘을 다하여 속량하였거늘 너희는 너희 형제를 팔고자 하느냐 더구나 우리의 손에 팔리게 하겠느냐 하매 저희가 잠잠하여 말이 없기로 9 내가 또 이르기를 너희의 소위가 좋지 못하도다 우리 대적 이방 사람의 비방을 생각하고 우리 하나님을 경외함에 행할 것이 아니냐 10 나와 내 형제와 종자들도 역시 돈과 곡식을 백성에게 취하여 주나니 우리가 그 이식 받기를 그치자 11 그런즉 너희는 오늘이라도 그 밭과 포도원과 감람원과 집이며 취한 바 돈이나 곡식이나 새 포도주나 기름의 백분지 일을 돌려보내라 하였더니 12 저희가 말하기를 우리가 당신의 말씀대로 행하여 돌려보내고 아무것도 요구하지 아니하리이다 하기로 내가 제사장들을 불러 저희에게 그 말대로 행하리라는 맹세를 시키게 하고 13 내가 옷

자락을 떨치며 이르기를 이 말대로 행치 아니하는 자는 하나님이 또한 이와 같이 그 집과 산업에서 떨치실찌니 저는 곧 이렇게 떨쳐져 빌찌로다 하매 회중이 다 아멘 하고 여호와를 찬송하고 백성들이 그 말한 대로 행하였느니라 14 내가 유다 땅 총독으로 세움을 받은 때 곧 아닥사스다 왕 이십 년부터 삼십이 년까지 십이 년 동안은 나와 내 형제가 총독의 녹을 먹지 아니하였느니라 15 이전 총독들은 백성에게 토색하여 양식과 포도주와 또 은 사십 세겔을 취하였고 그 종자들도 백성을 압제하였으나 나는 하나님을 경외하므로 이같이 행치 아니하고 16 도리어 이 성 역사에 힘을 다하며 땅을 사지 아니하였고 나의 모든 종자도 모여서 역사를 하였으며 17 또 내 상에는 유다 사람들과 민장들 일백오십 인이 있고 그 외에도 우리 사면 이방인 중에서 우리에게 나아온 자들이 있었는데 18 매일 나를 위하여 소 하나와 살진 양 여섯을 준비하며 닭도 많이 준비하고 열흘에 한 번씩은 각종 포도주를 갖추었나니 비록 이같이 하였을찌라도 내가 총독의 녹을 요구하지 아니하였음은 백성의 부역이 중함이니라 19 내 하나님이여 내가 이 백성을 위하여 행한 모든 일을 생각하시고 내게 은혜를 베푸시옵소서_**느헤미야 5장 1-19절**

들어가며: 내부의 적

느헤미야 5장에도 교회의 영적 전쟁을 나타내는 이야기 전개 방법, 기승전결이 등장합니다. 이제는 익숙해지셨을 것입니다. 그런데 5장은 매우 특이한 점이 있습니다. 이전까지는 기승전결이라는 그릇에 대적과 그들의 공격이 담겨 있었다면, 5장에는 '형제들'과 그들의 행위가 담겨 있습니다. 대적들이 등장했던 자리에 유다 백성이 등장합니다. 대적이 들었던 교회의 소식을 느헤미야가 듣습니다. 이 기록을 통해 성령님은 대적의 공격처럼, 하나님 나라 재건을 멈추게 하는 원인이 우리 안에서도 나타날 수 있다는 점을 경고하십니다. 먼저 본문이 제시하는 문제와 원인을 명확하게 분석하기 위하여 기승전결의 전개를 따라서 살펴보겠습니다.

기. 대적

대적은 누구입니까? '그 형제 유다 사람'입니다(1절). 조금 더 구체적으로는 유다의 '귀인'과 '민장'들입니다(7절). 유다 사회에서 지도자급에 해당하는 귀족들, 사회적으로 높은 지위를 지닌 책임자요 직분자들이 대적이 등장할 곳에 등장합니다.

승. 교회의 소식

느헤미야에게 들려오는 교회의 소식은 무엇입니까? 유다 백성의 '원망 소리'입니다(2-5절). 느헤미야뿐 아니라 민장과 귀족도 백성의 원망 소리를 모르는 바 아니었을 것입니다. 느헤미야의 귀에 이 소리가 들려올 때까지, 민장과 귀족은 그 소리를 외면해온 것입니다. 우리는 이 원망 소리(2-5절)를 통해 도대체 당시에 어떤 일들이 벌어지고 있었는지 발견하게 됩니다.

먼저 언약 백성과 이방 민족 사이의 거래가 단절된 것으로 보입니다. 원망의 내용을 보면, 철저히 다른 민족과의 거래가 배제되고 있습니다. 군사적 도발이 실패하자 주변 민족이 경제 보복을 가한 것으로 추측됩니다.

거래를 끊어버린 것입니다. 유다 형제들끼리 서로 돕지 않으면 살아갈 수 없는 상황이 된 것입니다. 서로 사랑해야 할 상황에 놓이게 된 것입니다. 3절은 흉년이 있었음을 알려줍니다. 땅이 있는 사람들도 먹을 것이 없었습니다. 흉년을 버티기가 더 어려워진 이유에는 성벽 공사의 영향도 있었을 것입니다. 남자들이 성벽 공사를 위해 자기 밭을 떠났고, 가정마다 농사지을 사람이 부족했을 것입니다. 1절에 '그 아내와 함께 크게 부르짖었다.'는 것은 이런 점을 암시하고 있습니다. 4절은 세금이 막중했다는 것을 알려줍니다. 밭을 저당 잡혀야 낼 수 있을 정도로 많은 세금을 내야 했던 것입니다. 그러니까 생계를 이어가기 힘들고, 자녀들을 종으로 팔아야 하며, 심지어 그 자녀들을 다시 사 올 재산이 없을 정도로 힘들었습니다. 이 어려움이 성벽 공사 기간에 더욱 악화된 것입니다. 그러나 이런 것들은 형제들을 향한 원망의 이유가 아니었습니다. 원망은 귀족과 민장들이 '적대 행위'라 할 만한 행동을 형제에게 했기 때문에 터져 나온 것이었습니다.

전. 적대 행위

그렇다면, 귀인과 민장들이 어떠한 '적대 행위'를 행했습니까? "너희가 각기 형제들에게 취리를 하는도다"(7절). 돈을 빌릴 수밖에 없는 상황에 놓인 형제들에게 높은 '이자'를 받고 돈을 빌려준 것입니다. 율법은 형제에게 이자를 받는 것 자체를 강하게 금지합니다. "네 동족이 빈한하게 되어 빈손으로 네 곁에 있거든 너는 그를 도와 객이나 우거하는 자처럼 너와 함께 생활하게 하되 너는 그에게 이식(이자)을 취하지 말고 … 너는 그에게 이식(이자)을 위하여 돈을 꾸이지 말고 이익을 위하여 식물을 꾸이지 말라 …"(레 25:35-38). 귀족과 민장들은 율법에 정면 배치되는 일을 행하고 있는 것입니다. 그뿐만 아니라 형제들의 나쁜 상황을 돈놀이에 이용한 것은 죄질이 몹시 나쁘다고 할 수 있습니다.

또 다른 적대 행위가 8절에 나옵니다. "너희는 너희 형제를 팔고자 하느냐 더구나 우리의 손에 팔리게 하겠느냐." 이 부분은 이해하기가 약간 어려운데, 새번역 성경은 이 말씀을 이렇게 번역하고 있습니다. "우리는, 이방 사람들에게 팔려서 종이 된 유다인 동포를, 애써 몸값을 치르고 데려 왔소. 그런데 지금 당신들은 동포를 또 팔고 있소. 이제 우리더러 그들을 다시 사 오라는 말이오?" 즉 값을 치르고 이방 민족에게서 데리고 온 형제들을 다시 다른 민족에게 노예로 팔아넘겼다는 말입니다.

이것은 정말 나쁜 행동이었습니다. 물론, 언약 백성이라도 가족을 팔아야 할 극심한 가난에 놓일 수 있다는 것을 율법 또한 예상합니다(신 15:12-15). 그래서 정말 힘들면 동족의 종으로 팔릴 수 있게 하되, 7년마다 안식년이 되면 다시 자유민으로 돌아갈 수 있도록 제도적으로 언약 백성을 보호하였습니다. 노예로 잠시 팔려 가더라도 언약에서 끊어지지는 않게 하신 것입니다. 특히 그들이 자유민으로 돌아갈 때, 그들을 빈손으로 가게 하지 말고, 양과 포도주를 가득 안고 돌아가게 하라고 명령합니다. 자유민의 삶을 새로 시작할 수 있는 최소한의 지원을 하라는 것입니다. 이것이 애굽에서 은혜로 구속받은 백성이 행해야 할 마땅한 도리입니다. 그런데 만약 형제들을 다른 민족에게 팔아넘기면 어떻게 됩니까? 그 민족에게 안식년이 있겠습니까? 그는 언약에서 끊어지는 것이나 다름없는 일을 당하게 됩니다. 사사로운 욕심으로 형제에게 '출교'와 같은 일을 행한 것입니다. 한마디로 정리하자면 귀인과 민장들은 형제들을 철저히 수익 창출의 대상으로 여긴 것입니다. 경제적인 판단만 한 것입니다. 하나님 나라의 일로 온 형제들이 어려움을 인내하고 있는 이때를 더욱 수익 내기 좋은 대목으로 여겼습니다.

이 일은 율법을 악의적으로 어긴 심각한 범죄행위요, 말 그대로 언약 공동체와 언약의 하나님을 공격하는 적대 행위였습니다. 그 결과는 무엇이었습니까? 형제들이 큰 원망에 빠진 것은 물론이거니와, 하나님의 명예가 심한 손상을 입습니다. 느헤미야는 "우리 대적 이방 사람의 비방을 생각"(느 5:9)해야 했다고 질타합니다. "부끄러운 짓이다. 우리 대적 이방 사람들의 능욕을 생각하면 너희는 그렇게 행동해서는 안 되었다!"는 말입니다. "우리가 왜 성을 쌓고 있느냐? 하나님의 영광의 회복을 위함이 아니냐! 그런데 너희가 너희 손으로 영광에 먹칠을 하고 있다!" 심히 꾸짖고 있습니다. 정리하자면, 오늘 유다 안에서 일어난 문제는 탐심의 뿌리에서 나와서, 하나님의 율법을 어기는 열매를 맺으며, 하나님의 영광을 훼손하는 목적을 이룬 내적인 적대 행위였다는 것을 알 수 있습니다.

형제를 향한 오늘날의 적대 행위

오늘날에도 여전히 탐심으로 율법을 어기며 교회와 하나님의 이름에 먹칠을 하는 일들이 계속되고 있는 것을 봅니다. 수익 사업을 위하여 교회의 이름을 이용하는 목사로 시작해서, 아들에게 재산을 물려주기 위하여 담임목사 자리를 세습하는 목사, 목사의 권위로 자매들 몸에 손대는 목사, 자신의 정치 활동을 위해 교회를 이용하는 목사 등 형제자매 된 자들을 분노하고 아프게 만들며, 치욕스럽게 만드는 교회 지도자들은 오늘날에도 참 많습니다.

사랑하는 성도 여러분, 우리는 이들을 바라보면서, 가슴을 치고, 분노하면서도, 우리는 그들과 본질적으로 다르다는 착각에 빠져서는 안 됩니다. 형제를 자기 유익의 도구로 사용하는 죄라고 하니까 굉장히 사악해 보이지만, 사실 이 죄의 본질은 무엇입니까? 형제를 자신을 위한 도구로 만들어 버리는 이유는 무엇일까요? 사랑이 없기 때문입니다. 앞서 언급한 모든 목사의 죄악도 거기서 출발합니다. 교회를 사랑하지 않는 것이죠. '형제를 사랑하지 않음'이 이 모든 죄악의 본질이라는 것입니다. 이 죄의 본질에 관하여, 누가 자신 있을 수 있겠습니까? 우리는 형제자매들을 참으로 사랑하고 있습니까? 우리는 정말로 형제자매를 어떠한 만족과 어떠한 유익의 도구로도 여기지 않고 있습니까? 나의 중요성과 내 존재 가치를 인정받고 높임을 얻기 위한 방편으로 형제자매를 섬기고 있지 않습니까? 형제자매가 가진 소유나 자질을 시기하거나 배 아파하거나 탐내지 않습니까? 형제자매를 향해 충분히 어진 마음을 가지고 그들의 필요를 돌아보고 있습니까? 형제자매를 기뻐하며 진심 어린 사랑으로 사랑하고 있습니까? 나의 사랑이 아니라 그리스도를 우리에게 주신 하나님의 사랑으로 그들을 존중하고 있습니까? 저부터 시작해서, 우리 모두 이런 질문 앞에 자신을 세우며 돌이켜 회개해야 합니다.

결. 느헤미야의 응전, '하나님을 경외함'

그렇다면, 우리가 회개하여 돌이켜 나아가야 할 곳은 어디입니까? 본문은 형제를 사랑하지 않는 문제의 원인과 해결책을 모두 '하나님을 경외함'에서 찾고 있습니다. 느헤미야는 대회를 열고 언약 백성을 모아 권징을 실행합니다. 거기서 귀인과 민장들의 죄의 핵심을 지적합니다. "우리 하나님을 경외함에 행할 것이 아니냐"(느 5:9)? 하나님을 경외함에 행하지 않은 것이 이 문제의 원인이라고 공포합니다. 그리고 그들의 회개를 '제사장 앞'에서 맹세하게 함으로, 이 일을 하나님 앞에서 두려운 마음으로 회개하고 돌이키도록 합니다.

이후 느헤미야는 하나님을 경외함이 이 문제의 해결책이라고 가르칩니다. 느헤미야는 몸소 이 사실을 가르칩니다. 그는 자신이 총독이기 때문에 당연히 받아야 할 음식을 12년 동안 먹지 않았다고 합니다. 앞선 총독들은 양식, 포도주, 은 사십 세겔을 걷어서 자기 부를 쌓았지만, 느헤미야는 뭐라고 말합니까? "나는 하나님을 경외하므로 이같이 행치 아니하고”(느 5:15), 즉 ‘하나님을 경외하는 것’이 형제를 사랑하지 않는 문제의 참된 해결책이라는 것입니다. 느헤미야는 “내가 총독의 녹을 요구하지 아니하였음은 백성의 부역이 중함이니라”(5:18)라고 밝히면서, 하나님을 경외한 결과가 형제의 고된 삶을 체휼하는 것이었음을 증언합니다.

하나님을 경외함으로 회복되는 형제 사랑

결국 5장을 통해 성령님께서 말씀하고자 하시는 것은 하나님을 경외하는 자라야 형제를 향해 언약 백성다운 사랑을 실천할 수 있다는 것입니다. 여기서 우리는 “하나님을 경외함으로 형제 사랑을 회복하라.”는 본문의 가르침 앞에 서게 됩니다. 그렇다면, 이제 우리는 하나님을 경외한다는 말이 어떤 의미인지 살펴보아야 합니다.

경외, 참된 믿음

우리는 경외라는 단어를 자주 사용합니다. 하지만 정확한 의미를 모르고 사용할 때가 많습니다. 경외는 기본적으로 ‘두려워하다’라는 의미를 지니고 있습니다. 그렇지만 ‘하나님을 두려워하다.’만으로는 ‘경외’가 지닌 의미를 다 담아낼 수 없습니다.

성경이 말하는 경외는 하나님에 대한 ‘어떠한 두려움’을 말하는 것입니까?

첫째, 경외는 하나님의 계시가 주어질 때, 믿음으로 반응하는 자들에게서 나타나는 경건한 두려움입니다. 일반적인 두려움과 달리, 믿음으로 하나님을 아는 지식을 가진 사람들만이 느낄 수 있는 신령한 두려움을 말하는 것입니다. 이에 대해 잠언서는 이렇게 가르치고 있습니다. "여호와를 경외하는 것이 지혜의 근본이요 거룩하신 자를 아는 것이 명철이니라"(잠 9:10). 잠언서는 많은 곳에서 같은 진리를 다른 방식으로 반복 진술하며 그 의미를 설명하곤 합니다. 여기서도 지혜자는 '여호와를 경외하는 것'을 '거룩하신 자를 아는 것'이라고 재진술하여 의미를 드러내고 있습니다. 하나님을 경외하는 것은 하나님을 아는 것과 하나로 연결되어 있다는 것이 잠언이 가르치는 지혜의 핵심입니다. 하나님을 아는 자는 그를 경외할 것이며, 그를 경외하는 자가 하나님을 알 것입니다. 우리는 성경의 많은 곳에서 계시를 통해 하나님을 알게 된 백성들이 잠언의 말씀과 같이 가장 먼저 두려움으로 반응했다는 사실을 발견할 수 있습니다. 이스라엘 백성이 홍해에서 하나님의 큰일을 지켜본 때에도(출 14:31), 시내 산에 임재하신 하나님의 음성을 들었을 때도(출 20:18-20) 하나님께서 당신을 계시하실 때, 백성은 두려워했습니다. 이처럼 경외는 기본적으로 계시를 통해 하나님을 알게 된 백성의 반응으로 나타나는 '두려움'을 뜻합니다.

둘째, 경외는 계시로 알게 된 두려우신 하나님에 대한 굳센 신뢰를 의미합니다. 시편 34편에서, "내가 여호와를 경외함을 너희에게 가르치리로다."(시 34:11)라고 외친 시인은 "여호와께서 그 종들의 영혼을 구속하시나니 저에게 피하는 자는 다 죄를 받지 아니하리로다."(시 34:22)라고 가르치며 이 시편을 마칩니다. 하나님께서 우리의 구속자라는 사실, 그리고 하나님만이 우리의 피난처가 되신다는 사실을 굳게 신뢰하는 시인의 외침이 '여호와 경외'에 대한 가르침의 결론입니다. 하나님을 알고 하나님이 가장 두려우신 분임을 알게 된 사람은, 동시에 그분 외에 아무것도 두려워하지 않게 됩니다. 하나님만을 굳게 믿게 됩니다. 지식에서 신뢰가 싹트는 것입니다. 이처럼 경외는 하나님을 두려워하게 된 백성이 하나님에 대해 가지는 '신뢰'를 뜻하기도 합니다.

셋째, 경외는 결국 '순종'으로 드러납니다. 잠언 8장 13절은 "여호와를 경외하는 것은 악을 미워하는 것이라 나는 교만과 거만과 악한 행실과 패역한 입을 미워하느니라." 하고 가르칩니다. 경외가 악을 미워하는 구체적인 모습으로 나타나는 것입니다. 경외는 마음에 숨겨져 있지만 않고, 교만과 거만과 악한 행실과 패역한 입을 미워하는 순종으로 증명됩니다. 지식의 뿌리로부터 신뢰의 줄기가 솟아 나와 순종을 열매 맺는 것입니다. 뿌리와 줄기와 열매가 모두 한 나무이듯이, 하나님을 경외한다는 것은 지식과 신뢰와 순종을 모두 포함하고 있습니다.

이러한 의미들을 종합해보면, 경외란 하나님을 신앙함, 그 자체를 말합니다. 하나님께서 계시하신 바를 통해 그를 알고, 아는 바 그를 신뢰하며, 신뢰하는 바 그 뜻에 순종하여 계시하신 하나님께 대한 합당한 순종을 보이는 것이 바로 '경외함'입니다. 그래서 믿음의 조상 아브라함이 하나님에 대한 지식과 믿음을 순종함으로 나타내 보였을 때, 하나님께서 "내가 이제야 네가 하나님을 경외하는 줄을 아노라."(창 22:12) 하신 것입니다. 참된 믿음은 계시하신 모든 것이 진리라고 여기는 분명한 '지식'과 굳센 '신뢰'인 것입니다(하이델베르크 교리문답 21문답). 그러니까 하나님을 경외함이란 곧 '살아 있고 참된 믿음'의 구약적인 표현이라는 것을 알 수 있습니다.

결론적으로 오늘 본문의 귀족과 민장들은 경외함, 하나님에 대한 참된 믿음이 없었기에, 형제를 사랑해내지 못한 것입니다. 욕심이 죄를 잉태합니다. 죄가 장성하면 사망을 낳습니다(약 1:15). 귀인과 민장들이 정확하게 이 코스를 밟았습니다. '탐심'의 뿌리에서 형제들을 자기 유익의 수단으로 삼는 '불법'의 열매가 맺혔습니다. 그렇게 그들은 '죽은 자'처럼 하나님의 영광이 보이지 않는 영적 죽음의 상태에 이르게 됩니다. 그럼, 반대로 어떤 뿌리에서 율법에 순종하는 열매가 맺히고 하나님의 영광이 회복될 것인가? 참된 믿음의 뿌리에서 이 모든 회복이 시작됩니다. 하나님을 분명히 알고, 그 하나님을 굳게 신뢰하는 참된 믿음에서 하나님의 기준에 복종하는 참 순종, 참사랑이 나오며, 그 순종이 하나님의 영광을 회복하는 일에 사용됩니다. 하나님을 '경외함'에 행해야 이러한 회복을 소망할 수 있습니다.

경외함의 원형, 예수 그리스도

사랑하는 성도 여러분, 예수 그리스도께서 바로 경외함이 무엇인지 보여 주신 분입니다. 성육신하신 그리스도께서는 경외함, 즉 참된 믿음의 원형을 보여 주셨습니다. 믿음의 주인답게, 믿음을 온전케 하시는 분답게, 우리에게 믿음을 선물로 주실 수 있는 분답게, 그분은 참된 믿음을 소유하고 계십니다. 물론 예수님은 육신을 입으셨을지라도, 성부 하나님의 존재를 이미 알고 계셨습니다. 우리처럼 하나님의 존재를 믿음으로 아시는 분은 아니었습니다(마크 존스). 그러나 이 땅에서 예수님도 하나님의 '말씀'을 믿으셨습니다. 아직 성취되지 않은 말씀을 하나하나 이루어가는 과정에서, 비록 일어나는 일들이 악할지라도, 말씀에 계시된 대로 하나님의 선하심을 믿으셨습니다. 말씀대로 일어날 구속의 일들, 말씀에 약속된 상급을 믿으셨습니다. "**나를 의롭다 하시는 이**가 가까이 계시니 나와 다툴 자가 누구뇨 나와 함께 설찌어다 나의 대적이 누구뇨 내게 가까이 나아올찌어다 주 여호와께서 나를 도우시리니 **나를 정죄할 자 누구뇨** 그들은 다 옷과 같이 해어지며 좀에게 먹히리라"(사 50:8-9). 그리스도는 이 말씀의 약속대로 성부께서 자신을 의롭다 하실 것을, 성부께 정죄당하지 않으실 것을 굳게 신뢰하였습니다. 그분은 이 믿음 없이 사신 날이 하루도 없었습니다. 그리스도는 이 믿음으로 하나님 아버지께 완전히 순종하셨습니다.

이에 대해서는 빌립보서 2장의 '그리스도 찬가'가 가장 아름답게 노래하고 있습니다(빌 2:5-11). 하나님의 본체이신 분께서 그와 동등됨을 취하여 누릴 것으로 여기지 않고 낮아지신 것은, 자기를 비워 종의 형체를 가지시고, 사람들과 같이 되시고, 사람의 모양으로 나셔서 죽기까지 복종하사 십자가에 죽으신 것은, 모두 성부의 뜻대로 모든 것을 이루신 아들의 순종입니다. 동시에 교회를 향한 참사랑의 행위입니다. 그리스도는 그 결과로 무엇을 이루셨습니까? 이 찬가는 이렇게 끝납니다. "하나님 아버지께 영광을 돌리게 하셨느니라"(빌 2:11)! 그분은 참으로 경외하였고, 참으로 사랑했으며, 결국 하나님께 영광을 드리셨습니다. 12년간 총독의 녹을 먹지 않고 오직 하나님을 경외함으로 행하며 형제를 사랑했던 느헤미야가 그렇게도 보고 싶어 했던 하나님의 통치와 하나님 나라의 영광을, 그리스도께서 비로소 성취하신 것입니다. 오늘 본문의 느헤미야는 이렇게 그리스도를 가리키고 있습니다.

참사랑을 회복하기 위하여

사랑하는 성도 여러분, 그렇다면, 오늘날에도 계속되고 있는 적대 행위를 끊고, 형제자매를 향한 참사랑을 회복하기 위하여 우리는 이 말씀에 어떻게 반응해야 합니까?

참된 믿음으로 복음 듣기

참된 믿음으로 그리스도의 복음을 들어야 합니다. 삼위 하나님을 경외하는 참된 믿음은 들음에서 납니다. 들음은 그리스도의 말씀으로 말미암습니다(롬 10:17). 우리는 말씀을 통해 그리스도 예수께서, 사랑하지 못하는 우리를 사랑하게 만드시려고 죽으시고 다시 사셨다는 복음을 듣습니다. 이 복음을 듣는 자만이 사랑의 행위를 열매 맺습니다. 기억하십시오. 세상과 사탄과 나의 정욕은 끊임없이 내가 사랑할 수 없는 자임을 증명하려 할 것입니다. 나는 나의 탐욕을 채우기에도 급급한 존재일 뿐이라는 증거를 끝까지 제시할 것입니다. 그러나 성령님은 복음을 듣는 우리에게 말씀을 조명하시며, 내가 사랑할 수 있는 근거요 내가 사랑할 수 있는 능력이 되시는 '그리스도'를 끊임없이 증언하실 것입니다. 그러므로 성경을 읽고, 주일 설교를 묵상하면서, 복음에 귀 기울이는 우리의 참된 믿음을 성령님께서 더욱 강하게 하여주시기를 간구합시다. 그 복음의 능력이 우리가 기뻐하며 즐거이 서로 사랑하도록 인도할 것을 믿으며, 열심히 말씀 앞에 서는 여러분 되시기 바랍니다.

그리스도께 의지하여 율법에 순종하기

우리는 율법이 명령하는 사랑을 복음에 나타난 그리스도께 의지하여 순종해야 합니다. 그리스도 안에서 율법이 우리에게 명령하는 형제 사랑의 핵심은 '권리 포기', 곧 '자기 부인'입니다. 율법은 다른 형제들을 위하여 당연히 누릴 수 있는 권리를 다 누리지 말라고 명령합니다. 이자를 취하는 것이 사회적으로는 상식이지만, 언약 백성 안에서는 아니었습니다. 느헤미야는 당연한 녹을 받지 않음으로 율법이 명하는 사랑의 본을 보입니다. 그리스도께서 당연한 신적 권리를 자기가 누릴 것으로 여기지 않고 이 낮고 낮은 땅 아래 무덤까지 내려가신 것은, 그분을 머리로 둔 모든 지체를 구원하시기 위함이었습니다.

우리 자리에서 더 낮아져도 괜찮습니다. 복음을 듣고, 우리가 만유의 머리이신 그리스도와 연결된 지체임을 기억할 때, 괜찮습니다. 더 낮아질 수 있습니다. 더 포기할 수 있습니다. 더 내어 줄 수 있습니다. 더 양보할 수 있습니다. 내 성질대로 하면, 불가능합니다. 율법의 단 하나라도 내 노력으로는 안 됩니다. 그러나 사랑은 성령의 열매이기 때문에, 복음에 대한 참된 믿음으로 성령님을 소유한 사람은 모두 사랑을 가지고 있습니다. 사랑의 열매는 더 커질 수도 있습니다. 성령님 안에서, 그리스도의 능력으로 율법이 명령하는 사랑을 위해 당연한 나의 권리를 즐거이 포기하며 고난당하기를 기뻐하는 여러분 되시기를 바랍니다.

삼위 하나님의 영광을 목적으로 사랑하기

우리는 삼위 하나님의 영광을 목적으로 형제를 사랑해야 합니다. 사랑도 사리사욕을 위해 할 수 있는 것이 우리입니다. 사랑도 나를 드러내기 위한 목적으로 행할 수 있는 존재가 우리이지 않습니까? 우리는 그리스도의 명령대로 사랑할 때 그분이 영광을 받으신다는 그 이유 하나만으로 사랑을 실천하는 사람이 되어가야 합니다. "내 것은 다 아버지의 것이요 아버지의 것은 내 것이온데 내가 저희로 말미암아 영광을 받았나이다"(요 17:10). 그리스도께서 영광을 받으시는 것, 또 그 영광으로 아버지께서 영광을 받으시는 것, 이것이 우리의 '유일한' 목적이 되어야 합니다. 이 외에 우리가 사랑하는 이유들을 삶에서 하나둘, 지워가는 복이 여러분에게 가득하기를 바랍니다. 사랑하고 나서 내가 얼마나 변했는지에 집중하거나, 내가 얼마나 큰 사랑을 베풀었는지를 자랑하는 것을 실패로 여기게 되시기를 바랍니다. 형제를 내 삶을 다해 사랑하고, 이 모든 일을 할 수 있게끔 능력을 주신 그리스도의 이름만을 높이는 여러분이 되시기를, 간절히 바랍니다.

결론: 사랑을 소멸하는 모든 것과 싸우라

우리는 형제를 이용하는 죄뿐 아니라, 교회 안에 사랑이 사라지는 현상과 전쟁하듯 싸워야 합니다. 교회 안에 사랑이 없음을 이상하게 여겨야 하며, 내 안에 사랑이 사라져감에 소스라치게 놀라며 돌이켜야 합니다. 그것은 우리를 사랑하신 분에 대한 경외함과 믿음이 사라져간다는 표지이기도 하기 때문입니다. "우리가 사랑함은 그가 먼저 우리를 사랑하셨음이라 누구든지 하나님을 사랑하노라 하고 그 형제를 미워하면 이는 거짓말하는 자니 보는 바 그 형제를 사랑치 아니하는 자가 보지 못하는 바 하나님을 사랑할 수가 없느니라 우리가 이 계명을 주께 받았나니 하나님을 사랑하는 자는 또한 그 형제를 사랑할찌니라"(요일 4:19-21). 사랑하는 성도 여러분, 그리스도께 경외함을 배우며, 성령님이 주신 참된 믿음으로 순종하며, 성부께 영광을 돌리며, 형제와 자매를 사랑하는 여러분 되시기를 성부와 성자와 성령의 이름으로 간절히 축원합니다.

9

경외함으로
두려움에 맞서는 교회

9
경외함으로 두려움에 맞서는 교회

1 산발랏과 도비야와 아라비아 사람 게셈과 그 나머지 우리의 대적이 내가 성을 건축하여 그 퇴락한 곳을 남기지 아니하였다 함을 들었는데 내가 아직 성문에 문짝을 달지 못한 때라 2 산발랏과 게셈이 내게 보내어 이르기를 오라 우리가 오노 평지 한 촌에서 서로 만나자 하니 실상은 나를 해코자 함이라 3 내가 곧 저희에게 사자들을 보내어 이르기를 내가 이제 큰 역사를 하니 내려가지 못하겠노라 어찌하여 역사를 떠나 정지하게 하고 너희에게로 내려가겠느냐 하매 4 저희가 네 번이나 이같이 내게 보내되 나는 여전히 대답하였더니 5 산발랏이 다섯 번째는 그 종자의 손에 봉하지 않은 편지를 들려 내게 보내었는데 6 그 글에 이르기를 이방 중에도 소문이 있고 가스무도 말하기를 네가 유다 사람들로 더불어 모반하려 하여 성을 건축한다 하나니 네가 그 말과 같이 왕이 되려 하는도다 7 또 네가 선지자를 세워 예루살렘에서 너를 들어 선전하기를 유다에 왕이 있다 하게 하였으니 이 말이 왕에게 들릴찌라 그런즉 너는 이제 오라 함께 의논하자 하였기로 8 내가 보내어 저에게 이르기를 너의 말한바 이런 일은 없는 일이요 네 마음에서 지어낸 것이라 하였나니 9 이는 저희가 다 우리를 두렵게 하고자 하여 말하기를 저희 손이 피곤하여 역사를 정지하고 이루지 못하리라 함이라 이제 내 손을 힘있게 하옵소서 하였노라 10 이 후에 므헤다벨의 손자 들라야의 아들 스마야가 두문불출하기로 내가 그 집에 가니 저가 이르기를 저희가 너를 죽이러 올 터이니 우리가 하나님의 전으로 가서 외소 안에 있고 그 문을 닫자 저희가 필연 밤에 와서 너를 죽이리라 하기로 11 내가 이르기를 나 같은 자가 어찌 도망하며 나

같은 몸이면 누가 외소에 들어가서 생명을 보존하겠느냐 나는 들어가지 않겠노라 하고 12 깨달은즉 저는 하나님의 보내신 바가 아니라 도비야와 산발랏에게 뇌물을 받고 내게 이런 예언을 함이라 13 저희가 뇌물을 준 까닭은 나를 두렵게 하고 이렇게 함으로 범죄하게 하고 악한 말을 지어 나를 비방하려 함이었느니라 14 내 하나님이여 도비야와 산발랏과 여선지 노아댜와 그 남은 선지자들 무릇 나를 두렵게 하고자 한 자의 소위를 기억하옵소서 하였노라 15 성 역사가 오십이 일만에 엘룰월 이십 오일에 끝나매 16 우리 모든 대적과 사면 이방 사람들이 이를 듣고 다 두려워하여 스스로 낙담하였으니 이는 이 역사를 우리 하나님이 이루신 것을 앎이니라 17 그 때에 유다의 귀인들이 여러 번 도비야에게 편지하였고 도비야의 편지도 저희에게 이르렀으니 18 도비야는 아라의 아들 스가냐의 사위가 되었고 도비야의 아들 여호하난도 베레갸의 아들 므술람의 딸을 취하였으므로 유다에서 저와 동맹한 자가 많음이라 19 저희들이 도비야의 선행을 내 앞에 말하고 또 나의 말도 저에게 전하매 도비야가 항상 내게 편지하여 나를 두렵게 하고자 하였느니라_**느헤미야 6장 1-19절**

들어가며: 1부의 마무리

오늘 우리가 읽은 6장은 느헤미야 1부의 주요 사건이 마무리되는 장입니다. 예루살렘 성을 쌓기 위한 준비부터 완공에 이르기까지의 모든 사건이 6장에서 대단원의 막을 내립니다. 이 마지막 사건을 살펴보기 전에 잠시 전 과정을 되짚어 보겠습니다.

먼저 이 성벽 공사의 시작과 기초는 무엇이었습니까? 예기치 못한 때와 장소에서 느헤미야를 통해 성벽 공사를 준비하신 하나님, 범죄한 백성에게 회복을 약속하신 은혜 언약의 하나님, 섭리하시는 오른손으로 일하시는 하나님, 그분께서 이 성벽 공사의 시작이었고, 터와 기초셨습니다. 이 성벽 공사의 일꾼은 누구였습니까? 말씀을 선포할 때 일어난 사람들, 섭리하신 하나님에 대한 복음을 듣고 믿음으로 일어난 남은 자들, 그 믿음으로 각자의 분량에 따라 각자 자신의 자리를 맡아 성벽 공사에 헌신한 백성들이었습니다. 이들은 방해를 받았습니다. 원수와 대적들 그 뒤에서 역사하는 사탄에 대항하여 교회는 어떻게 싸웠습니까? 조롱과 비웃음으로 공격할 때는 하나님의 영광을 위하여 기도함으로 응전하였습니다. 외부에서 위협을 가할 때는 각 사람이 무장한 용사가 되어 성을 지키며 응전하였습니다. 내부에서 형제들끼리 사랑을 잃어갈 때는 하나님 경외함을 회복함으로 성을 계속 세워갔습니다.

여러 어려움 속에서도 성벽 공사는 계속되었습니다. 그러나 원수들의 방해도 끝까지 가는 것을 봅니다. 오늘 본문 1절을 보면, 산발랏 등 주요 대적들은 그 나머지 대적까지 모두 끌어모았으며(기), 그들은 성벽에 문만 달면 된다는 소식을 듣고(승), 공격하기 시작합니다(전). 공사의 마지막 시점까지 모든 대적이 다 끈질기게 교회를 향한 총공격을 멈추지 않는 것을 봅니다. 원수의 공격과 교회의 응전이 점점 격렬해지다가 결국 '두려움 대 경외함'으로 충돌하고 있는 것을 봅니다.

사랑하는 성도 여러분, 오늘날 우리가 성벽을 쌓을 때도 마찬가지입니다. 우리도 하나님 나라의 성벽을 쌓고 있습니다. 성도 한 사람 한 사람이 예수 그리스도의 통치를 받는 삶의 성벽을 쌓습니다. 말씀의 지배를 받는 가정의 성벽, 말씀의 지배를 받는 자녀 양육의 성벽을 쌓고 있습니다. 하나님의 주권 아래 하나님의 뜻이 실현되는 사회와 교육과 문화와 정치와 경제의 성벽을 쌓고 있습니다. 안으로는 삼위 하나님께 드리는 예배를 보호하고, 밖으로는 하나님의 영광을 드러내며 온 세상을 하나님의 통치 속으로 들어오게 하는 일, 이것이 오늘날 교회 앞에 놓인 성벽 공사일 것입니다. 이 일의 토대와 기초는 삼위 하나님이시고, 이 일을 섭리 가운데 이루실 분도 삼위 하나님이십니다. 이 일에 쓰임 받는 일꾼은 오늘날 교회로 부름 받은 저와 여러분입니다. 이 말은 오늘날 대적들의 파상 공격의 대상이 바로 저와 여러분이라는 뜻입니다.

본문은 가장 맹렬하고 필사적인 공격에 대하여 교회가 어떻게 응전해야 하는지 구체적으로 알려 줍니다. 하나님을 경외하는 느헤미야를 통해 교회가 어떻게 두려움을 이겨낼 수 있는지 제시하고 있습니다. 말씀을 살펴볼 때 교회를 승리하게 하시는 하나님의 전략이 무엇인지 알고 믿고 순종하게 되기를 소망합니다.

두려움 vs 경외함

오늘 본문은 세 가지 에피소드로 구성되어 있는데, 모두 '두려움'을 주제로 하고 있습니다. 1-9절은 외부의 공격, 10-14절은 내부의 공격, 15-19절은 성벽이 완성된 이후에도 계속될 공격을 다룹니다. 모두 한결같이 대적이 우리를, 혹은 느헤미야를 '두렵게 하고자 하였다.'는 결론으로 끝이 납니다(9, 13, 19절). 두려움을 통해 성 쌓는 일에 절망하게 만들고, 결국 포기하게 하려는 전략입니다. 이 전략은 4장과 5장에서도 이미 본 적이 있습니다. 대적들은 끝까지 이 전략을 포기하지 않습니다. 마지막으로 치달을수록 더욱 강력한 두려움으로 공격합니다. 저들은 '두렵게 만들기만 하면, 교회는 우리의 의도대로 움직일 것이다.'라는 확신을 가지고 움직입니다. 이 확신에 따라 대적은 두려움을 만들기 위해 여러 방법을 사용합니다.

교회를 대표하는 느헤미야는 두려움의 도전에 대해 하나님을 경외함으로 응전합니다. 사실 두려움과 경외함은 같은 단어입니다. 5장에서 '하나님을 경외함으로 행할 것이 아니냐!'할 때, 그 '경외함'에 해당하는 단어가 '나를 두렵게 하고자 하였다.'(19절)에 그대로 쓰입니다. 즉 이 싸움은 두려움 대 두려움의 대결입니다. 하나님을 두려워하는 자가 세상 모든 두려움을 이긴다는 것을 오늘 느헤미야가 우리에게 보여 주고 있습니다.

대적의 공격: 반복적인 제안

대적이 두려움을 만드는 패턴을 살펴봅시다. 먼저 대적은 같은 제안을 계속해서 반복함으로 두려움을 만듭니다. 산발랏과 게셈은 느헤미야에게 오노 평지의 한 촌에서 만나자고 제안합니다(2절). 오노 평지는 예루살렘에서 북서쪽으로 약 11킬로미터 떨어진, 사마리아와의 접경지대였습니다. '판문점' 같은 곳이라고 이해하시면 됩니다. 그런데 느헤미야 쪽에서는 굳이 하룻길을 가서 그들을 만나야 할 이유가 없습니다. 지금껏 공격을 잘 막아냈고, 형제 사이의 갈등도 수습했으며, 성벽은 완성되었고, 이제 성문만 달면 됩니다. 이 시점에서 평화 회담을 제안하는 것은 산발랏이 패배를 인정하는 듯한 인상을 줍니다. '공격 안 할게. 대화하자. 앞으로 관계를 완전히 끊지는 말자.'라는 정치적 제스쳐를 취한 것처럼 보입니다.

물론 실상은 그렇지 않았습니다. 나중에 편지로 본색을 드러냈을 때, 그 만남은 화해나 협상을 위한 제안이 아니라 느헤미야를 해하고자 꾸민 일이라는 것이 들통나게 됩니다(2절). 그러나 그 본심을 내보이기 전까지 산발랏은 무려 네 번이나 같은 제안을 반복합니다(4절). 이 반복은 회담을 계속해서 거절하는 느헤미야에게 두려움과 압박감을 상당히 고조시켰을 것입니다. 좋은 말이라도 여러 번 반복해서 듣게 될 때, 사람은 심적 압박을 느끼게 되어 있습니다. '밥 먹어~.'처럼 좋은 말도, 두 번, 세 번, 네 번 반복되면, 자녀들은 압박감을 느낍니다. 계속 거절하는데도 계속 같은 제안을 받을 때는 더욱 큰 두려움이 따릅니다. 거액의 뇌물을 한 번 거절 했는데, 두 번, 세 번, 네 번 제안이 들어오면 어떻겠습니까? 처음에 단칼에 잘라낸 사람이라 할지라도 점점 깊은 고민에 빠질 것입니다.

사탄은 끈질깁니다. 죄의 유혹도 마찬가지죠. 한 번 거절했다고 포기하는 법이 없습니다. 요셉은 보디발의 아내의 유혹을 분명하고 단호하게 거절합니다. 그 이후 보디발의 아내가 어떻게 합니까? “여인이 날마다 요셉에게 청하였으나…”(창 39:10). 하루도 빠짐없이 요청합니다. ‘이걸 계속 거절하는 것이 맞을까?’ 하는 의문이 들 때까지 포기하지 않습니다. ‘더 거절하다가 괜히 일이 더 커지지 않을까?’ 하는 의문이 들 때까지 포기하지 않습니다. 두 번, 세 번, 네 번, 두려움이 쌓이고 넘어질 때까지 회유는 계속됩니다.

교회의 응전: 말씀의 우선순위를 붙들기

느헤미야는 어떻게 대응합니까? 교회는 어떻게 계속되는 사탄의 제안을 뿌리칠 수 있습니까? 우선순위를 세우고 그것을 붙드는 것이 반복적인 제안이 만들어 내는 두려움에 맞서는 방법입니다. “내가 이제 큰 역사를 하니 내려가지 못하겠노라 어찌하여 역사를 떠나 정지하게 하고 너희에게로 내려가겠느냐”(느 6:3). 느헤미야는 계속되는 네 번의 제안을 이렇게 물리칩니다. ‘나에게는 큰 역사가 있다. 너희에게 가는 일은 내게 작은 일이다. 이 큰일을 두고 너희에게 갈 수가 없다. 너희는 그 제안을 포기하지 않겠지만, 그와 같이 나도 내 우선순위를 포기하지 않겠다.’라고 대응한 것입니다. 이는 말씀에 대한 지식을 분명하게 붙들었기 때문에, 지금 무엇이 큰일이고, 무엇이 작은 일인지 분별할 수 있었기 때문에 가능한 대응이었습니다.

우리의 마음은 파도처럼 늘 흔들리고 변합니다. 하나님의 말씀은 영원하고 불변합니다. 말씀으로 세운 우선순위는 마음의 파도가 우리를 덮쳐버리지 못하게 하는 방파제 역할을 합니다. 우리는 영원한 말씀을 기준으로 가치의 우선순위를 세우고, 어떤 일에든지 얼마나 반복해서 일어나든지 간에, 동일하게 적용해야 합니다. 여인이 날마다 요셉에게 청하였을 때, 요셉은 "듣지 아니하여 동침하지 아니할뿐더러 함께 있지도 아니"(창 39:10)하였습니다. "내가 어찌 이 큰 악을 행하여 하나님께 득죄하리이까"(창 39:9). 무엇이 큰 악인가? 무엇이 하나님을 경외하는 나에게 더 '두려운' 일인가? 이 질문에 대한 답이 바뀌지 않았기 때문입니다. 반복되는 요청에 압박과 두려움이 더하여 갈수록, 말씀으로 세운 우선순위를 더 강하게 붙들며 교회는 승리할 수 있다는 것을 보여 주고 있습니다.

대적의 공격: 가짜 뉴스

대적은 이에 굴복하지 않고 더 강력한 공격을 시도합니다. 거짓 소문과 오해로 위협한 것입니다. 산발랏은 반복적인 회유를 그치고 회심의 일격을 가합니다. 편지를 하나 보내는데, 거기엔 뻔한 내용이 적혀 있습니다. '유다는 반역을 일으키려 한다, 네가 왕이 되려 한다.' 대적들이 성벽 공사를 앞둔 느헤미야를 비웃으면서 말했던 내용입니다(느 2:19).

문제는 대적들이 비아냥을 넘어서 이 일을 문서로 기정사실화하고 있다는 것입니다. 유다의 반역 사실을 증명해 줄 이방인과 가스무(게셈) 등

증인들이 있다는 것을 기록해 둡니다. 거기에 유다에서 왕이 날 것이라는 선지자들의 글들도 첨부한 것 같습니다. 즉 그럴싸한 가짜 뉴스를 만들어 낸 것입니다. 그리고 편지를 밀봉하지 않았습니다! 누구나 꺼내 볼 수 있게 보냅니다. 편지를 받게 된 느헤미야가 '아, 이미 소문이 널리 퍼졌겠구나.' 하고 생각할 수 있도록 그렇게 보낸 것입니다. 이 소문이 유다 백성에게 퍼진다면, 반역자로 몰리는 두려움으로 공사는 중단될 수 있습니다. 이 소문이 왕에게 닿는다면, 성벽의 재건은 영락없이 반역의 증거가 될 수 있는 상황입니다. 산발랏은 느헤미야가 '당장 오해를 풀지 않으면 안 된다.'는 두려움을 느끼고 달려오기를 기다렸습니다.

오해받는 것은 두려운 일입니다. '이 선택 때문에 사람들이 나를 고집불통으로 보면 어떻게 하지? 이 선택 때문에 내가 분위기 깨는 사람, 사회생활 못하는 사람으로 몰리면 어떻게 하지? 내가 오해를 받으면서까지 이런 선택을 해야 할까?' 두려움으로 망설일 때가 많습니다. 오해받을 때 우리는 자신이 부정되는 경험을 합니다. 그래서 오해받는 일은 두려운 일입니다. 나는 악하지 않은데, 그럴 의도도 없는데, 사람들이 나를 악하다 할 때, 견디기 쉽지 않습니다. 오해받는 것이 죽는 것보다 싫어서 극단적인 선택을 하는 사람도 있는 것을 보면, 느헤미야가 당한 일은 결코 작은 일이 아닙니다.

교회의 응전: 단순하게 진실을 말하기

이에 대해 교회는 어떻게 응전해야 합니까? 느헤미야는 어떻게 반응합니까? 단순하게 진실을 말할 뿐이었습니다. 그것이 하나님을 경외하는 교회가 오해받는 두려움에 대응하는 방법입니다. "너의 말한 바 이런 일은 없는 일이요 네 마음에서 지어낸 것이라 하였나니"(느 6:8). 굉장히 건조하고 간단하게 진실을 말하고 있습니다. 소문이 어디까지 확산됐는지 알아보지도 않고, 찾아가서 해명하지도 않습니다. 그저 당사자에게 진실을 말할 뿐입니다.

이러한 태도는 오해해도 어쩔 수 없고, 오해를 받더라도 이겨내겠다는 용기에서 나옵니다. 사실 이러한 태도보다 더 나은 대처 방법도 없습니다. 느헤미야가 반역하지 않았다고 증명할 방법이 있습니까? 하지 않은 일을 증명할 수는 없는 것입니다. 거짓 증인을 자처하는 이방 사람과 게셈을 협박하여 진실을 받아 내겠습니까? 유다 땅에 왕이 나리라는 선지자의 글을 바르게, 제대로 해석해 주면, 그 해석을 순순히 받아들일까요? 대적에게는 이미 공사를 중단시키겠다는 분명한 목표가 있기에, 그들은 어떤 말도 그들이 원하는 대로 왜곡할 것입니다. 그것이 '가짜 뉴스'의 본질이죠. 이미 하나님의 통치를 거부하려는 목적이 있는 이 세상은 어떤 변론을 해도 자기주장을 꺾지 않을 것입니다. 오직 대적 자신만은 알겠죠. 이 일이 거짓인지 확실히 아는 사람은 산발랏입니다. 느헤미야는 거짓의 당사자에게 '네가 거짓을 만들어 냈다.'는 진실을 통보할 뿐 다른 대응을 하지 않습니다.

교회는 느헤미야와 같이 오해받기를 감내하고 단순하게 진실을 말할 수 있는 용기가 필요합니다. '네 불안이, 네 오해가, 네 상상이 만들어 낸 사실은 진짜가 아니기에, 내게 아무런 영향도 줄 수 없다. 그러니 나를 오해해도 괜찮다.'라고 말할 수 있는 용기가 필요합니다. 이런 용기는 모든 진실을 아시는 하나님께 대한 신뢰에서 나옵니다. 하나님을 경외하는 자는 전지하신 그분을 신뢰함으로 오해받는 공포를 이겨냅니다. 그리고 단순한 진실을 고백하는 것에 만족할 수 있습니다.

대적의 공격: 상황 논리

회유와 협박을 이겨내면 대적이 공격을 멈출까요? 그렇지 않습니다. 세 번째로 대적들은 '두려움'의 함정을 파놓고 상황 논리로 우리를 유인합니다. 이 일에 '스마야'라는 사람이 사용됩니다(10절). 그는 선지자 노릇 하던 사람이었고, 또 성전 출입이 가능했던 제사장이었던 것으로 보입니다. 이 사람이 "두문불출"하는데(10절), 사실 이 의미가 어떤 뜻인지는 분명하지 않습니다. 그가 집에 스스로 갇혀 있으면서 뭔가 선지자로서 상징적인 행위를 했다는 정도만 알 수 있습니다. 그는 선지자처럼 말하고 행동하며, 느헤미야에게 밤의 암살자가 찾아올 것이라고 위험을 알립니다. 그러면서 성전으로 도피하라고 합니다. 당장 성전으로 달려가도 되는 상황 아닙니까? '내가 죽임 당할 수 있는 상황에 놓였으니, 하나님도 선지자를 통해 예외적으로 성전에 들어가도록 허락하신 게 아닐까?'라고 생각할 수 있지 않습니까?

갑자기 생명의 위협을 받거나 죽음의 공포를 느끼면, 우리는 당황합니다. 당황하면, 당연하게 여기던 하나님의 뜻을 나의 상황에 맞추어 조금 바꾸어도 될 것 같은 유혹에 빠지곤 합니다. 그럴 때는 기가 막힌 변명거리들이 쉽게 떠오릅니다. '성경을 보면 당연히 안 되지만, 선지자가 말했으니까 들어가도 되겠지.' 일제 강점기에 신사 참배에 앞장섰던 분들에게도 변명거리가 없지 않았습니다. 생사에 관련된 문제가 아니더라도, 큰 유익이나 손해 앞에서 두려울 때, 우리는 상황 논리를 앞세워 죄를 정당화하곤 합니다.

교회의 응전: 모든 상황에서 기록된 말씀의 기준을 고수하기

이때 교회는 어떻게 응전해야 합니까? 느헤미야는 어떻게 응전하였습니까? 그는 기록된 말씀의 기준을 상황보다 앞세워 판단하고 순종합니다. 교회는 상황에 따라 다른 자세를 취하는 사람들이 아닙니다. 교회는 시대를 탓하지 않습니다. 하나님을 경외하였던 느헤미야는 기록된 말씀을 기준으로 판단하였고, 끝내 성전으로 도피하지 않았습니다. 그리고 느헤미야는 스마야가 하나님의 선지자가 아닌 '돈에 눈먼 거짓 선지자'임을 말씀을 통해 분별해 내기까지 합니다. 신명기 말씀에 따르면, 스마야가 참 선지자였을 경우, 결코 느헤미야에게 율법을 어기면서까지 성전에 들어가라고 말하지 않았을 것입니다. "너희 중에 선지자나 꿈꾸는 자가 일어나서 이적과 기사를 네게 보이고 네게 말하기를 **네가 본래 알지 못하던 다른 신들을 우리가 좇아 섬기자(1계명 위반)** 하며 이적과 기사가 그 말대로 이룰찌라도 너는 그 선지자나 꿈꾸는 자의 말을 청종하지 말라"(신 13:1-3). 기적이 일어난다고 해서 선지자의 말을 듣지 말고, 그가 이미 알려주신 하나님의 계명에 따르는지를 보고 참 선지자인지 아닌지 판단하라는 말씀입니다. 그가 두문불출하며 선지자 쇼를 한다고 해서 선지자가 되는 것이 아닙니다. 선지자라면 하나님의 뜻을 전해야 합니다. 느헤미야는 성전 출입에 대한 율법을 기준으로 스마야가 선지자인지 아닌지를 판단해 냈고, 스마야가 산발랏에게 매수되었다는 사실도 알아냅니다(12절).

만일 느헤미야가 상황 논리에 넘어가 성전에 들어갔다면 어떻게 되었을까요? 다른 방식의 가짜 뉴스가 만들어졌을 것입니다. '느헤미야는 성전에 침입한 범죄자, 율법을 어긴 유다 지도자'라는 낙인이 찍혔을 것입니다. 그러면 그 사실이 빌미가 되어 또 다른 비방거리가 만들어지고, 또 다른 가짜 뉴스가 유포되고, 결국 하나님 백성의 지도자로서의 권위와 명예를 잃어버렸을 것입니다. 상황에 따라 판단할 때 이득을 취할 수 있을지 모릅니다. 잠시 위기를 모면할 수 있을지 모릅니다. 하지만, 그 결과 권위를 잃습니다. 명예를 잃습니다. 성도의 명예, 교회의 권위는 하나님의 영광과 직결됩니다. 하나님의 영광은 상황이 주는 두려움을 피해 달아날 논리를 만드는 교회가 아니라, 두려움이 있더라도 기록된 말씀을 여지없이 적용하고 순종하는 교회를 통해 나타납니다. 하나님을 경외하는 교회는 오직 말씀의 원리에 따라 순종함으로 하나님의 영광을 지켜냅니다.

이 모든 응전을 가능하게 하는 '믿음의 기도'

사랑하는 성도 여러분, 우리는 여러 루트를 통해 우리를 엄습하는 두려움과 싸워야 합니다. 반복되는 회유로 두렵더라도 말씀으로 세운 우선순위를 고수해야 합니다. 거짓이 만들어 내는 두려움 속에서도 단순히 진실을 말할 수 있는 용기를 가져야 합니다. 어쩔 수 없는 상황 속에서도 기록된 말씀의 권위에 순종해야 합니다. 그러나 두려움에 맞설 때, 이 모든 것보다 더 중요한 것이 있습니다: 우리로서는 이 두려움을 이길 수 없다는 것을 기억하는 것입니다. 우리가 우선순위를 세우고 지킬 수 있습니까? 거짓으로 오해받아도 정말 괜찮습니까? 우리가 '어쩔 수 없는 상황'이라고 말할 때는, 정말 우리로서는 어쩔 도리가 없는 상황 아닙니까?

느헤미야도 우리와 성정이 같은 사람으로 동일한 두려움에 놓여 있었습니다. 그래서 그는 이 모든 일 가운데 '기도했다.'고 밝힙니다. 그는 거짓 모략으로 어려움 가운데 있을 때, "이제 내 손을 힘있게 하옵소서."(9절)라고 기도합니다. '하나님이 내 손을 힘있게 하시지 않으면, 하나님이 우리의 두려움을 이길 힘을 주시지 않으면, 하나님께서 강하신 오른손으로 우리를 붙드시고, 대적들의 오해로부터 우리를 보호해 주시지 않으면, 우리는 거짓으로 말미암는 오해와 공격에 대한 두려움을 이길 수 없습니다.'라고 고백합니다.

느헤미야는 선지자 스마야의 계략에서 벗어난 후에도 기도합니다. "내 하나님이여 도비야와 산발랏과 여선지 노아댜와 그 남은 선지자들 무릇 나를 두렵게 하고자 한 자의 소위를 기억하옵소서"(14절). 스마야뿐 아니라 여 선지자와 다른 선지자들도 이와 유사하게 느헤미야를 두려움으로 몰았던 것으로 보입니다. 느헤미야는 그들의 소위를 '기억해 달라.'고 기도합니다. 이 기도는 회유와 압박을 받고, 위협을 당하고, 오해받을 상황에 놓이고, 선지자라 하는 사람들까지 상황의 함정을 놓아 넘어뜨리려 하는 이 모든 일에 대해 하나님을 변호인으로 요청하는 것입니다. '하나님, 이 모든 상황에서 하나님께 도움을 구하고 있는 저를 변호해 주시고, 하나님을 대적하고 하나님의 영광을 훼손하는 자들에게 하나님께서 합당하게 보응하여 주소서!' 하나님의 의로운 판단과 변호를 믿는 믿음으로 구하는 기도입니다.

우리는 느헤미야가 믿었던 바를 함께 믿고 기도함으로 두려움을 이겨야 할 것입니다. 1장부터 정말 많은 장면에서 느헤미야가 기도하는 모습을 볼 수 있었습니다. '기도는 그리스도인의 의무 중 가장 어렵다.'는 말이 있습니다(마크 존스). 믿음이 없이는 기도하지 못하기 때문입니다. 우리의 약한 믿음만큼 우리의 기도도 약합니다. 느헤미야의 기도에 주목하면서, 우리는 그가 기도할 수 있었던 믿음의 내용에 관심을 기울입시다. 원수를 밟아 승리하시는 하나님을 바라보지 않았다면, 느헤미야도 반복되는 회유와 오해받는 두려움에 떨었을 것입니다. 자기 백성을 변호하시는 하나님을 바라보지 않았다면, 느헤미야도 상황에 따라 자기 유익을 좇아갔을 것입니다. 그가 아는 바를 붙들 수 있었던 이유, 하나님을 신뢰하여 오해받기를 감당했던 이유, 상황이 아닌 오직 말씀의 기준을 고수했던 이유는 이런 하나님에 대한 믿음 때문이었습니다. 그 믿음이 기도를 통해 열매를 맺은 것입니다.

우리는 그리스도 안에서 원수를 이기시는 삼위 하나님을 더욱더 분명하게 바라볼 수 있습니다. 그리스도 안에서 우리의 의의 재판관이시요, 우리를 변호하시는 삼위 하나님을 더욱더 또렷하게 바라볼 수 있습니다. 그리스도 안에서 삼위 하나님을 붙들고, 여러분 앞에 놓여 있는 수많은 두려움에 맞서 기도하며 싸우시기를 바랍니다.

결론: 마지막까지 경외함으로 두려움과 싸우는 교회

사랑하는 성도 여러분, 오늘 본문의 마지막 부분은 52일 만에 성벽이 완공되었다는 기사로 장식되어 있습니다(15절). 그러나 그와 동시에, 외부의 대적과 내부의 백성이 결혼을 통해 연결된 모습도 보여 줍니다(18절). 그리스도께서 다시 오시기까지, 알곡과 가라지가 늘 함께 있을 것입니다. 두려움과 경외함의 전투가 마지막 날까지 멈추지 않을 것입니다. 외부와 내부에서 우리를 두렵게 하며 공격하는 일도 끝까지 계속될 것입니다. 이 길고 두려운 싸움 가운데 있지만, 그리스도를 통하여 더욱 분명히 우리에게 자신을 계시하신 삼위 하나님을 경외합시다. 믿음으로 기도하는 여러분에게 삼위 하나님께서 두려움을 이기는 승리의 기쁨으로 늘 함께하시기를, 성부와 성자와 성령의 이름으로 간절히 축원합니다.

10

의로운 나라의
성문 안으로 구별된 교회

10
의로운 나라의 성문 안으로 구별된 교회

1 성이 건축되매 문짝을 달고 문지기와 노래하는 자들과 레위 사람들을 세운 후에 2 내 아우 하나니와 영문의 관원 하나냐로 함께 예루살렘을 다스리게 하였는데 하나냐는 위인이 충성되어 하나님을 경외함이 무리에서 뛰어난 자라 3 내가 저희에게 이르기를 해가 높이 뜨기 전에는 예루살렘 성문을 열지 말고 아직 파수할 때에 곧 문을 닫고 빗장을 지르며 또 예루살렘 거민으로 각각 반차를 따라 파수하되 자기 집 맞은편을 지키게 하라 하였노니 4 그 성은 광대하고 거민은 희소하여 가옥을 오히려 건축하지 못하였음이니라_**느헤미야 7장 1-4절**

들어가며: 성벽 완공? 미완의 완성!

예루살렘 성이 황폐하다는 소식에 울며 기도했던 느헤미야는 놀라운 하나님의 섭리와 도우심 속에 예루살렘에 왔습니다. 대적들의 끊임없는 공격에도, 결국 이스라엘 백성은 52일 만에 성벽을 완성하고야 말았습니다. 이것이 6장까지의 내용입니다. 느헤미야의 이야기는 거기서 끝나도 될 것 같습니다. 그러나 오늘 본문을 보면 알 수 있듯이, 예루살렘 성벽 건축의 이야기는 끝이지만, 예루살렘의 이야기가 끝난 것은 아닙니다. 미완의 완성, 즉 완성되었지만 완성되지 않은 것입니다. 성벽이 세워졌지만, 하나님 나라의 회복은 아직 완성되지 않았습니다. 그래서 느헤미야 1부의 에필로그처럼 오늘 본문이 따라붙고 있습니다.

성벽 완성의 의미

그렇다면, 성벽이 완성된 것은 아무런 의미도 없는가? 그렇지는 않습니다. 미완이긴 하지만 또 완성은 완성입니다. 무엇의 완성입니까? 먼저 완성된 성벽은 망해버린 하나님 나라가 회복되기 시작했다는 작지만 확실한 증거입니다. 성벽만으로 하나님 나라 전체가 회복된 것은 아닙니다. 국가의 3요소가 무엇입니까? 영토, 국민, 주권입니다. 그런데 하나님 나라는 왕국이니까, 3요소는 왕의 영토, 왕의 백성, 왕권이라 할 수 있을 것입니다. 백성과 관련하여 이 성은 아직 도성으로서 기능할 수 있을 정도로는 사람들이 많이 정착하지 않았습니다. 왕권과 관련하여 이 성은 여전히 페르시아 왕권 아래에 있습니다. 느헤미야는 페르시아 왕이 보낸 총독입니다. 이런 문제들을 앞으로 풀어 나가야 합니다. 단, 영토에 관해서는, 성벽이 둘러싼 그 영토만큼, 하나님 나라 회복의 토대가 생긴 것은 분명한 사실입니다. 백성을 이주시킬 수 있는 최소한의 땅이 생겼고, 하나님의 왕권을 펼칠 수 있는 바탕이 완성된 것입니다. 성벽의 완성은 하나님 나라의 최소한의 영토가 확보되었다는 의미가 있습니다.

궁극적으로 성벽의 완성은 교회와 대적들 사이를 구별할 수 있는 분명한 기준이 완성되었다는 뜻입니다. 죄와 세상과 사탄으로부터 가시적으로 언약 백성이 구별되었습니다. 동서남북의 모든 대적과 이방인이 성벽 완공 소식에 두려워 낙심합니다(느 6:16). 이 두려움과 낙심은 대적들 뒤에서 역사했던 사탄의 두려움과 낙심이라고 볼 수 있습니다. 누구나 쉽게 예루살렘과 접촉할 수 있었고, 누구나 쉽게 예루살렘 밖으로 나갈 수 있었습니다. 즉, 죄를 안으로 들여오기도 쉬웠고, 죄를 찾아서 밖으로 나가기도 쉬웠습니다. 그러나 이제, "이 선을 넘지 말라!" 말없이 경고하는 성벽이 완성된 것입니다. 안으로는 언약 백성을 보호하고, 밖으로는 적대 세력을 두렵게 하는 기준이 섰습니다.

대적의 또 다른 전략

자유롭게 오가던 길이 막히자, 포기를 모르는 대적들은 다른 전략을 취합니다. 혼인 관계를 통해 유다인 내부자들과 더욱 굳게 손을 잡고 언약 백성을 두렵게 만들기 시작합니다(느 6:18-19). 6장은 기분 좋은 성벽 완공 소식이 아니라 바로 이 기사로 마무리되었습니다. 내부 지도자들은 대적들의 말에 편을 들었고, 귀족들은 느헤미야에게 '그들이 유다에게 유익하고 좋다.'고 유혹했습니다. 내부 정보를 대적에게 빼돌려서 느헤미야를 위협하기도 했습니다.

굳세게 성문을 파수하는 사람들

이러한 대적과 내통하는 내부 세력의 적대 행위에 대하여 교회는 어떻게 응전해야 합니까? 오늘 본문의 느헤미야와 언약 백성은 '성문'을 지킵니다. 즉 구별됨을 굳세게 지키는 방식으로 응전합니다. 오늘은 이 구별됨을 지킨다는 것이 어떤 의미인지를 살펴보며 함께 은혜를 나누고자 합니다.

성문을 지키기 위해 '노래하는 자'?

느헤미야는 문짝을 달고, 성문을 지킬 사람들을 세우고 있습니다(1절). 그런데 그의 판단을 생각해 보면, 선뜻 이해가 잘 안 가는 부분이 있습니다. 만약에 여러분이 느헤미야라면, 성문을 지킬 사람으로 다음 중 어떤 사람을 세우겠습니까?

(1) 멀리 보는 자와 활을 잘 쏘는 자와 용맹한 군사들
(2) 문지기와 노래하는 자와 레위 사람들

저는 당연히 1번입니다. 그런데 느헤미야는 2번을 선택합니다(1절). 문을 지켜야 합니다. 그런데 성전에서 노래하는 자와 레위 사람들이 웬 말입니까? 그러나 성도 여러분, 우리는 바로 이 대목에서 예루살렘 성이 어떠한 성인지를 분명하게 알게 됩니다. 노래하는 자와 레위 사람은 모두 '예배'를 위해 봉사하는 사람들입니다. 예배 봉사자들이 성의 문을 지킨다는

것은, 적어도 이 성에 들어갈 수 없는 사람이 누구인지를 가장 잘 나타냅니다. '여호와 하나님을 적대하는 자'는 이 도성에 들어와 살 수 없다는 것을 이처럼 분명하게 보여줄 수 없는 것입니다. 노래하는 자와 레위 사람들이 문지기로 있다는 것은, 예루살렘 성이 성전의 확장판이라는 것을 보여줍니다. 즉 이 성이 '하나님을 예배하는 사람들의 성'이라는 표가 되는 것입니다. 성전에 들어가기 합당하지 않은 사람은, 이 성에 들어오는 것 자체도 합당하지 않다는 선포입니다.

성을 다스리기 위해 '경외하는 자'?

이어서 느헤미야는 예루살렘을 다스릴 자를 세웁니다. 하나니와 하나냐를 임명합니다(2절). 그런데 이 인사발령도 여러모로 이해가 잘 가지 않습니다. 여러분이 느헤미야라면, 이 성과 주변 상황을 고려할 때, 지도자로 어떤 사람을 세우겠습니까?

(1) 리더십이 있고 지혜로우며 외교 능력이 뛰어난 사람
(2) 충성스럽고 하나님을 경외함이 무리에서 뛰어난 사람

대적과 엉켜있는 현재 상황 가운데 골치 아픈 문제를 풀어야 하므로, 상식적으로 1번을 선택하는 것이 옳게 보입니다. 그러나 느헤미야는 2번을 선택합니다(2절). 느헤미야는 성령님의 감동 가운데 느헤미야서를 기록하면서, 지도자인 자신의 신앙을 언약 백성이 따라야 할 모범으로 제시해

왔습니다. 그것은 한마디로 하나님을 경외하는 신앙이었습니다. 느헤미야는 일관적인 선택을 하고 있습니다. 새로운 지도자를 세우면서, '하나님을 경외하는가?'를 판단 기준으로 삼은 것입니다. '이 성의 지도자는 그 누구보다도 하나님을 경외하는 사람이어야 한다.' 느헤미야의 인사 결정에는 이런 메시지가 담겨 있는 것입니다. "하나님을 경외하는 것이 이 성의 최고 덕목이며, 최고 가치다! 이 성에 거하는 사람들 모두가 이 신앙을 좇아야 한다." 즉 지도자부터 성전 문지기까지, 이 성은 하나님을 경외하는 사람들의 성이라는 선포입니다.

예루살렘 성 주민의 의무

느헤미야는 이제 모든 예루살렘 주민에게 명령합니다(3절). 성안에 모든 사람은 '다 성을 지켜야 한다.'는 명령입니다. "성문을 지키는 자들은 해가 높이 뜨기 전, 즉 밤이 완전히 물러가기 전에는, 문을 열지 말라! 예루살렘 주민들도 순서를 짜서 자기가 맡은 초소를 지키고, 각 가정은 자기 집 앞을 지켜야 한다." 즉 개인, 가족, 지도자 할 것 없이 성문을 지키는 일에, 성을 지키는 일에 함께해야 한다는 것입니다. 이들 각자가 하나님을 경외하는 자로서 하나님을 적대하는 세력을 경계하라는 명령입니다. 동시에 거룩히 구별된 자로서 하나님을 적대하는 죄에 대해 마음의 경계를 늦추지 말라는 명령이기도 합니다.

누가 이 성에 살 것인가

느헤미야가 이처럼 철저하게 성을 지키며 그들의 마음을 경계하게 하는 이유는 무엇입니까? 성이 광대한 데 비해서 그 안에 거주하던 사람들이 많지 않았기 때문입니다. 소수의 인원이 힘을 다해 성을 지켜야 겨우 지킬 수 있을 정도로 거주민의 수가 적었기 때문입니다. 거주민의 수가 적다는 것은 이 성에 거할 곳이 많다는 뜻이기도 합니다. 하나님은 예루살렘 성안, 아직 채워지지 않은 땅에 자기 백성을 살게 하실 것입니다. 그때 어떤 사람이 이 성에 들어와 살게 될까요? 왕이신 하나님을 경외하고 예배하는 백성이 이 성에 거할 것입니다. 수백 명의 하나니들과 하나냐들이, 수천 명의 노래하는 자들과 레위인들이 이 성을 채울 것입니다. 이것이 느헤미야의 전략이며 곧 하나님의 계획입니다. 그렇게 하나님 나라 영토가 거룩한 백성으로 가득하게 되는 것이 하나님 나라의 진정한 완성이기 때문입니다.

실제로 5절부터 읽어보면, 포로 생활에서 돌아온 사람들의 명단, 즉 믿음으로 이 땅에 돌아온 언약 백성의 명단이 나옵니다. 이 명단은 하나님이 예루살렘 성을 채우시려고 미리 정하시고 예비하신 사람들의 명단입니다. 그들이 이 성에 거주할 것입니다. 광대한 이 성에, 하나님이 예비하신 백성들이 가득 들어찰 것입니다. 왕이신 하나님을 경외하는 자들로 북적일 것이며, 구별된 삶을 살고, 즐거이 거룩한 삶에 헌신하는 사람들, 회개하고 돌이켜 하나님의 다스림을 받는 사람들로 가득한 성이 될 것입니다.

하나님께서는 이들의 영적 부흥을 통하여, 교회 안에서 내부의 적을 통해 두려움을 일으키려는 사탄의 계략을 산산조각 내실 것입니다. 이들이 교회 밖에서 교회를 공격하는 사탄과 맞서 싸우게 하실 것입니다. 이 영적 부흥의 전략을 실현하기 위하여 가장 먼저 하나님은 자기 백성을 죄로부터 구별하시는 것입니다. 결론적으로 본문은 '하나님 나라의 회복을 위하여 먼저 교회를 구별하시는 하나님'을 증언하고 있습니다.

성문과 성벽이 가리키는 '실체'

의로운 나라가 들어갈 성문

오늘날 우리는 어떻게 구별됩니까? 그 옛날 느헤미야와 백성처럼 우리도 성벽과 성문을 만들어야 할까요? 그렇지 않습니다. 지금까지 살펴본 내용은 우리에게 일어난 실체적인 구별됨의 모형이요 그림자입니다. 이미 저와 여러분은 성안에 있습니다. 이 성은 비록 눈에 보이지 않지만, 느헤미야 때에 완성된 성보다 더 훌륭하고 튼튼합니다.

이사야 선지자가 이 성의 실체를 예언했습니다. 이사야 26장은 유다의 회복을 예언하는 말씀입니다. 느헤미야의 성벽 회복과도 깊은 관련이 있는 예언입니다. 이사야 선지자는 유다의 회복의 날에 성곽이 세워질 것인데, 그 성곽은 건축물이 아니라 '구원'이라고 말씀합니다. "그 날에 유다 땅에서 이 노래를 부르리라 우리에게 견고한 성읍이 있음이여 여호와께서 구원으로 성과 곽을 삼으시리로다"(사 26:1). 구원이 우리에게 견고한 성곽이 된다는 것입니다. 이 구원은 스가랴 선지자의 예언에 따르면, 구원을 베푸시는 '하나님' 그 자체라는 것을 알 수 있습니다. "여호와의 말씀에 내가 그 사면에서 불 성곽이 되며 그 가운데서 영광이 되리라"(슥 2:5). '내가' 사면에서 불 성곽이 되겠다고 말씀하셨습니다. 마치 에덴동산을 지키던 그룹 천사들의 화염검처럼, 하나님 당신께서 불로 둘러싼 성곽이 되시겠다고 약속하셨습니다. 구원을 베푸신 하나님께서 오늘날 저와 여러분을 지키는 성곽이 되십니다!

이사야 선지자는 계속해서 누가 성문으로 들어와 구별되는지도 알려 줍니다. "너희는 문들을 열고 신(신의, 믿음)을 지키는 의로운 나라로(를) 들어오게 할찌어다"(사 26:2). 유다를 회복하시리라는 하나님의 약속을 믿고 신뢰한 사람들, 이들은 느헤미야 시대에는 '남은 자들'을 가리키는데, 그들을 '의로운 나라'라고 부르시면서 성문 안으로 들어오라고 초청하고 있습니다. 이 말씀에서 우리는 언약의 하나님을 믿는 믿음이 의로 여겨지는 것을 보게 됩니다. 즉 이사야의 예언은 언약의 하나님을 믿고 신뢰하는 사람들을 '의로운 나라'라고 부르시면서, 구원이라 불리는 성읍 안으로 구별하시는 하나님을 노래하고 있습니다! 이 일이 바로, 저와 여러분에게 일어난 일입니다.

'그리스도 안에서' 구별됨

사랑하는 성도 여러분, 이 놀라운 일이 어떻게 저와 여러분에게 일어났는지, 우리는 반드시 기억해야 합니다. 그리스도 예수 안에서, 하나님이 우리의 불성곽이 되시고, 우리가 구원의 성읍에 들어가게 되었습니다. 이 사실을 우리는 잊어서는 안 됩니다. 시편 24편이 이 진리를 노래하고 있습니다. 이 시편은 실제로 성벽 문지기들의 노래입니다. 오늘 본문의 '노래하는 자'가 불렀을 가능성이 매우 큰 시편입니다. 이 노래에서 시인은 "여호와의 산에 오를 자 누구며 그 거룩한 곳에 설 자가 누군고"(시 24:3) 하고 묻습니다. 이에 대한 답이 무엇입니까? "곧 손이 깨끗하며 마음이 청결하며 뜻을 허탄한 데 두지 아니하며 거짓 맹세치 아니하는 자로다" (시 24:4). 즉 '의로운 사람'입니다. "저는 여호와께 복을 받고 구원의 하나님께 의를 얻으리니"(시 24:5). 의로운 자가 이 성문을 통과할 수 있습니다.

그렇다면 우리가 말씀대로 모든 것을 지켜서 하나님으로부터 의롭다 함을 받겠습니까? 손이 깨끗하다는 것은 다른 사람에게 죄를 짓지 않는다는 뜻입니다. 우리 가운데 누가 그럴 수 있습니까? 마음이 청결하다는 것은 마음의 동기마저 죄로 물들지 않았다는 의미입니다. 우리 중에 누가 그렇습니까? 뜻을 허탄한 데 두지 않는다는 것은 곧 우상을 섬기지 않는다는 말인데, 우리 중 누가 오직 하나님만을 진정으로 사랑할 수 있습니까? 거짓 맹세야 따져 볼 것도 없지 않습니까? 우리의 인생은 얼마나 많은 서약과 맹세를 거짓되게 지킵니까? 성벽 문지기의 노래를 들은 그 누구도 하나님 앞에서 의를 얻을 수 없고, 성문을 통과할 수 없고, 성전에 나아갈 수 없을 것입니다.

이때, 백성 앞에서 힘차게 외치는 자의 소리가 들립니다. "문들아 너희 머리를 들찌어다 영원한 문들아 들릴찌어다 영광의 왕이 들어가시리로다"(시 24:7). 왕이 문지기들에게 외치는 소리입니다. 영광의 왕이 들어가니, 의로운 왕이 들어가니 문을 열라는 것입니다. 문지기는 묻습니다. "영광의 왕이 뉘시뇨"(시 24:8)? 왕이 답합니다. "강하고 능한 여호와시요 전쟁에 능한 여호와시로다"(시 24:8). 이게 도대체 무슨 상황입니까? 이 왕은 누구입니까? '다윗'입니다. 다윗이 여호와의 언약궤 앞에서 춤추며 행진하여 들어가고 있는 것입니다(삼하 6:12-15). 다윗은 여호와 하나님을 영광의 왕이라 외치며, 문지기들에게 문을 열라고 명령합니다. 아무도 의롭지 않기에 누구도 통과할 수 없는 문을 오직 의로우신 왕 여호와 하나님께서 통과하십니다. 그리고 하나님을 만군의 통치자로 믿고 섬기는 다윗 왕이 통과합니다. 그리고 '만군의 여호와께서 곧 영광의 왕이시로다.'라고 외치는 자들, 여호와 하나님을 왕으로 섬기고 믿고 경외하는 자들이 왕의 선언을 의지하여 성문을 통과합니다.

이 시편의 아름다운 장면을 온전히 성취하신 분이 바로 예수 그리스도이십니다. 죽은 자 가운데서 부활하셔서 하늘의 문들을 여시고, 하늘 가장 높은 보좌 우편에 앉으신 예수 그리스도께서 이 말씀을 궁극적으로 이루신 유일한 왕이십니다. '만군의 여호와 곧 영광의 왕'(시 24:10)이라는 이름을 하나님께 받으신 예수 그리스도께서 그를 믿고 따르는 모든 '왕 같은 제사장'(벧전 2:9)들을 동일하게 하늘나라에 앉히십니다. 하늘 문을 열고 들어갈 수 있었던 당신의 의로움을 자신을 따르는 우리 모두에게 주셔서 우리도 의롭다 함을 얻고, 우리도 부활하며, 우리도 천국의 문을 열고 들어가게 하신 것입니다. 느헤미야 시대에 성벽과 성문을 통해 언약 백성을 죄에서 구별하신 하나님께서, 이제는 예수 그리스도 안에서 주어진 의로움과 구원으로 말미암아 저와 여러분을 죄에서 구별하신다는 것입니다.

그리스도 안에서 선물로 받은 거룩한 삶

사랑하는 성도 여러분, 이 시대를 살아가는 많은 성도가 구별된 삶을 별로 원치 않는 것을 봅니다. 어떤 사람들은 죄가 너무나 달콤하기 때문에 죄에서 구별된 삶을 원하지 않습니다. '어떤 핑계를 대면, 이 죄를 계속 지을까.'를 고민합니다. 특정한 죄를 짓게 되는 상황에서 자신을 굳이 구별해 내지 않으려고 합니다. 어떤 사람들은 큰 부담 때문에 구별된 삶을 꺼립니다. 그래서 구별됨을 공적으로 선언하는 입교를 미루겠다고 생각하는 자녀들도 있고, 하나님의 자녀로 구별됨을 표하고 인치는 세례 받기를 꺼리는 사람도 있습니다. 그래서 그냥 그렇게, 흘러가는 대로, 밀려오는 대로, 때론 사탄의 힘에 눌리고, 때론 연약한 육체를 좇아서 구원을 받은 자로서의 구별됨이 전혀 없이, 하나님의 성곽에 속한 자답지 않은 삶을 삽니다. 이 모든 현상은 구별됨을 그리스도와 별개로 생각하기 때문에 일어납니다. 내가 내 힘으로 구별되게 살아가려고 한다면, 여러분, 그것이 얼마나 무거운 짐이 되겠습니까? 기피하거나 꺼리게 되는 것이 당연합니다. 우리가 할 수 없기 때문입니다. 그러나 구별된 삶, 즉 거룩한 삶은 그리스도 안에서 우리에게 주어지는 선물입니다. 그리스도 안에서, 하나님이, 나를 은혜로 구별하셨음을 기억해야 합니다. 하나님이 예기치 못한 때에 나의 구원과 회복을 준비하시고, 시행하시고, 결국 이루셨음을 기억하십시오. 그리스도 때문에 죄 많은 우리가 '의인'이요 '의로운 나라'로 구별되었는데, 어찌 그 삶을 거부하겠습니까? 그리스도 때문에 어둠의 삶에서 벗어나 빛의 자녀로 구별되었는데, 어찌 감사하지 않겠습니까? 그리스도 안에서 구별된 자에게 주어진 성령님이 내 삶을 주도할 것인데, 어찌 즐거이 따르지 않겠습니까? 나를 구별하셨다는 것은 또한 나를 지키실 것이라는 약속인데, 어찌 평안하지 않을 수 있겠습니까? 내가 그 구별된 삶을 이루려 했다면, 이보다 큰 재앙이 없었겠지만, 그리스도 안에서 그 삶을 선물로 받았으니, 이보다 큰 복이 없습니다.

구별하신 은혜에 감사하기

사랑하는 성도 여러분, 복음을 믿음으로 세례 받고 공적 신앙고백(입교)한 우리 모두 이 복된 구별됨을 선물로 받았습니다. 교회가 그리스도 안에서 의로운 나라로 부름 받고, 구원의 성문 안으로 들어왔습니다. 하나님께서 은혜로 우리를 부르셨으니, 부르심에 감사함으로 응답하기를 바랍니다. 교회의 문을 지키는 당회는 천국 열쇠를 가진 자들로서 성도들이 구별된 삶을 살도록 권면하기를 힘쓰고, 가정의 문을 지키는 아비들은 손을 들어 예배해야 할 자들로서 온 가족이 예배하는 삶을 살도록 힘쓰고, 개인의 문을 지키는 모든 성도는 성령님을 의지하여 각자의 삶을 거룩한 산 제물로 구별하여 드리기를 바랍니다. 이 모든 일을 그리스도께서 주신 성령과 그리스도이신 말씀을 따라 그리스도의 선물인 믿음으로 행할 때, 우리는 기쁨을 잃어버리지 않고 즐거이 구별된 자의 삶을 살아갈 것을 믿습니다. 그러한 복이 오늘 하나님을 경외하며 예배하는 모든 성도에게 가득하기를 성부와 성자와 성령의 이름으로 간절히 축원합니다.

11

교회, 두 번째 출애굽 백성

11
교회, 두 번째 출애굽 백성

5 내 하나님이 내 마음을 감동하사 귀인들과 민장과 백성을 모아 그 보계대로 계수하게 하신고로 내가 처음으로 돌아온 자의 보계를 얻었는데 거기 기록한 것을 보면 6 옛적에 바벨론 왕 느부갓네살에게 사로잡혀 갔던 자 중에서 놓임을 받고 예루살렘과 유다로 돌아와 각기 본성에 이른 자 곧 7 스룹바벨과 예수아와 느헤미야와 아사랴와 라아먀와 나하마니와 모르드개와 빌산과 미스베렛과 비그왜와 느훔과 바아나 등과 함께 나온 이스라엘 백성의 명수가 이러하니라

…

73 이와 같이 제사장들과 레위 사람들과 문지기들과 노래하는 자들과 백성 몇명과 느디님 사람들과 온 이스라엘이 다 그 본성에 거하였느니라_**느헤미야 7장 5–73절 (봉독: 5–7절, 73절)**

들어가며: 이야기를 멈춰 세우는 계보

우리는 이미 느헤미야서에서 명단을 만난 적이 있습니다. 함께 성을 쌓은 사람들의 명단이었죠. 오늘은 어린 자녀들과 많은 성도님을 낙심시키지 않기 위해 그때처럼 다 봉독하여 읽지 않았습니다. 성경을 읽으면서 이

런 족보를 만날 때, 여러분도 힘드시겠지만, 가장 힘든 사람이 누구겠습니까? 설교자입니다. 사실 지난 설교 때 살짝 이 명단을 언급했기 때문에, 7장은 건너뛰자고 마음먹고 바로 8장을 연구에 들어갔었습니다. 그랬는데, 8장을 보다 보니, 이 명단을 다루지 않을 수가 없었습니다. 읽기 힘든 긴 계보이지만, 성경의 한 부분을 차지하는 이유가 있다는 것을 다시 한번 되새기는 한 주였습니다.

이 계보는 성벽 공사 이야기를 좇아 쉼 없이 달려온 우리를 잠시 쉬게 합니다. 7장부터 10장까지의 내용이, 자연스러운 이야기 흐름을 잠시 끊어준다는 말입니다. '성은 넓고 그 성에 사는 자는 적었다.'고 했던 7장 4절에서 11장으로 가봅시다. "백성의 두목들은 예루살렘에 머물렀고 그 남은 백성은 제비 뽑아 십 분의 일은 거룩한 성 예루살렘에 와서 거하게 하고 그 구분은 다른 성읍에 거하게 하였으며"(느 11:1). 넓은 성에 사는 자가 적었으므로, 지도자와 함께 10%의 백성을 제비 뽑아서 예루살렘 성에 이주하여 살도록 했다는 기록입니다. 11장은 7장 4절과 문법적으로나 내용으로나 잘 붙습니다.

그러나 성령님은 이야기를 멈춰 세우고, 성을 '어떻게' 채울 것인가를 논하기 전에, '누구로' 채울 것인지를 다루십니다. 이 성을 채우게 될 백성의 정체성을 먼저 확인하게 하십니다. 오늘 본문인 7장에서 보듯, 포로 생활에서 돌아온 전체 명단을 다 꺼내 놓고, 하나님 나라에 주민등록을 확인한 다음, 이들의 정체성과 관련하여 일어난 사건을 10장까지 다루십니다.

그러니까 7-10장이 소개하는 백성 중 10%를 제비뽑아 예루살렘 성에 살게 하실 것입니다. 그들만이 예루살렘 성에 살 권리가 있는 것입니다.

오늘부터 10장까지의 내용을 통해 성령 하나님은 '하나님의 나라에 합당한 백성은 누구인가?'를 밝히고 계십니다. 물론 우리는 성문을 지키는 자들을 통하여 이 성에 누가 들어갈 수 있는지를 서론적으로 이미 살펴보았습니다. 하나님을 경외하는 자들, 하나님을 진정으로 믿고 예배하는 자들이 이 성에 합당한 사람들입니다. 그럼 하나님을 경외하는 것, 진정으로 믿고 예배하는 것은 '구체적'으로 무엇을 말합니까? 이에 대한 답을 주기 위하여 성령님께서는 7장 4절과 11장 사이에 백성 전체의 이야기를 배치하신 것입니다.

두 번째 출애굽 백성

하나님 나라에 합당한 백성은 누구입니까? 이 명부는 '두 번째 출애굽 백성'이라고 답하고 있습니다. 바벨론에서 돌아온 이 사람들이 바로 두 번째로 애굽을 나온 백성이라 말합니다. 이 말씀을 통해 우리는 궁극적으로 예수 그리스도께서 이루실 참된 출애굽, 참된 구원을 바라보게 됩니다. 그리고 놀랍게도, 이 명부에 저와 여러분의 희미한 그림자가 있습니다. 우리는 오늘 말씀에서 그리스도와 우리를 발견하게 될 것입니다. 이러한 기대 가운데 함께 말씀의 은혜를 나누기 원합니다.

계보와 출애굽의 연관성

명부의 대략

우선 이 명부를 이해하기 위해 대략적인 지도를 그려보는 것이 좋을 것 같습니다. 먼저 7절은 지도자들 명단입니다. 이 지도자들은 첫 번째 귀환 때뿐 아니라 기원전 537년에서 520년 사이에 포로 생활에서 귀환한 백성들을 이끌었던 모든 지도자 중에 중요한 인물들을 추린 명단입니다. 그 다음에는 크게 일반 백성과 성전 직분자를 구분하여 제시합니다. 다음은 일반 백성들입니다(8-38절). 일부는 가족 대표 이름으로, 또 일부는 출신 지역 이름으로 분류합니다. 다음은 성전 직분자가 나옵니다. 제사장들(39-42절), 레위 사람(43절), 성전에서 노래하는 사람(44절), 문지기들(45절)의 이름이 보입니다. 그리고 느디님 사람들이 나오고(46-56절), 솔로몬의 신복의 자손이 나옵니다(57-60절). 다음으로는 이 명부에 이름이 없는 사람들, 그래서 증명이 필요한 사람들의 이름입니다(61-65절). 이 부분은 주민등록 작업이 얼마나 진지하고 세밀하게 이루어졌는지를 알 수 있는 대목입니다. 66절부터는 합계가 나오고, 그 이후에는 재산 목록이 나옵니다. 노비와 노래하는 자들, 짐승들의 숫자가 나오고 70절부터는 이들 중 몇몇이 바친 헌물의 목록이 나옵니다. 지레 겁을 먹었던 것을 생각하면, 굉장히 단순한 목록입니다. 지도자 – 일반 백성 – 성전 직분자 – 증명이 필요한 자 – 합계 – 재산 – 헌물 목록 순서로 질서 있게 기록된 명부입니다. 이제 이 명부가 출애굽과 무슨 관련이 있을는지 함께 살펴보겠습니다.

이스라엘의 열두 지도자

첫째로, 명부에 기록된 지도자들의 수가 12명입니다(7절). '12' 하면 열두 지파가 떠오릅니다. 지도자들은 이 외에도 더 있었는데, 주요한 지도자들을 지파의 수인 열두 명으로 맞춰 놓은 것입니다. 그리고 이들이 이끌고 나온 백성이 누구라고 기록하고 있습니까? '유다' 백성의 명수가 아니라, "이스라엘 백성의 명수가 이러하니라."(7절)라고 기록합니다. 이들이 유다 사람들의 지도자만은 아니라는 의미입니다. 실제로 돌아온 사람들은 유다 사람들이었지만, 이들이 바로 야곱의 열두 지파요 진정한 하나님의 백성이며 이스라엘의 정통성을 잇는 사람들임을 암시합니다. '이들은 하나님의 백성 이스라엘 전체를 대표하는 새로운 열두 지파장이다.'라는 의미를 담고 있는 것입니다. 한마디로, 이 명부는 포로로부터 돌아온 백성들을 '새롭게 시작하는 이스라엘'이라고 소개합니다. 명부에 담긴 이러한 사실만으로도 출애굽과의 관련성을 충분히 인정할 수 있습니다.

출애굽-가나안 정복 서사와의 유사성

명부와 출애굽이 관련이 있다는 증거는 또 있습니다. 에스라서 2장에 기록된 똑같은 명부가 그 증거입니다. 비록 필사 과정에서 두루마리의 균열로 인해 일어난 것으로 보이는 숫자의 차이와 몇몇 이름들의 작은 차이들이 있지만, 이 명부의 이름들과 거의 모든 이름이 동일하게 등장하는 명부가 에스라서 2장에도 나옵니다. 사실 에스라서와 느헤미야서는 하나의 책으로 보아야 합니다. 주제와 문체와 역사적 흐름이 이어지는 같은 책입니다. 에스라서 2장에서 이 명부로 시작된 이야기가 오늘 느헤미야서 7장에서 다시 언급되며 마무리된다고 볼 수 있습니다. 즉 에스라서에서 포로 생활에서 돌아온 자들이 성전을 건축하고, 느헤미야서에 이르러서 성벽을 완성하는, 하나님 나라 회복의 거대한 이야기가 명부로 시작하여 명부로 끝나는 것입니다.

이 모든 내용을 구조화하면 다음과 같이 정리할 수 있습니다.

> 포로 귀환자 명단 – 성전 건축 – 성벽 건축(즉 하나님 나라 영토 확보) – 포로 귀환자 명단

이러한 서사 구조에서 우리는 애굽에서 나온 이스라엘 백성의 행적을 발견할 수 있습니다.

> 애굽에서 나온 백성 명단(민수기) – 성막 건축 – 가나안 땅 정복(즉 하나님 나라 영토 확보) – 기업을 받을 자 명단(여호수아)

성경을 영감하신 성령님께서는 반복되는 이야기 구조를 통해 이 명단이 지닌 '두 번째 출애굽'의 의미를 드러내십니다.

전리품의 유사성

마지막으로, 이 명단에서 드러나는 포로 귀환자들의 재물의 분량 역시 주목해야 합니다. 첫 출애굽 때, 하나님은 이스라엘 백성이 빈손으로 애굽을 떠나게 하지 않으십니다. 마지막 재앙이 있고 난 뒤, 바로는 모세와 아론에게 "양도 소도 몰고 나가라."고 말합니다(출 12:31).

그리고 모세는 이렇게 기록합니다. "이스라엘 자손이 모세의 말대로 하여 애굽 사람에게 은금 패물과 의복을 구하매 여호와께서 애굽 사람으로 백성에게 은혜를 입히게 하사 그들의 구하는 대로 주게 하시므로 그들이 애굽 사람의 물품을 취하였더라"(출 12:35-36). 이스라엘이 애굽에서 나갈 때, 많은 가축과 금은, 옷을 하나님의 승리의 전리품으로 챙겨 나갔습니다. 나중에 이것들은 즐거이 드려져서 성막과 제사장 의복 등의 제작에 사용됩니다.

오늘 느헤미야서의 명단에도 보면, 포로 생활에서 돌아온 자들의 재산이 어마어마하다는 것을 알 수 있습니다. "노비가 칠천삼백삼십칠 명이요 노래하는 남녀가 이백사십오 명"(67절)이라 합니다. 여기서 노래하는 남녀는 성전에 속한 자들이 아니라 가정에 소속되어 노래했던 사람이었습니다. 이런 노비가 245명이나 될 정도로 포로 생활에서 귀환한 자들의 재력과 지위는 높았다고 볼 수 있습니다. 또 노비들이 칠천 명 넘게 있었다는 것도, 노비를 쓸 수 있는 재력가들이 그 정도로 많았다는 뜻이죠. 말과 노새와 약대와 나귀의 수도 엄청납니다. 또한 이들이 제사장의 의복과 역사를 위해 보조한 은금 액수도 굉장합니다. 이스라엘 백성이 가지고 나온 전리품을 즐겁게 드려서 성막과 제사장 의복을 제작하는 데 사용했듯이, 이 헌물들 역시 성전과 성벽과 제사장의 의복을 위하여 무명으로 자원하여 드려지는 것을 봅니다. 이렇게 크게 세 가지 측면에서 이 명부는 포로 귀환이 '제2의 출애굽'이라는 것을 말하고 있습니다.

궁극적인 출애굽 백성의 예고편

우리는 느헤미야 7장의 두 번째 출애굽 백성 명단을 통해 예수 그리스도를 볼 수 있습니다. 즉 예수께서 이루실 궁극적인 출애굽을 통해 구원받게 될 '백성'의 모습을 오늘 명단이 예고편처럼 보여 줍니다. 지금부터 구체적으로 어떤 백성의 모습을 보여 주는지 살펴보겠습니다.

많은 이방인

이 명부의 가장 큰 특징은 많은 '이방 출신' 자손들이 포함되어 있다는 것입니다. 이 사실은 이 명단의 의미를 생각해 볼 때 굉장히 의외이고, 놀라운 일입니다. 왜냐하면, 이 명단에 포함되어 '진정한 하나님의 백성'으로 판명되면, 그는 기업의 상속자가 되기 때문입니다. 약속의 땅의 상속자 명단, 거기에 '이방인'의 후손들이 포함되어 있다는 것입니다.느디님과 솔로몬 신복의 자손들이 대표적인 이방인의 후손입니다. 느디님 사람들은 성벽 공사 때도 한 자리를 책임졌습니다. 느디님에 대한 기록이 많지는 않기 때문에, 정확하게 이들의 기원을 알 수는 없지만, 여호수아 시대에 기브온 사람들과 같은 자들이라고 알려져 있습니다(수 9:27). 즉 이방인 출신으로 이스라엘 백성의 종이 되고자 했던 사람들에게 레위인을 돕도록 성전의 막일을 시킨 것이 이들의 기원이라는 것입니다(민 31:25-47; 스 8:20). 느디님은 이후에 하나님과 언약을 맺고 서명하는 백성 중에 하나로 등장하기도 합니다(느 10:28). 즉 지위가 결코 낮지 않은, 언약 백성과 동일한 신분을 가지고 있었음을 알 수 있습니다.

솔로몬의 신복의 자손들은 심지어 멸절할 대상이었던 가나안 출신의 국가 노비였습니다(왕상 9:20; 대하 8:7). 그러다가 포로기 이후에는 느디님 사람들과 같이 성전의 힘든 일을 맡았던 것으로 추측됩니다(스 7:24). 이들의 일이 비록 미천하고 이방 출신이었지만, 오늘 명부를 보면 이들은 자유민이었으며, 노비의 목록이 아니라 레위인과 노래하는 자들과 함께 이스라엘 회중의 일부, 성전 직분자 중 하나로 취급받는 것을 봅니다.

현재 언약 백성의 하나로 여김 받고 있지만, 느디님과 솔로몬 신복의 자손 이름에는 여전히 이방의 흔적이 남아 있습니다. 이를 통해 우리는 그들의 출신지를 가늠해볼 수 있습니다. '시하'(46절)는 애굽의 이름입니다. 르신은 '아람'의 왕 이름이기도 합니다(50절). '배새'(52절)는 바벨론, '므우님'은 아랍의 이름이고, '느비스심'은 이스마엘 부족의 이름인데 이스라엘에게 패한 부족이었기 때문에 이 사람은 전쟁 포로였을 가능성이 큽니다.

그도 유다인의 명단에 들었습니다. 또 종에게 주어지는 별칭이나, 별명이 이름이 된 경우도 많이 발견됩니다. '하수바'(46절)는 '퀵(quick)', 즉 빠르다는 뜻입니다. '재빠른 이'와 같은 별명이었을 것입니다. '르바나'(47절)는 '흰둥이'라는 뜻입니다. 피부가 하얀 사람이었을 것입니다. '느고다'(50절)는 '점박이', '하그바'(53절)는 '꼽추', '느시야'(56절)는 '신실한 사람'이란 뜻입니다. '핫딜'(59절)은 '수다쟁이'이고 '보게렛하스바임'은 '가젤 사냥꾼'이라는 뜻입니다. 이런 이름들은 이방인으로 잡혀서 레위인의 종으로 살며 붙게 된 별칭으로 추측됩니다(D. J. Clines).

놀라운 사실은, 포로로 잡혀갔다가 돌아온 이 사람들의 수가 그들이 섬겼던 레위인의 수보다 많다는 것입니다. 돌아온 레위인은 고작 74명뿐이었습니다. 이들은 성전이 파괴되고 할 일을 잃어버리자, 세속적인 직업을 찾아 나선 것으로 보입니다. 그런데 느디님 사람들과 솔로몬의 신복의 자손은 도합 392명이 돌아왔습니다. 이들도 똑같이 할 일을 잃어버렸을 텐데, 레위인 보다 더 궂은일을 하는 사람들이었는데, 더 많이 돌아왔습니다. 이들이 레위인들보다 더 하나님의 언약에 대해, 하나님 나라에 대해, 자녀들에게 잘 가르치고 잘 교육했음을 알 수 있는 대목입니다.첫 번째 출애굽 때, 이스라엘의 자손들 가운데는 이방 출신이 없었는가? 그렇지 않았을 것입니다. 그러나 이 두 번째 출애굽 백성의 목록에는 이방 출신이 괄목할 만한 정도로 크게 늘었음을 알 수 있습니다. "네가 나의 종이 되어 야곱의 지파들을 일으키며 이스라엘 중에 보전된 자를 돌아오게 할 것은 오히려 경한 일이라 내가 또 **너로 이방의 빛을 삼아 나의 구원을 베풀어서 땅끝까지 이르게 하리라**"(사 49:6). 오늘 우리가 본 명단은 이사야 선지자의 예언을 성취하실 예수 그리스도를 더욱 분명하게 예표하고 있습니다. "너를 이방의 빛으로 삼아 나의 구원을 베풀어서 땅끝까지 이르게 하리라"고 하신 말씀을 이루실 예수 그리스도를, "누구든지 그리스도와 합하여 세례를 받은 자는 그리스도로 옷 입었느니라 너희는 유대인이나 헬라인이나 종이나 자주자나 남자나 여자 없이 다 그리스도 예수 안에서 하나이니라."(갈 3:27-28)라고 하신 말씀을 그의 몸된 교회를 통해 이루실 그리스도를 미리 보여 줍니다. 이방인들도, 대한민국 사람들도 그분께 몰려들고, 수다쟁이도 꼽추도 출애굽을 경험하고, 점박이도 가젤 사냥꾼도 참 이스라엘, 참 아브라함의 후손이 되는 놀라운 일을 이루실 그분을 미리 보여주고 있는 것이 바로 이 명부입니다.

하나님께 감동을 받은 백성

사랑하는 성도 여러분, 두 번째 출애굽 백성은 아브라함의 직계 자손입니까? 열두 지파의 직계 자손입니까? 순혈 유다인입니까? 이방 조상을 가진 자, 노비의 후손들은 제외입니까? 그렇지 않습니다. 이방인 출신도 이 명부에 이름을 올리고 하나님 나라의 상속자로 당당히 설 수 있습니다. 즉 두 번째 출애굽 백성의 명단은 곧 은혜의 명단이요, 하나님의 사랑을 입은 자들의 명단이었습니다.

궁극적으로 이 명단은 '하나님의 택함'을 입은 자들의 명단입니다. 에스라 1장 5절은 사람들이 어떻게 그 명단에 들어가게 되었는지를 설명합니다. "이에 유다와 베냐민 족장들과 제사장들과 레위 사람들과 무릇 그 마음이 하나님께 감동을 받고 올라가서 예루살렘 여호와의 전을 건축코자 하는 자가 다 일어나니"(스 1:5). 누가 다 일어나 여호와의 성전을 건축하려고 예루살렘으로 올라갔습니까? "그 마음이 하나님께 감동을 받은 자들"이 일어났습니다. 하나님께서 주신 '가고자 하는 마음'을 받아 느디님도 솔로몬 신복의 자손도 일어나 예루살렘으로 떠난 것입니다. 오늘 본문은 하나님 나라에 합당한 사람이 누구냐는 질문에 '하나님의 사랑과 은혜로 택함을 입은 자들'이라고 답하고 있는 것입니다. 하나님은 당신께 감동을 받은 모든 사람으로 하나님의 도성을 가득 채우실 것입니다.

택함 받은 백성의 정체성: 은혜에 대한 감사

사랑하는 성도 여러분, 하나님의 나라에 합당한 사람은 바로 이 은혜의 하나님께 감사하는 사람들입니다. 내가 믿은 것이 아니라, 나를 믿도록 감동하게 하신 하나님을 알고 감사하는 사람이 그 나라에 합당합니다. 내가 행한 것이 아니라, 나를 행하도록 감동하게 하신 하나님을 알고 감사하는 사람이 그 나라의 백성입니다. 내가 안 것이 아니라, 나를 알도록 감동하게 하신 하나님을 알고 감사하는 사람이 천국을 상속받습니다. 내가 기도한 것이 아니라, 나를 기도하도록 감동하게 하신 하나님을 알고 감사하는 사람이 영원한 기업을 소유합니다. "너희가 그 은혜를 인하여 믿음으로 말미암아 구원을 얻었나니 이것이 너희에게서 난 것이 아니요 하나님의 선물이라 행위에서 난 것이 아니니 이는 누구든지 자랑치 못하게 함이니라"(엡 2:8-9).

감사하기

우리는 궁극의 출애굽을 이루신 그리스도 안에서만 이 은혜의 선물을 기억할 수 있고, 감사할 수 있습니다. 특별히 우리에게 성부와 성자와 성령의 이름 안으로 들어가 세례를 받을 수 있게 하신 예수 그리스도의 은혜에 감사합시다. 그리스도의 은혜로 여러분이 세례교인 명부에 이름을 올릴 수 있었습니다. 여러분의 이름이 세례교인 명부에 올라가 있다는 것에 대한 감사를 회복하시기 바랍니다. 죄로 인해 흔들리고 괴로울 때마다, '나는 세례 받은 자요, 내 이름이 세례교인의 명부에 있다!'고 외칠 수 있다는 것이 위로와 평안을 줄 것입니다. '사탄이 그리스도의 보혈로 씻음 받은 나를 어찌할 수 없다!'라고 확신하며 힘을 얻을 것입니다. 매주 성찬에 참여할 때마다 내가 성찬상에 나아갈 권리를 증언하고 있는 명부가 있음을 기억합시다. 그 때 우리는 사탄의 정죄를 무시하고 손 흔들어 우리를 하늘 잔치 자리로 부르시는 그리스도께 나아가 기쁨의 만찬에 감사함으로 참여할 수 있을 것입니다.

경계하기

사랑하는 성도 여러분, 또한 우리는 이 말씀 앞에 경고를 받아야 합니다. 유다인들은 우리의 반면교사가 됩니다. 은혜를 잊어버리고 하나님께 감사하지 않는 자에게 일어날 수 있는 일들을 보여 줍니다. 시간이 갈수록, 유다인들은 하나님을 자랑하는 게 아니라 자신의 이름이 적혀 있는 계보 자체를 자랑하였습니다. 계보를 보며 자기 우월감에 빠져들었습니다. 남보다 내가 낫다는, 계보를 통해 하나님을 차지했다는 자부심에 넘쳐나 있었습니다. 그렇게 계속해서 자기중심적인 경향으로 기우는 가운데 나타난 사람들이 바로 바리새인이었습니다. 그들은 겉보기에 유대인이었지만, 진정한 의미의 이스라엘, 참 하나님의 백성은 아니었습니다. 표면적 유대인이 유대인이 아니라면(롬 2:28), 표면적 그리스도인도 그리스도인이 아닙니다.

사랑하는 여러분, 바리새인들이 특별히 이상한 사람들이 아닙니다. 죄인은 누구나 그렇게 될 수 있습니다. 우리를 감동하게 하신 하나님께 대한 감사, 그리스도를 주신 은혜에 대한 감사를 잃어버린다면, 저도 여러분도 바리새인과 같이 될 수 있습니다. 자기 행위를 자랑하고 형제와 이웃을 멸시할 수 있습니다. 은혜 베푸신 하나님께 대한 감사를 하루 이틀, 그렇게 매일 잃어버리고 산다면, 저도 여러분도 바리새인과 같이 껍데기뿐인 세례, 껍데기뿐인 성찬, 껍데기뿐인 개혁신앙의 이름만 자랑하며 붙들고 살아가게 될 것입니다. 그 삶에는 아무런 생명도, 사랑도, 변화도 없다는 것을 기억하시기 바랍니다.

하나님 백성의 정체성이 분명해지는 기쁨

누가 궁극의 출애굽 백성인지, 누가 하나님의 택하심을 입은 자인지가 '감사'를 통해 드러납니다. 그리스도의 보혈로 죄를 씻으신 삼위 하나님께 세례를 기억하며 감사합시다. 그리스도의 살을 찢고 보혈을 부으심으로 내 마음을 감동하게 하신 삼위 하나님께 성찬을 받을 때마다 감사합시다. 예배에서 경험한 그 감사가 아침과 저녁을 채우게 하시고, 삶의 시작과 마침이 되게 하시고, 주중 모든 날을 지배하게 하십시오.

은혜에 감사하는 성도는 그 결과로 하나님 나라 백성의 '정체성'을 더 확고히 가지게 됩니다. 기꺼이 하나님 나라의 일을 위하여 일어나고, 기꺼이 자신의 은금과 옷을 내어놓고, 기꺼이 손과 발로 일하며, 기꺼이 그리고 신실하게 자기 삶을 하나님께 드리게 됩니다. 하늘나라 백성의 '정체성'을 가지고 사는 것이 고되지 않고 점점 더 즐거울 것입니다. 은혜에 감사하는 자에게 주어지는 이 기쁜 삶을 소망하는 모든 분에게 성부와 성자와 성령께서 늘 함께하시어 믿음의 소원을 이루어 주시기를 간절히 축원합니다.

12

다시 시작하는
백성의 힘

12
다시 시작하는 백성의 힘

1 이스라엘 자손이 그 본성에 거하였더니 칠월에 이르러는 모든 백성이 일제히 수문 앞 광장에 모여 학사 에스라에게 여호와께서 이스라엘에게 명하신 모세의 율법책을 가지고 오기를 청하매 2 칠월 일일에 제사장 에스라가 율법책을 가지고 남자, 여자 무릇 알아들을 만한 회중 앞에 이르러 3 수문 앞 광장에서 새벽부터 오정까지 남자, 여자 무릇 알아들을 만한 자의 앞에서 읽으매 뭇 백성이 그 율법책에 귀를 기울였는데 4 때에 학사 에스라가 특별히 지은 나무 강단에 서매 그 우편에 선 자는 맛디댜와 스마와 아나야와 우리야와 힐기야와 마아세야요 그 좌편에 선 자는 브다야와 미사엘과 말기야와 하숨과 하스밧다나와 스가랴와 므술람이라 5 학사 에스라가 모든 백성 위에 서서 저희 목전에 책을 펴니 책을 펼 때에 모든 백성이 일어서니라 6 에스라가 광대하신 하나님 여호와를 송축하매 모든 백성이 손을 들고 아멘 아멘 응답하고 몸을 굽혀 얼굴을 땅에 대고 여호와께 경배하였느니라 7 예수아와 바니와 세레뱌와 야민과 악굽과 사브대와 호디야와 마아세야와 그리다와 아사랴와 요사밧과 하난과 블라야와 레위 사람들이 다 그 처소에 섰는 백성에게 율법을 깨닫게 하는데 8 하나님의 율법책을 낭독하고 그 뜻을 해석하여 백성으로 그 낭독하는 것을 다 깨닫게 하매 9 백성이 율법의 말씀을 듣고 다 우는지라 총독 느헤미야와 제사장 겸 학사 에스라와 백성을 가르치는 레위 사람들이 모든 백성에게 이르기를 오늘은 너희 하나님 여호와의 성일이니 슬퍼하지 말며 울지 말라 하고 10 느헤미야가 또 이르기를 너희는 가서 살진 것을 먹고 단것을 마시되 예비치 못한 자에게는 너희가 나누어 주라 이 날은

우리 주의 성일이니 근심하지 말라 여호와를 기뻐하는 것이 너희의 힘이니라 하고 11 레위 사람들도 모든 백성을 정숙케 하여 이르기를 오늘은 성일이니 마땅히 종용하고 근심하지 말라 하매 12 모든 백성이 곧 가서 먹고 마시며 나누어 주고 크게 즐거워하였으니 이는 그 읽어 들린 말을 밝히 앎이니라_**느헤미야 8장 1-12절**

들어가며: 두 번째 출애굽 백성이 처음으로 찾은 것

느헤미야 7장은 두 번째 출애굽 백성, 즉 다시 시작하는 하나님 나라 백성의 명단이었습니다. 그 뒤에 오늘 본문이 바로 이어지는데, 다시 시작한 백성이 가장 처음으로 한 일이 무엇인지를 보여 주고 있습니다. 그 일은 무엇입니까? '율법을 듣는 일'이었습니다. 1절에 보면 '일제히' 수문 앞 광장에 모였다고 하는데, '일제히'를 원어 뜻대로 읽으면 '마치 한 사람처럼' 모였다는 뜻입니다. 수많은 백성이 마치 한 사람처럼, 한마음과 한뜻으로 다 모였습니다. 모여서 에스라에게 "모세의 율법책을 가지고 오기를" 청하였습니다. 두 번째 출애굽 백성의 첫 번째 요구는 바로 율법을 들려달라는 것이었습니다. 모세와 애굽에서 나온 백성이 시내 산에서 하나님의 율법을 받은 것처럼, 다시 시작하는 이스라엘 역시 그 율법, 그 하나님의 말씀 듣기를 바라고 원하였습니다.

바로 마지막 12절을 봅시다. 그렇게 말씀을 바라고 원했던 백성이 어떻게 되었습니까? 놀라운 순종의 열매를 맺었습니다. 10절에서 느헤미야가 말씀에 근거하여 명령한 네 가지, 곧 '가서', '먹고', '마시고', '나누라'한 것이 12절에 그대로 실현됩니다. "모든 백성이 곧 가서 먹고 마시며 나누어 주고 크게 즐거워하였으니." 말씀을 사모했을 뿐만 아니라 들은 말씀을 그대로 따르고 순종하였습니다. 겉으로만 껍데기 같은 순종을 한 것이 아니라 즐거워하였습니다. 마음으로부터 진실하게 순종하였습니다. 말씀의 씨를 받아들였을 뿐 아니라 싹을 틔우고 열매까지 맺었다는 것이 오늘 본문의 핵심 내용입니다. 우리가 읽지 않았지만, 13절 이후의 내용도 이 핵심 내용이 그대로 반복됩니다. 율법에 열의를 가지고 모인 사람들이, 율법 그대로 초막절 절기를 지켰다는 결말로 끝이 납니다. 얼마나 잘 지켰던지, 여호수아 이래로 이와 같이 지킨 적이 없을 정도로, 율법을 제대로 지켰습니다(17절). 한마디로, 8장 전체는 두 번째 출애굽으로 새롭게 시작하는 하나님 나라 백성은 그 무엇보다 "말씀을 사모하여 순종으로 열매 맺는 백성"이라는 것을 우리에게 알려주고 있습니다.

이렇게 오늘 본문은 쉽게 읽힙니다. 쉽게 읽히는 이유는 내용 전개가 쉬울 뿐 아니라, 백성들의 행동도 시원시원하기 때문입니다. 거침이 없습니다. 신앙이 펄떡펄떡 살아 있는 사람들이 있다면, 아마 이런 모습일 것입니다. 율법에 순종하는 데 그 어떠한 저항도 느껴지지 않습니다. 힘 하나 들이지 않고 순종을 해내는 것처럼 보입니다. 하나님의 택하신 은혜에 대한 감사의 열매가 풍성히 맺히는 것을 확인할 수 있습니다. 그러나 이들의 상황을 가만히 생각해 보면, 이들도 육체적으로나 마음으로나 충분히 힘들 수 있는 상황이었습니다. 이 사람들, 어린 자녀들까지 다 데리고 나와서 새벽 6시부터 여섯 시간이나 설교를 들었습니다(3절). 앉아서 들은 것도 아닙니다. 두루마리를 펼 때 일어서서 마칠 때까지 서 있었습니다(5, 7절). 에스라가 두루마리를 펴고 하나님을 송축할 때, 이 사람들은 머리를 땅에 대고 절하며 예배하기도 했고, 율법을 들으며 마음의 슬픔과 고통을 느껴 울기도 했습니다. 힘들지 않았겠습니까? 몸도 마음도 충분히 피곤할 수 있는 상황입니다. 그러나 오늘 본문은 사람들이 힘들었다고 묘사하지 않습니다. 왜 그렇습니까? 힘들지 않았기 때문입니다. 힘들지 않았다는 말은, 백성이 가진 힘이 백성을 저지하는 힘보다 강했다는 것입니다. 뜨거운 태양과 긴 설교 시간과 다리 저림과 허리 통증이 일으키는 짜증과 피로보다 이스라엘 백성이 가지고 있는 힘이 훨씬 커서 이겨낼 만했던 것입니다. 가서, 먹고, 마시고, 나누고자 하는 힘이 훨씬 커서 힘들지 않았던 것입니다.

다시 시작하려는 우리의 힘

사실 이런 본문은 오늘날 우리를 힘들게 합니다. 비교당하는 우리를 부끄럽게 합니다. 순종을 말하기 전에 먼저, 이스라엘과 같이 말씀을 사모해서 우리 마음이 뜨거웠던 적이 언제입니까? 말씀을 듣고 싶어서 앞자리를 차지하려고 경쟁하던 수련회의 추억은 언제 적 이야기입니까? 순종에 대해 본격적으로 말하기 시작하면 더 할 말이 없습니다. 펄떡펄떡 살아 숨

쉬는 믿음으로, 거침없이, 망설임 없이 헌신하고도 기쁨으로 가득했던 때가 언제입니까? 들은 말씀을 실천하기 위해, 또 잊지 않으려고 노트하고 붙여두고 외우고 했던 때가 언제입니까? 말씀과 동행하는 것이 기뻐서 늘 성경을 끼고 살았던 시절이 언제입니까? 오늘날 우리에게는 말씀을 듣는 것도, 기억하는 것도, 그 말씀을 살아내는 것도, 다 너무 힘이 듭니다. 그러니까 나의 힘은, 말씀을 가로막고 저항하는 세력의 힘에 비해 너무나 약합니다. 이 사실을 아는 우리에게 이 말씀은 우리를 부끄럽게 하고, 우리 마음을 무겁게 합니다.

사랑하는 성도 여러분, 그러나 이 말씀을 듣고 있는 이 시간이 나의 힘과 저항 세력의 전세가 역전되는 시작임을 기억하며 감사합시다. 오늘 본문은 다시 시작하는 백성이 가진 힘의 원천이 무엇이며, 어떻게 그 힘을 가질 수 있는지 알려 줍니다. 그것이 구약 교회에게 힘의 원천이 되었다면, 그들과 한 교회를 이루는 우리에게도 힘의 원천이 될 것입니다. 삶에 치이고, 상황에 치이며, 예배 직전까지, 말씀에 대한 열정이 다 식어버린 삶을 살았을지라도 괜찮습니다. 신앙의 전투에서 후퇴하고 후퇴하며, 밀리고 밀려서 말씀대로 살고자 하는 시도조차 못 하고 있더라도 괜찮습니다. 이방 나라에 포로로 잡혀가 절망밖에 남은 것이 없던 이 백성을 다시 시작하게 만들 수 있을 정도의 힘이라면, 지금 오늘 여기에 모인 우리도, 충분히 다시 일으킬 수 있을 것이기 때문입니다.

'말씀을 깨달음'

그럼 그 힘의 원천은 무엇입니까? 이스라엘이 말씀에 순종할 힘은 어디에서 나온 것입니까? 그 힘은 깨달은 말씀에서 나온 것입니다. 에스라와 열세 명의 고관들이 강단에서 두루마리를 펼치고 또 펼치며 율법의 요약 신명기를 읽었습니다. 이때, 약 13년 동안 에스라에게 율법을 배워 온 레위인 열세 명이 율법의 뜻을 해석하여 깨닫게 합니다(7절). 여기서 해석이란 새로운 풀이를 뜻하는 게 아닙니다. 포로기 바벨론에서 지내며 아람어로 생활하던 사람들을 위해 율법을 아람어로 해석하거나 설명했다는 말입니다. 8절이 이러한 장면을 요약하고 있습니다. "하나님의 율법책을 낭독하고 그 뜻을 해석하여 백성으로 그 낭독하는 것을 다 깨닫게 하매"(느 8:8). 율법의 말씀, 즉 설교를 알아듣고, 이해하고 깨닫자, 거기서 순종할 힘이 나온 것입니다.

이스라엘 백성이 깨달은 내용

이들은 말씀을 듣고 무엇을 깨달았습니까? 이들이 설교에서 깨달은 내용이 무엇입니까? 첫째로 이들은 하나님께서 죄인을 향해 진노하시는 분이라는 진리를 깨닫습니다. 이에 대한 반응으로 그들은 웁니다(9절). 둘째로 이들은 하나님께서 죄인을 구원하시는 분이라는 진리를 깨닫습니다. 이에 대한 반응으로 그들은 기뻐합니다(12절).

죄인에게 진노하시는 하나님

먼저 이들은 율법을 경청하며 '하나님께서 죄인을 향해 진노하는 분'이라는 진리를 깨달았습니다. 이들은 성벽을 쌓는 일에 힘쓴 사람들이기 때문에, 스스로 그나마 좀 괜찮은 사람이라고 생각했을 것입니다. 처음 포로 생활에서 돌아온 자의 계보에 든 사람들, 하나님이 감동하게 하사 돌아온 남은 자들이니 그럴 만도 합니다. 그런데 율법을 경청하며 말씀 앞에 서보니, 자신들도 조상처럼 깨진 언약에 걸맞게 살고 있다는 것을 발견했습니다. 자기들이 여전히 율법의 거의 모든 내용을 무시하고 있다는 걸 발견했을 때, 눈물이 날 수밖에 없었을 것입니다. 율법을 들으며, 말씀 앞에 선 이들의 모습은 죄인이요, 저주받을 자요, 진노의 대상이었기 때문입니다. '하나님의 저주와 진노의 칼끝이 여전히 우리를 향하고 있구나.', '우리가 여전히 죄와 비참함 가운데, 포로 생활 가운데 놓여 있구나!' 하는 절망감에 눈물 흘렸던 것입니다.

죄인을 구원하시는 하나님

눈물 흘리던 이들이 '하나님께서는 죄인을 구원하시는 분'이라는 진리를 깨닫게 됩니다. 본문은 여호와의 성일, '여호와의 거룩한 날'이란 표현을 세 번 반복하는데, 이렇게 강조하는 이유가 있습니다. 이날은 7월 1

일입니다(2절). 7월 1일은 나팔을 불고, 온 이스라엘이 모여 거룩히 지켜야 하는 '나팔절'이라는 절기입니다. 우리나라로 생각하면, 이날은 1월 1일, 한 해를 다시 시작하는 첫째 날입니다. 레위기를 보면, 하나님은 이 날을 특별히 아무 노동도 하지 않는 '안식일'로 지키라고 명령하셨습니다(레 23:24). 여러분, 안식일은 무엇을 기억하는 날입니까? "너는 기억하라 네가 애굽 땅에서 종이 되었더니 너의 하나님 여호와가 강한 손과 편 팔로 너를 거기서 인도하여 내었나니 그러므로 너의 하나님 여호와가 너를 명하여 안식일을 지키라 하느니라"(신 5:15). 신명기는 안식일을 '하나님이 애굽에서 이스라엘을 구원하셨기에' 지키라고 밝힙니다. 이 표현은 십계명 서문에도 등장하지요. "나는 너를 애굽 땅에서 종 되었던 집에서 인도하여 낸 너희 하나님 여호와로라"(신 5:6). '나는 너희의 하나님이다!' 자기 백성을 구원하시고, 기뻐하시는 하나님의 은혜가 먼저 선언됩니다. 율법을 듣고자 서 있는 백성은 먼저 이 은혜의 선언을 듣게 되어 있습니다. 여호와의 성일은 이 은혜의 선언을 더욱 깊이 기억하며 기뻐해야 하는 날이라는 뜻입니다. 그래서 설교자들은 연거푸 외칩니다. "오늘은 너희 하나님 여호와의 성일이니 슬퍼하지 말며 울지 말라"(9절). "이날은 우리 주의 성일이니 근심하지 말라"(10절). "오늘은 성일이니 마땅히 종용하고 근심하지 말라"(11절).

결론: 여호와를 기뻐하는 것이 너희의 힘

'여호와를 기뻐하는 것이 너희의 힘이니라'(10절). 이 한 문장에 이스라엘이 깨달아야 할 모든 내용이 담겨 있습니다. 여기서 힘은 다른 곳에서는 '반석(사 17:10), 요새(삼하 22:33), 피난처(사 25:4), 산성(욥 4:16)'으로 번역되는 단어입니다. 율법 앞에서 하나님의 진노 때문에 떠는 백성은 어디로 도망쳐야 합니까? 하나님께 피해야 합니다. 하나님의 진노에 떠는 백성은 하나님께 달려가야 합니다. 역설적이지만 이것이 진리입니다. 구원의 하나님, 구속의 주님을 기뻐하여 하나님 품속으로 달려 들어가야 살 수 있습니다. 하나님의 진노를 피해 숨을 수 있는 산성, 보호받을 수 있는 요새는 하나님 품속뿐입니다. 그 은혜 속으로 달려가야 진노를 피합니다. 안전함과 평안과 기쁨과 세상 유일한 '힘'을 얻습니다. 이들은 이처럼 율법에 새겨진 복음을 듣고, 하나님의 구원하심을 깨닫고, 그분을 기뻐하는 데서 힘을 얻었을 것입니다.

성도 여러분, 우리는 지금까지 하나님의 백성이 다시 말씀에 순종할 힘이 어디에서 나오는지를 살펴보았습니다. 그 힘은 깨달음에서 나옵니다. 선포된 복음 속에서 구속주 하나님, 예수 그리스도를 알고 깨닫는 사람, 그리스도께 피하며 그를 통하여 삼위 하나님을 보고 기뻐하는 사람은 말씀에 순종할 힘을 얻게 될 것입니다. 하나님 나라 백성인 우리는 말씀이신 그리스도 안에서 삼위 하나님을 보고 기뻐함을 우리 힘으로 삼을 때, 순종의 열매를 맺는 삶을 언제든지 다시 시작할 수 있습니다.

은혜에 대한 우리의 의무

사랑하는 성도 여러분, 그럼 이 진리를 알고 믿는 우리는 무엇을 어떻게 해야 할까요? 말씀을 깨닫게 하는 은혜, 그리스도를 우리 마음에 계시하시는 일은 하나님의 주권에 속한 일입니다. 그렇다면, 우리는 무엇을 할 수 있습니까? 은혜의 수단인 말씀을 부지런히, 잘 사용해야 합니다. 오늘 본문의 구약 백성은 이에 대한 아주 좋은 본을 보여 줍니다.

말씀 좇는 자의 표지를 확인하기

먼저, 우리는 말씀 좇는 자의 표지가 우리에게 나타나는지 확인해야 할 것입니다. 오늘 본문의 백성은 분명 7장에서 하나님의 감동하게 하심을 입어 하나님께 택함 받은 자로 분류된 사람들입니다. 그러나 그들은 외형적으로, 이름만 하나님 백성의 명단에 올려놓고 만족하지 않았죠. 진정한 하나님의 백성이라면 가지고 있어야 할 말씀에 대한 열정적인 자세와 준비된 마음, 공경심을 보였습니다. 에스라가 등장하기 전에 미리 수문 앞 광장에 모여 말씀 듣기를 준비하고 있었습니다. 새벽 6시 전에 나오기 위해 온 가족이 일어나 씻고 식사하며 어떻게 그 날을 준비했을지 상상해 보십시오. 그리고 여섯 시간 동안, 온 백성은 귀를 기울였습니다(3절). 모든 귀와 마음이 율법을 향하도록 했다는 뜻입니다. 자녀들의 귀가 말씀을 향하도록, 부모들이 평소에 가정에서 자녀들을 어떻게 준비시켰을지 상상해 보십시오. 이들은 이스라엘의 남은 자, 두 번째 출애굽 백성이라는 이름에 걸맞은 삶을 살기 원했습니다. 즉 진정한 하나님의 백성이라는 표를 자신에게서 발견하기 위하여 은혜의 수단을 진지하게 대했습니다.

말씀을 대하는 그들의 태도를 살펴서 오늘, 진정한 출애굽 백성인 우리 자신에게 적용해야 합니다. 어제 당회의 문자를 다들 받으셨을 것입니다. 거기 웨스트민스터 대교리문답 160문답이 있었습니다.

> 160문. 설교를 듣는 사람들에게 요구되는 것은 무엇입니까?
> 답. 설교를 듣는 사람들에게 요구되는 것은, 부지런한 태도와 준비된 마음과 기도로 설교를 주의해서 듣는 것입니다. 또한 설교를 성경에 근거해 검토하고, 성경과 일치하면 믿음과 사랑과 온유함과 간절한 마음으로 그 내용을 하나님의 말씀으로 받아들이는 것입니다. 또 그 설교를 묵상하고, 함께 나누며 공부하고, 마음속에 간직하고, 삶 속에서 그 열매가 맺어지게 하는 것입니다.

여러분은 이 문답을 읽고 기도하며 예배를 준비하셨습니까? 오늘 삼위 하나님께서 말씀이신 그리스도를 통하여 들리는 말씀, 보이는 말씀으로 임재하시는 이 시간을 얼마나 기대하는 마음으로 준비하셨습니까? 영화를 보러 가기 위해, 오랜만에 친구를 만나기 위해, 결혼식 참석을 위해, 데이트를 위해, 가족 여행을 위하여 들이는 부지런함과 준비된 마음만큼, 예배를 위하여 내 마음을 쓰고 있는지 돌아보셔야 합니다. 이를 통하여 나에게 정말 하나님의 말씀을 좇는 사람의 표가 나타나는지, 아니면 세상 풍조를 좇아가는 사람의 표가 나타나는지를 성찰하며 진지하게 말씀 앞에서야 할 것입니다.

말씀을 공경하며 기쁘게 받기

우리는 말씀 듣는 자로서 말씀 자체에 대한 공경과 기쁨을 가져야 합니다. 두루마리를 펼 때 온 백성이 자리에서 일어납니다(5절). 이것은, 당대 왕 앞에서 누구든 일어나야 했던 관습과 같은 맥락의 행동이었습니다. 하나님의 말씀을 어명으로 받는 모습입니다. 왕의 명령을 엄숙하고 진지하게 받듯이, 하나님의 율법 선포가 끝나기까지 모든 사람은 서서 말씀을 들었습니다.

우리는 주일에 선포되는 말씀을 우리 왕 그리스도 예수 앞에 선 백성의 마음으로 받고 있습니까? 아니면 내가 따르고 있는 여러 삶의 지혜들, 지식들, 철학과 사상과 이론 중 일부로 취급합니까? 오늘 지금, 내 삶에서 '오직 말씀'이 작동하고 있습니까? 아니면 오직 말씀은 그저 역사 속 구호일 뿐입니까? 물론 행위에서 완벽할 수 없을 것입니다. 그러나 내가 말씀을 그리스도의 어명으로 받는지, 내가 깨달은 말씀이 사랑의 열매를 맺는지, 내 성품에 말씀의 열매가 맺히는지, 한순간도 빠짐없이 지켜보고 돌보고 계시는 우리 왕이 계시다는 것을 잊으면 안 될 것입니다. 만약 왕의 말씀이 내 안에 어떻게 작용하는지는 아무런 관심이 없고, 그저 내가 원하는 것을 위해서만 하나님의 이름을 부르고 있다면, 하나님을 어떤 영광스러운 이름으로 부르든, 그 사람은 실천적으로 하나님을 심부름꾼 취급하고 있다는 것을 기억하시기 바랍니다. 하나님은 만홀히 여김을 받지 않으실 것입니다.

하나님을 기뻐하는 자는, 그분의 말씀을 기뻐합니다. 시편 119편의 시인은 이렇게 노래합니다. "내가 모든 재물을 즐거워함 같이 주의 증거의 도를 즐거워하였나이다 내가 주의 법도를 묵상하며 주의 도에 주의하며 주의 율례를 즐거워하며 주의 말씀을 잊지 아니하리이다"(시 119:14-16). 세상의 모든 재물을 다 모은 것보다, 그 재물에 대한 탐심과 욕망보다 하나님의 말씀과 증거의 도를 더 갈망한다고 노래하는 이 시인의 소망이 나의 소망이 될 수 있게 기도합시다. 하나님의 율례를 즐거워하며, 즐거워하는 말씀을 잊지 않겠다고 노래하는 이 노래가 나의 찬양이 되게 해 주시기를 간구합시다. 예수님도 이 땅에서 '하나님의 입에서 나오는 모든 말씀으로' 사셨습니다. 말씀이 주는 기쁨과 힘으로 고난 가득했던 지상 사역을 끝까지 완수하셨습니다. 하물며 우리는 어찌해야 하겠습니까? 말씀을 기뻐함으로 여호와를 기뻐합시다. 나의 힘, 나의 생명이 오직 말씀에 있는 줄 알고, 믿는 우리가 되기를 기도합시다.

말씀의 봉사를 위해 기도하기

우리는 말씀을 깨닫게 하는 말씀의 봉사를 위하여 기도해야 합니다. 오늘 이 놀라운 변화와 온 백성에게 일어난 놀라운 역사에는 에스라가 레위인과 보낸 13년의 세월이 있습니다. 에스라는 성경을 낭송하면, 그 뜻을 아람어로 잘 풀어 설명할 수 있는 13인의 레위인을 키워냈습니다. 일종의 신학교 과정을 13년 운영한 것입니다. 하나님은 이 훈련된 말씀 사역자를 사용하심으로 하나님의 일을 이루셨습니다. 그 결과 누구나 구원의 하나님에 대해 쉽고 명료하게 깨달을 수 있었습니다.

혹시 여러분 가운데, 말씀이 잘 안 들리시는 분이 있다면, 기도하시기 바랍니다. 우리 교회 목사가 말씀 사역의 진보를 이룰 수 있도록, 그래서 내 귀에 말씀을 명료하게 잘 전할 수 있도록 기도하시기 바랍니다. 또 당회를 위하여 기도하십시오. 당회가 목사의 말씀 사역을 잘 살피고 순수한 복음을 지켜내도록 기도해 주시기 바랍니다. 고려신학대학원에서 이 땅의 교회와 다음 세대를 위한 좋은 교회 지도자들이 자랄 수 있도록 기도해야 합니다. 그래야 우리와 우리 자녀들이 커서 다닐 교회가 존재할 수 있을 것입니다.

특히 부모들은 가정에서 우리 신앙의 바통을 이어받을 목회자가 배출될 수 있다는 생각을 가지고, 준비하기를 바랍니다. 좋은 성도의 삶을 보여 주시면 됩니다. 그것이 가장 어려운 일이지만, 부탁드립니다. 친히 말씀대로 사는 삶의 시청각 자료가 되어 주시고, 아이들의 눈높이에 맞추어 말씀을 명료하게 잘 설명해 주는 말씀 교사가 되어주시기를 바랍니다. 또 부모가 아닌 모든 성도님도 우리 언약 자녀들의 부모와 같습니다. 우리 모든 언약의 자녀들을 실제 자녀를 대하는 마음으로, 가족을 대하는 마음으로, 사랑하시기를 바랍니다. 교회에서 종종 언약의 자녀들과 만나게 될 때, 삶으로 말씀을 가르치는 어른들이 되어 주시기를 간절히 바랍니다.

말씀 안에 두신 기쁨

말씀을 받고, 그 안에서 그리스도를 통하여 삼위 하나님을 발견하고 깨닫는 기쁨이 우리의 힘입니다. 이 힘은 공유할 수 있습니다. 형제들과 함께 나눌 수 있습니다. 말씀에 순종하여 열매 맺는 삶으로 손잡고 함께 나아갈 수 있습니다. 오늘 본문에서 돌아가 먹고 마시며 가난한 자들에게 자신의 것을 나누어 주며 즐거워하였던 성도의 힘이 오늘 말씀을 깨달으며 성찬을 먹고 마시며, 가난한 자들을 위하여 우리 가진 것의 일부를 봉헌하는 오늘 예배 가운데 여러분에게 회복되기를 바랍니다. 회복된 힘을 통하여 힘차게 말씀에 순종하는 삶을 살아가게 되시기를 성부와 성자와 성령의 이름으로 간절히 축원합니다.

13

다시 시작하는 백성의 삶 (1)
회개의 목적

13
다시 시작하는 백성의 삶 (1)
회개의 목적

1 그 달 이십사 일에 이스라엘 자손이 다 모여 금식하며 굵은 베를 입고 티끌을 무릅쓰며 2 모든 이방 사람과 절교하고 서서 자기의 죄와 열조의 허물을 자복하고 3 이 날에 낮 사분지 일은 그 처소에 서서 그 하나님 여호와의 율법책을 낭독하고 낮 사분지 일은 죄를 자복하며 그 하나님 여호와께 경배하는데 4 레위 사람 예수아와 바니와 갓미엘과 스바냐와 분니와 세레뱌와 바니와 그나니는 대에 올라서서 큰 소리로 그 하나님 여호와께 부르짖고 5 또 레위 사람 예수아와 갓미엘과 바니와 하삽느야와 세레뱌와 호디야와 스바냐와 브다히야는 이르기를 너희 무리는 마땅히 일어나 영원부터 영원까지 계신 너희 하나님 여호와를 송축할찌어다 주여 주의 영화로운 이름을 송축하올 것은 주의 이름이 존귀하여 모든 송축이나 찬양에서 뛰어남이니이다 6 오직 주는 여호와시라 하늘과 하늘들의 하늘과 일월 성신과 땅과 땅 위의 만물과 바다와 그 가운데 모든 것을 지으시고 다 보존하시오니 모든 천군이 주께 경배하나이다 7 주는 하나님 여호와시라 옛적에 아브람을 택하시고 갈대아 우르에서 인도하여 내시고 아브라함이라는 이름을 주시고 8 그 마음이 주 앞에서 충성됨을 보시고 더불어 언약을 세우사 가나안 족속과 헷 족속과 아모리 족속과 브리스 족속과 여부스 족속과 기르가스 족속의 땅을 그 씨에게 주리라 하시더니 그 말씀대로 이루셨사오니 주는 의로우심이로소이다 9 주께서 우리 열조가 애굽에서 고난 받는 것을 감찰하시며 홍해에서 부르짖음을 들으시고 10 이적과 기사를 베푸사 바로와 그 모든 신하와 그 나라 온 백성을 치셨사오니 이는 저희가 우리의 열조에게 교만히 행함을 아셨음이라

오늘날과 같이 명예를 얻으셨나이다 11 주께서 또 우리 열조 앞에서 바다를 갈라지게 하시사 저희로 바다 가운데를 육지 같이 통과하게 하시고 쫓아 오는 자를 돌을 큰 물에 던짐 같이 깊은 물에 던지시고 12 낮에는 구름 기둥으로 인도하시고 밤에는 불 기둥으로 그 행할 길을 비취셨사오며 13 또 시내 산에 강림하시고 하늘에서부터 저희와 말씀하사 정직한 규례와 진정한 율법과 선한 율례와 계명을 저희에게 주시고 14 거룩한 안식일을 저희에게 알리시며 주의 종 모세로 계명과 율례와 율법을 저희에게 명하시고 15 저희의 주림을 인하여 하늘에서 양식을 주시며 저희의 목나름을 인하여 반석에서 물을 내시고 또 주께서 옛적에 손을 들어 맹세하시고 주마 하신 땅을 들어가서 차지하라 명하셨사오나 16 저희와 우리 열조가 교만히 하고 목을 굳게 하여 주의 명령을 듣지 아니하고 17 거역하며 주께서 저희 가운데 행하신 기사를 생각지 아니하고 목을 굳게 하며 패역하여 스스로 한 두목을 세우고 종 되었던 땅으로 돌아가고자 하였사오나 오직 주는 사유하시는 하나님이시라 은혜로우시며 긍휼히 여기시며 더디 노하시며 인자가 풍부하시므로 저희를 버리지 아니하셨나이다 18 또 저희가 송아지를 부어 만들고 이르기를 이는 곧 너희를 인도하여 애굽에서 나오게 하신 하나님이라 하여 크게 설만하게 하였사오나 19 주께서는 연하여 긍휼을 베푸사 저희를 광야에 버리지 아니하시고 낮에는 구름 기둥으로 길을 인도하시며 밤에는 불 기둥으로 그 행할 길을 비취사 떠나게 아니하셨사오며 20 또 주의 선한 신을 주사 저희를 가르치시며 주의 만나로 저희 입에 끊어지지 않게 하시고 저희의 목마름을 인하여 물을 주시사 21 사십 년 동안을 들에서 기르시되 결핍함이 없게 하시므로 그 옷이 해어지지 아니하였고 발이 부릍지 아니하였사오며 22 또 나라들과 족속들을 저희에게 각각 나누어 주시매 저희가 시혼의 땅 곧 헤스본 왕의 땅과 바산 왕 옥의 땅을 차지하였나이다 23 주께서 그 자손을 하늘의 별 같이 많게 하시고 전에 그 열조에게 명하사 들어가서 차지하라고 하신 땅으로 인도하여 이르게 하셨으므로 24 그 자손이 들어가서 땅을 차지하되 주께서 그 땅 가나안 거민으로 저희 앞에 복종케 하실 때에 가나안 사람과 그 왕들과 본토 여러 족속을 저희 손에 붙여 임의로 행하게 하시매 25 저희가 견고한 성들과 기름진 땅을 취하고 모든 아름다운 물건을 채운 집과 파서 만든 우물과 포도원과 감람원과 허다한 과목을 차지하여 배불리 먹어 살찌고 주의 큰 복을 즐겼사오나 26 저희가 오히려 순종치 아니하고 주를 거역하며 주의 율법을 등 뒤에 두고 주께로 돌아오기를 권면하는 선지자들을 죽여 크게 설만하게 행하였나이다 27 그러므로 주께서 그 대적의 손에 붙이사 곤고를 당하게 하시매 저희가 환난을 당하여 주께 부르짖을 때에 주께서 하늘에서 들으시고 크게 긍휼을 발하사 구원자들을 주어 대적의 손에서 구원하셨거늘 28 저희가 평강을 얻은 후에 다시 주 앞에서 악을 행하므로 주께서 그 대적의 손에 버려 두사 대적에게 제어를 받게 하시다가 저희가 돌이켜서 주께 부르짖으매 주께서 하늘에서 들으시고 여러 번 긍휼을 발하사 건져내시고 29 다시 주의 율법을 복종하게 하시려고 경계하셨으나 저희가 교만히 행하여 사람이 준행하면 그 가운데서 삶을 얻는 주의 계명을 듣지 아니하며 주의 규례를 범하여 고집하는 어깨를 내어밀며 목을 굳게 하여 듣지 아니하였나이다 30 그러나 주께서 여러 해 동안 용서하시고 또 선지자로 말미암아 주의 신으로 저희를 경계하시되 저희가 듣지 아니하므로 열방 사람의 손에 붙이시고도 31 주의 긍휼이 크시므로 저희를 아주 멸하지 아니하시며 버리지도 아니하셨사오니 주는 은혜로우시고 긍휼히 여기시는 하나님이심이니이다 32 우리 하나님이여 광대하시고 능하시고 두려우시며 언약과 인자를 지키시는 하나님이여 우리와 우리 열왕과 방백들과 제사장들과 선지자들과 열조와 주의 모든 백성이 앗수르 열왕의 때로부터 오늘날까지 당한바 환난을 이제 작게 여기시지 마옵소서 33 그러나 우리의 당한 모든 일에 주는 공의로우시니 우리는 악을 행하였사오나 주는 진실히 행하셨음이니이다 34 우리 열왕과 방백들과 제사장들과 열조가 주의 율법을 지키지 아니하며 주의 명령과 주의 경계하신 말씀을 순종치 아니하고 35 저희가 그 나라와 주의 베푸신 큰 복과 자기 앞에 주신 넓고 기름진 땅을 누리면서도 주를 섬기지 아니하며 악행을 그치지 아니한고로 36 우리가 오늘날 종이 되었삽는데 곧 주께서 우리 열조에게 주사 그 실과를 먹고 그 아름다운 소산을 누리게 하신 땅에서 종이 되었나이다 37 우리의 죄로 인하여 주께서 우리 위에 세우신 이방 열왕이 이 땅의 많은 소산을 얻고 저희가 우리의 몸과 육축을 임의로 관할하오니 우리의 곤란이 심하오며 38 우리가 이 모든 일을 인하여 이제 견고한 언약을 세워 기록하고 우리의 방백들과 레위 사람들과 제사장들이 다 인을 치나이다 하였느니라_**느헤미야 9장 1-38절 (봉독 1-5절)**

들어가며: 우리는 왜 회개를 꺼릴까?

지난 주일에 우리는 다시 시작하는 백성이 힘이 무엇인지에 대해서 말씀을 들었습니다. 무엇이 우리의 힘입니까? 여호와를 기뻐하는 것이 우리의 힘입니다. 말씀을 깨닫고, 그 말씀에서 삼위 하나님을 믿음으로 보고 기뻐하는 것이 여러분과 저의 힘의 원천입니다. 하나님은 다시 시작하는 백성들에게 왜 먼저 힘을 주셨을까요? 힘이라는 것이 왜 중요합니까? 힘이 변화를 가져오기 때문입니다. 쓰러진 자가 일어나려면, 절망을 소망으로 바꾸려면, 계속 지다가 이기려면, 상처를 싸매고 다시 시작하려면, 그 무엇보다 힘이 필요하기 때문입니다.

오늘 본문의 교회는 하나님으로부터 주어진 힘을 가지고 그들의 삶을 회개의 삶으로 변화시키고 있습니다. 1절을 보면 그들은 그 달 24일, 즉 7월 24일에 모두 모입니다. 이 날은 아무 절기도 아니었습니다. 8장에서 나오는 나팔절, 초막절 같은 특별한 날이 아니었습니다. 초막절 성회가 22일에 끝납니다. 23일에는 안식일 규례를 따라 다시 모였습니다(8:18). 그 다음 날인 24일은 아주 평범한 날이었습니다. 그런데 특별히 모이라고 명령한 날이 아닌 평일에 온 백성이 자발적으로 모인 것입니다.

모여서 무엇을 하고 있습니까? 스스로, 이방 문화에서 온 행동과 말과 생각으로부터 자신들을 구별(절교)하면서(2절) 3시간은 율법을 낭독하고, 3시간은 회개하며 경배합니다(3절, "경배하는데" 앞에 "그리고 사분지 일은 고백하며"가 번역하는 과정에서 생략됨). 그러고는 8장 9절에서 참았던 눈물을 쏟아내기 시작합니다. 백성은 "오늘은 성일이니 슬퍼하며 울지 말라!" 이 명령에 순종하여 절기 동안에 하나님을 즐거워했습니다. 그러나 그 기간이 지나자마자, 이들은 곧바로 '회개'의 삶을 시작합니다. 기다렸다는 듯이, 이 날을 너무나 고대했다는 듯이, 망설임 없이 바로 금식에 들어갑니다. 굵은 베옷을 입고, 흙 티끌을 뒤집어쓰고 회개로 그들의 평일을 시작하고 있습니다.

이 장면은, 하나님 나라에 합당한 백성의 삶을 또한 상징적으로 보여 줍니다. 다시 시작하는 백성의 삶은 무엇이어야 한다는 겁니까? '회개여야 한다.'는 것입니다. 하나님이 정하신 거룩한 날에 말씀에서 하나님을 보고 기뻐한 백성은 나머지 삶을 어떻게 살아가야 한다는 말입니까? 회개하기를 기뻐하며 살아가야 한다는 것을 보여 주고 있습니다.

지난 주일, 이 백성과 같이, 하나님의 말씀을 듣고 하나님을 기뻐하신 여러분, 지난 한 주간을 어떻게 사셨습니까? 평일 내내 힘차게 회개하기를 기뻐하며 사셨습니까? "우리 주 예수 그리스도께서 '회개하라'(마 4:17)

고 하셨을 때, 이는 믿는 자의 삶 전체가 회개하는 삶이어야 함을 말씀하신 것이다." 여러분이 한 번쯤은 들어보셨을 종교개혁자의 이 외침대로, 삶 전체가 회개하는 삶이 되어가고 있습니까? 아니면, 회개는 나중에, 나중에 하다가 주일 예배 시간에야 부랴부랴 하고 있습니까? 필요한 것을 구할 때처럼 매일 매번 회개하고 있습니까? 아니면, 평일에는 주일에 회개할 내용을 쌓아두는 것으로 하고, 회개를 피하는 삶을 살고 있지는 않습니까? 말씀에서 힘을 얻더라도, 회개하기를 피하고 꺼리는 사람에게는 아무런 변화가 일어나지 않을 것입니다. 그래서 오늘은 왜 우리가 회개를 꺼리는지에 대해 그 원인은 무엇이며, 오늘 본문은 이 문제의 해결책을 어떻게 주는지 함께 살펴보며 말씀의 은혜를 나누기 원합니다.

문제의 원인 '회개가 괴로운 것인 줄 안다.'

우리가 회개하기를 기뻐하지 않는 이유는 무엇일까요? 이것은 답하기 어려운 질문이 아닙니다. 우리가 회개를 슬프고 괴로운 시간이라고 오해하고 있기 때문일 것입니다. '회개' 하면 우리에게 가장 먼저 떠오르는 것이 무엇입니까? 눈물, 콧물이죠. 슬픔, 아픔, 분노, 괴로움, 죄송함과 같은 감정들이 주로 떠오릅니다. 본문의 1절에서 볼 수 있는 겉모습들을 우리는 주로 '회개'라고 생각하는 것 같습니다. 금식은 생명을 유지하기 위해 먹어야 할 음식을 먹지 않는 것입니다. 굵은 베옷은 죽은 사람이 입는 옷이죠. 티끌은 흙을 말하는 것인데, 그걸 머리 위에 뒤집어쓰는 것은, 흙으로 다시 돌아가는 것을 의미합니다. 이 세 가지 모두 '죽음'을 상징합니다. 이것이 회개라면, 심각하고, 무겁고, 두려운 마음이 듭니다.

많은 사람이 이런 생각에 지나치게 치우쳐 있어서, 회개를 기피하게 됩니다. 세상에 안 그래도 괴로운 일이 많은데, 교회까지 와서 '회개하라.'는 말을 듣고 괴로워해야 하는가? 교회 오면 좀 위로가 되는 행복한 이야기를 해야 하는 것 아닌가? 우리 삶 전체가 회개여야 하다니, 그렇게 슬프게 괴롭게 평생을 살아야 한다는 말인가? 그런데 또 주일에라도 혹은 가끔 한 번씩이라도 회개하기는 합니다. 그 이유는 무엇입니까? 벌을 받을 것 같기 때문이죠. 회개 안 하면, 하나님이 벌주실 것 같아서 마지못해 합니다. 회개하면 벌을 안 주실 것 같아서 억지로 합니다. '하나님, 이런 죄 저런 죄 여러 가지 죄를 지었어요. 용서해 주세요. 아멘.' 그렇게 먼지를 털 듯이 툭툭 털어버릴 수 있는 것이 '죄'인 것처럼 여기기도 합니다. 회개에 대한 너무나 무거운 마음으로 회개를 기피하든지, 아니면 너무나 가볍게 말 한마디로 내 죄를 내가 사하든지 둘 중 하나가 아닙니까?

말씀의 반전 '회개는 행복한 일이다.'

사랑하는 성도 여러분, 만일 1절에 나타난 내용만을 두고 '회개'라고 한다면, 저도 평생 이렇게 살지 못할 것 같습니다. 물론 1절이 보여 주는 모습도 회개 가운데 하나입니다. 그러나 1절에 나타난 모습만 회개인 것은 아닙니다. 1절이 아니라 9장 전체가 회개이고, 아니, 1장부터 13장 전체가 이스라엘 백성의 회개를 나타내고 있습니다. 이 백성의 지금까지의 삶과, 앞으로의 삶이 모두 '회개'라는 과정 안에 들어가 있는 것입니다. 그리고 그 과정을 살펴볼 때, 우리는 회개가 괴로운 일이 아니라 행복한 일이라는 것을 깨닫게 됩니다.

회개는 행복한 일입니다. 이것이 말씀이 주는 반전입니다. 왜 회개는 행복한 일입니까? 회개는 참된 복을 다시 회복하는 과정이기 때문입니다. 참된 행복을 향해 돌이키는 일이 바로 회개입니다. '회개는 괴로워.'가 아니라 '괴로우니까 회개해야지.'가 맞는 것입니다. 오늘 본문은 회개가 복을 되찾는 과정이라고 분명하게 증언하고 있습니다.

기도의 내용: 복

본문 어디서 그 증거를 발견할 수 있습니까? 5절부터 36절까지, 기도의 내용 자체가 '복'을 중심으로 구성되어 있습니다. 이 기도는 크게 세 부분으로 나누어집니다. 오늘은 큰 틀에서 맥락을 중심으로 살펴보도록 하겠습니다.

첫째, 창조에서 시내 산까지, 하나님의 신령한 복 (6–15절)

기도의 첫 번째 부분은 '창조 때부터 아브라함 – 출애굽 – 시내 산까지, 하나님은 신령한 복으로 함께 하셨다.'는 내용입니다. 8절에서 이 복의 구체적인 실체를 '언약'이라고 표현하고 있습니다. "그 마음이 주 앞에서 충성됨을 보시고 더불어 언약을 세우사" 하나님께서, 택하신 아브라함과 더불어 언약 관계를 맺으신 것이 '복'입니다. 언약을 세우고 관계를 맺으신 하나님은 땅과 씨, 즉 영토와 백성을 약속하셨습니다. "(가나안의 여러) 족속의 땅을 그 씨에게 주리라." 그리고 하나님은 그 말씀 그대로 이루셨습니다. "말씀대로 이루셨사오니 주는 의로우심이로소이다.". 또한 "정직한 규례와 진정한 율법과 선한 율례와 계명"(13절)을 언급하면서, 시내 산 언약이 '정직하고 진정하고 선하다.'고, 즉 복 되다고 고백합니다.

둘째, 백성의 반역 가운데 계속되는 복 (16-25절)

기도의 두 번째 부분은 '우리의 계속되는 반역에도 불구하고 하나님은 계속해서 복을 부어주셨습니다.'라는 내용입니다. 이스라엘이 왕이신 하나님을 거역한 사건들을 하나하나 고백합니다. 그런데도 하나님은 언약을 기억하셔서 은혜와 긍휼을 베푸시고, 밤낮으로 인도해 주셨다고 고백합니다. 특히 23절에서 자손과 땅을 얻게 하셨다고 기도합니다. "그 자손을 하늘의 별 같이 많게 하시고 …들어가서 차지하라고 하신 땅으로 인도하여 이르게 하셨으므로" 이렇게 아브라함에게 하신 약속 하나하나를 하나님께서는 부지런히 다 이루셨다고 찬양하고 있습니다. 25절에서 둘째 단락이 끝납니다. "저희가 배불리 먹어 살찌고 주의 큰 복을 즐겼습니다."

셋째, 복 가운데도 계속되는 반역 (26-31절)

기도의 세 번째 부분은 '하나님께서 언약 안에서 계속해서 복을 베풀어 주셨음에도 우리는 끝까지 반역하였습니다.'라는 내용입니다. "순종치 아니하고 주를 거역하며 주의 율법을 등 뒤에 두고 주께로 돌아오기를 권면하는 선지자들을 죽여 크게 설만하게 행하였나이다"(26절). 이 말씀은 이스라엘이 반역해 온 긴 역사를 단 한 절로 요약하고 있습니다. 그런데 백성들은 하나님께서 이 반역 가운데서도 백성들이 "주의 율법을 복종하게 하시려고 경계하셨다."고 고백합니다(29절). 백성들이 언약 관계의 복을 잃어버리지 않도록 하나님께서 끝까지 개입하셨다는 고백입니다. 그러나 백성은 어떻게 반응했습니까? "사람이 준행하면 그 가운데서 삶을 얻는(생명을 얻는) 주의 계명을 듣지 아니하였다"(29절). 순종하면 그 자체로 복이 되는 주의 명령을 듣지 않았다고 고백합니다. 제 발로 복을 걷어차 버렸다고 기도합니다.

회개 기도의 내용 전체가 복을 얻고, 복을 잃는 내용에 집중되어 있습니다. '하나님은 복을 주셨고, 우리는 그 복을 걷어차 버렸다. 우리는 계속해서 걷어차 버렸고, 하나님은 그래도 우리에게 복을 주셨다.' 다소 복잡하고 긴 것처럼 보이지만 간단한 내용입니다. 이 기도 가운데 등장하는 복은 무엇을 말합니까? 하나님이 아브라함의 후손과 맺으신 언약의 복, 관계의 복을 말합니다. 하나님을 '복'으로 받은 백성이 누리는 선물들을 가리킵니다. 이스라엘은 복을 잃어버리기까지, 하나님께서 성전을, 이스라엘을 떠나 버리실 때까지, 하나님의 목전에서 죄를 범하였다고 고백하고 있습니다.

구원 요청: 환난을 작게 여기지 마소서

죄를 세세히 고백한 이스라엘 백성은 이제 구원을 요청합니다. “우리 하나님이여 광대하시고 능하시고 두려우시며 언약과 인자를 지키시는 하나님이여, … 오늘날까지 당한바 환난을 이제 작게 여기지 마옵소서”(32절)! ‘환난을 작게 여기지 마소서!’ 이것이 9장 전체 기도의 핵심입니다. 이 한 가지 간구를 위하여 길고 긴 기도를 드린 것입니다.

이 환난의 내용은 무엇입니까? 하나님은 어떤 일을 겪고 있는 이스라엘을 건지셔야 합니까? 35–36절에서 이들은 자신들이 겪는 환난에 대해 이렇게 설명합니다. “그 나라와 주의 베푸신 큰 복과 넓고 기름진 땅을 누리면서도 악행을 그치지 않아서 우리가 오늘날 종이 되었습니다! 주께서 우리 조상에게 주신 그 땅에서 우리가 하나님의 백성이 아니라 종입니다! 이 환난을 작게 여기지 마소서! 예루살렘은 우리 조상에게 하나님이 주신 땅입니다! 우리는 하나님이 택하신 조상의 후손입니다. 이제 하나님이 성도 회복하게 하셨고, 성전도 회복하셨고, 택한 백성도 이 성에 모이게 하셨습니다. 그런데 하나님, 이 땅에 살고 있는 우리가 ‘종’입니다. 우리의 왕이 ‘이방 나라 왕’입니다. 그것이 우리가 당하는 환난입니다!”

기도의 열매: 언약의 맹세

이스라엘 백성은 이 절실한 기도의 열매로 인을 쳐서 견고한 언약을 맺습니다(37절). 이를 통해 하나님께 다시 왕이 되어 주실 것을 요청하고 있습니다. 그것이 '구원'이라고 말하고 있습니다. 다시 하나님의 다스림을 받는 복을 구합니다. 약속의 땅에서 하나님의 사랑을 받는 백성으로, 하나님을 섬길 수 있는 그 복을 다시 허락해 달라는 구원 요청입니다. 하나님과의 관계를 깬 배반에서 돌이켜, 다시 하나님의 백성이 되겠다고 엄숙한 언약으로 인을 쳐서 약속하고 있는 것입니다.

이제 우리는 왜 기도의 시작에서 이 사람들이 죽음을 상징하는 행위를 보였는지 이해하게 됩니다. 하나님과의 관계 단절이 '죽음'이라는 고백이었던 것입니다. 이스라엘을 '죽은 백성'으로 보시고, 다시 살려달라는 울부짖음, 다시 생명과 복의 관계를 회복해 달라는 호소였던 것입니다. 하나님과 관계가 단절되고, 생명과 복이 단절되어 죽은 자처럼, 겸손한 마음으로 기도하기 위하여 금식하고 베옷을 입고 티끌을 뒤집어썼던 것입니다.

회개의 목적: 복이신 하나님

정리하자면, 이 회개 기도는 철저하게 하나님과 누리는 관계적인 '복'을 되찾기 위해 드려지고 있습니다. 회개의 목적, 회개를 통해 되찾고자 하는 것이 무엇입니까? 하나님과의 관계, 하나님의 사랑을 받고, 그 사랑에 감사하는 관계입니다. 이스라엘 백성이 언약 안에서 특권적으로 누리던 그 행복한 관계가 바로 '복'입니다. 땅도 백성도 없을 때, 아브라함은 하나님과 함께함으로 최고의 복을 누린 사람이었습니다. 땅을 차지하고 백성도 별과 같이 많아졌으나, 하나님을 거역했을 때 이스라엘은 모든 복을 잃어버렸습니다. 그래서 이들은 땅과 백성을 하나님께서 회복하시는 이 시점에, 하나님을 왕으로 모시는 것입니다. 하나님께서 왕이 되어 주지 않으시면, 땅도 백성도 무의미하다고 고백합니다. 이 관계 단절의 아픔, 죽음의 고통으로부터 회복되게 해 주시기를 간구하는 것입니다.

회개를 즐거워하기

하나님과의 관계, 이것이 오늘 본문이 알려주는 회개의 유일한 '목적'입니다. 이 관계를 회복하는 것이 지극히 큰 복이라는 것을 기억할 때, 우리는 회개를 즐거워할 수밖에 없습니다. 삶 전체가 하나님과의 더 깊은 관계로 들어가게 하는 것이 회개입니다. 이 사실을 아는 자가, 어찌 회개하기를 즐거워하지 않을 수 있다는 말입니까? 이 말씀을 들은 우리는 마땅히 즐거이 회개해야 할 것입니다.

첫째, 즐거이 회개하기 위해: 목적을 바로 잡기

우리는 회개의 목적을 바로 잡아야 합니다. 복 그 자체이신 하나님과의 관계를 위해 회개해야 한다는 것입니다. 하나님께서 내리시는 저주와 벌을 피하려고 하는 회개를 버리시기 바랍니다. 그런 기도는 보통 이렇게 진행됩니다. "하나님, 이런 죄를 지었어요. 저런 죄를 지었어요. 용서해 주세요." 물론 죄를 하나하나 기억하면서 구체적으로 기도하는 것은 중요합니다. 그러나 여기서 더 나아가야 합니다. 벌 받지 않으려고, 형벌이 무서워서 빠짐없이 죄목만 늘어놓고, 내 회개가 죄를 털어버릴 수 있는 것처럼 기도해서는 안 됩니다. 내 죄들을 다 기억했기 때문에 용서가 일어나는 것처럼 생각하며 가벼운 마음으로 회개하는 습관도 버려야 합니다.

"내가 주께만 범죄하여 주의 목전에 악을 행하였사오니"(시 51:4). 시편의 기도를 좇아 이렇게 기도합시다. 하나님의 존재 앞에서 범죄하였고, 살아 계신 하나님의 눈앞에서 악을 행했다고 기도합시다. 하나님과의 관계에 집중하여 기도해야 합니다. "하나님, 이런저런 죄들로 인해, 제가 하나님과의 이 소중한 관계를 소홀히 여긴다는 사실이 또다시 드러났습니다. 이것이 얼마나 큰 죄입니까? 이 죄의 깊이를 깨닫게 하시고, 제가 돌이켜 하나님을 더욱 사랑하게 하여 주소서. 이 관계의 소중함, 이 관계의 행복을 날마다 더 깊이 깨달아서, 다른 유혹거리가 하나님을 향한 나의 사랑을 흔들지 못하도록, 지켜주옵소서!" 늘 하나님과의 관계 속에서 죄를 바라보고, 삶을 돌이키는, 깊이 있는 회개로 나아가게 되시기를 바랍니다.

둘째, 즐거이 회개하기 위해: 목적을 기억하며 살기

기도에서 이 복을 누리는 우리는, 또한 삶 전체에서 하나님과의 관계를 복의 기준으로 삼고 살아야 합니다. 일주일 내내 아무런 사회적, 도덕적 죄를 짓지 않은 사람이 있다고 생각해 봅시다. 그는 아무것도 안 하고 한 주간을 살았습니다. 그럼 그는 하나님 앞에 죄가 없습니까? 아무것도 하지 않았는데, 아무에게도 해를 끼치지 않았는데, 죄가 없는 것 아닐까요? 아닙니다. 아무것도 하지 않은 사람은 하나님을 더 사랑하기 위하여 아무것도 하지 않은 죄가 있습니다. 죄가 되고 안 되고는 하나님과의 관계 속에서 보아야 합니다. 복이 있고 없고 역시 하나님과의 관계 속에서 판단해야 합니다. 이 원리를 구체적으로 적용하셔야 합니다.

부부가 싸웠습니다. 서로 잘못한 게 없어요. 각자가 나름대로 화를 낼 이유가 있었고, 서로 오해가 있었습니다. 누가 사과해야 합니까? 누가 사과해야 할까요? 더 자존심 약한 쪽이 사과합니까? 더 두려움이 큰 쪽이 사과합니까? 하나님과의 관계 속에서 이 문제를 놓고 보면, 누가 해야 합니까? 하나님을 더 사랑하는 사람이 먼저 사과할 것입니다. 내가 잘못한 것이 있고 없고가 문제가 아니기 때문입니다. 하나님만 아니면 자존심을 세우며 가만히 있어도 될 상황이지만, 하나님을 사랑하기 때문에, 하나님의 목전에서 화평을 이루기 위해 움직이는 것입니다. 내가 화내는 것이 정당해도, 평화를 이루는 것이 하나님께서 기뻐하시는 일이기 때문에, 자기 자존심을 굽히고 손을 내밀 수 있어야 합니다.

이 자리에 형제들, 자매들, 남매들이 있습니다. 자주 싸울 것입니다. 왜 화해해야 합니까? 부모님의 벌이 무서워서 합니까? 하나님을 사랑하기 때문에 화해하는 것입니다. 원수를 사랑하는 것을 하나님이 기뻐하시기 때문에 화해하는 것입니다. 형 오빠 언니 누나 동생이 원수 같을 때가 있습니다. 남편과 아내가, 부모와 자녀가 원수 같을 때가 있습니다. 그때 회개하는 삶을 사는 자의 진가가 드러납니다. 진짜 신앙이 거기서 드러납니다. 하나님을 사랑하는 사람, 하나님과의 관계 속에서 사람들과 교제할 수 있는 사람이 평화를 이룹니다. 말씀에 순종함으로 하나님 안에서 누리는 기쁨을 아는 사람이 끝내 사랑을 해내고 마는 것입니다.

즐거운 일에서도 회개의 목적을 기억해야 합니다. 우리 자녀들, 한 주간 무엇하면서 즐거우셨나요? 게임 하면서 즐거웠습니까? 게임 하는 거 시청하면서 재밌었습니까? 어떤 유튜브를 보면서 행복한 시간을 보내셨습니까? 네, 할 수 있죠. 게임 할 수 있고, TV도 볼 수 있습니다. 중요한 건 이것입니다: 그 모든 즐거움 가운데, 하나님을 기뻐하셨나요? 그 모든 것을 즐거워하면서, 하나님을 더 즐거워하고 사랑하게 되었습니까? 만약 그렇지 않았다면, 고민해 보셔야 합니다. 어떤 일이든 우리가 하나님을 즐거워하지 못하게 방해한다면, 줄여야 합니다. 회개가 그렇게 즐거운 일 가운데서도 시작되어야 합니다. 하나님과의 관계 안에서 누리는 최고의 즐거움 때문에, 그 외에 나를 즐겁게 하는 일에서 돌아설 수 있어야 한다는 것입니다. 어른들도 마찬가지겠죠? 회개의 목적이 우리 삶의 목적이 되어야 합니다. 우리 삶을 통째로 하나님과의 관계 속에서 생각하고 결정하는 여러분이 되시기를 간절히 바랍니다.

죽는 것도 유익한 그리스도인의 삶

하나님과의 관계에서 기쁨을 잃어버린 적이 없으신 분이 우리 주 예수 그리스도십니다. "이는 내 사랑하는 아들이요 내 기뻐하는 자라."(마 3:17) 말씀하신 성부 하나님의 기쁨을 위하여 예수님은 십자가의 죽음도 기뻐하셨습니다. 하나님의 뜻에 따라 죽는 것이, 그분을 거역하여 사는 것보다 복된 삶이라는 것을 친히 증언하셨습니다. 그리스도 예수께서 보여 주신 이 복이 참된 행복이라고 믿는 교회도 이렇게 고백합니다. "이는 내게 사는 것이 그리스도니 죽는 것도 유익함이니라"(빌 1:21).

우리는 회개의 기도 끝에 그리스도의 이름으로, 그분을 의지하여 기도합니다. 그분이 이루신 '의'를 의지해야만, 우리는 하나님께 기쁘게 받아들여지는 회개의 삶을 살아갈 수 있기 때문입니다. 그리스도의 영이신 성령님께 의지하는 자만이, 말씀에서 그리스도를 보고 기뻐하며 힘을 얻어 이 회개의 삶을 살아갈 수 있기 때문입니다. 그리스도를 보내시어 만복의 근원이신 삼위 하나님께로 계속 나아가는 복을 주신 하나님을 찬송합시다. 그리고 즐거이 회개합시다. 오늘이 지나 한 주간의 삶, 나아가 앞으로 평생 여러분의 삶이 회개하는 삶이 되기를 성부 성자 성령의 이름으로 간절히 축원합니다.

14

다시 시작하는 백성의 삶 (2)
회개의 방법

14
다시 시작하는 백성의 삶 (2)
회개의 방법

6 오직 주는 여호와시라 하늘과 하늘들의 하늘과 일월 성신과 땅과 땅 위의 만물과 바다와 그 가운데 모든 것을 지으시고 다 보존하시오니 모든 천군이 주께 경배하나이다 7 주는 하나님 여호와시라 옛적에 아브람을 택하시고 갈대아 우르에서 인도하여 내시고 아브라함이라는 이름을 주시고 8 그 마음이 주 앞에서 충성됨을 보시고 더불어 언약을 세우사 가나안 족속과 헷 족속과 아모리 족속과 브리스 족속과 여부스 족속과 기르가스 족속의 땅을 그 씨에게 주리라 하시더니 그 말씀대로 이루셨사오니 주는 의로우심이로소이다 9 주께서 우리 열조가 애굽에서 고난 받는 것을 감찰하시며 홍해에서 부르짖음을 들으시고 10 이적과 기사를 베푸사 바로와 그 모든 신하와 그 나라 온 백성을 치셨사오니 이는 저희가 우리의 열조에게 교만히 행함을 아셨음이라 오늘날과 같이 명예를 얻으셨나이다 11 주께서 또 우리 열조 앞에서 바다를 갈라지게 하시사 저희로 바다 가운데를 육지 같이 통과하게 하시고 쫓아오는 자를 돌을 큰 물에 던짐 같이 깊은 물에 던지시고 12 낮에는 구름 기둥으로 인도하시고 밤에는 불 기둥으로 그 행할 길을 비취셨사오며 13 또 시내 산에 강림하시고 하늘에서부터 저희와 말씀하사 정직한 규례와 진정한 율법과 선한 율례와 계명을 저희에게 주시고 14 거룩한 안식일을 저희에게 알리시며 주의 종 모세로 계명과 율례와 율법을 저희에게 명하시고 15 저희의 주림을 인하여 하늘에서 양식을 주시며 저희의 목마름을 인하여 반석에서 물을 내시고 또 주께서 옛적에 손을 들어 맹세하시고 주마 하신 땅을 들어가서 차지하라 명하셨사오나 16 저희와 우리 열조가 교만히 하고

목을 굳게 하여 주의 명령을 듣지 아니하고 17 거역하며 주께서 저희 가운데 행하신 기사를 생각지 아니하고 목을 굳게 하며 패역하여 스스로 한 두목을 세우고 종 되었던 땅으로 돌아가고자 하였사오나 오직 주는 사유하시는 하나님이시라 은혜로우시며 긍휼히 여기시며 더디 노하시며 인자가 풍부하시므로 저희를 버리지 아니하셨나이다 18 또 저희가 송아지를 부어 만들고 이르기를 이는 곧 너희를 인도하여 애굽에서 나오게 하신 하나님이라 하여 크게 설만하게 하였사오나 19 주께서는 연하여 긍휼을 베푸시 저희를 광야에 버리지 아니하시고 낮에는 구름 기둥으로 길을 인도하시며 밤에는 불 기둥으로 그 행할 길을 비춰사 떠나게 아니하셨사오며 20 또 주의 선한 신을 주사 저희를 가르치시며 주의 만나로 저희 입에 끊어지지 않게 하시고 저희의 목마름을 인하여 물을 주시사 21 사십 년 동안을 들에서 기르시되 결핍함이 없게 하시므로 그 옷이 해어지지 아니하였고 발이 부릍지 아니하였사오며 22 또 나라들과 족속들을 저희에게 각각 나누어 주시매 저희가 시혼의 땅 곧 헤스본 왕의 땅과 바산 왕 옥의 땅을 차지하였나이다 23 주께서 그 자손을 하늘의 별 같이 많게 하시고 전에 그 열조에게 명하사 들어가서 차지하라고 하신 땅으로 인도하여 이르게 하셨으므로 24 그 자손이 들어가서 땅을 차지하되 주께서 그 땅 가나안 거민으로 저희 앞에 복종케 하실 때에 가나안 사람과 그 왕들과 본토 여러 족속을 저희 손에 붙여 임의로 행하게 하시매 25 저희가 견고한 성들과 기름진 땅을 취하고 모든 아름다운 물건을 채운 집과 파서 만든 우물과 포도원과 감람원과 허다한 과목을 차지하여 배불리 먹어 살찌고 주의 큰 복을 즐겼사오나 26 저희가 오히려 순종치 아니하고 주를 거역하며 주의 율법을 등 뒤에 두고 주께로 돌아오기를 권면하는 선지자들을 죽여 크게 설만하게 행하였나이다 27 그러므로 주께서 그 대적의 손에 붙이사 곤고를 당하게 하시매 저희가 환난을 당하여 주께 부르짖을 때에 주께서 하늘에서 들으시고 크게 긍휼을 발하사 구원자들을 주어 대적의 손에서 구원하셨거늘 28 저희가 평강을 얻은 후에 다시 주 앞에서 악을 행하므로 주께서 그 대적의 손에 버려 두사 대적에게 제어를 받게 하시다가 저희가 돌이켜서 주께 부르짖으매 주께서 하늘에서 들으시고 여러 번 긍휼을 발하사 건져내시고 29 다시 주의 율법을 복종하게 하시려고 경계하셨으나 저희가 교만히 행하여 사람이 준행하면 그 가운데서 삶을 얻는 주의 계명을 듣지 아니하며 주의 규례를 범하여 고집하는 어깨를 내어밀며 목을 굳게 하여 듣지 아니하였나이다 30 그러나 주께서 여러 해 동안 용서하시고 또 선지자로 말미암아 주의 신으로 저희를 경계하시되 저희가 듣지 아니하므로 열방 사람의 손에 붙이시고도 31 주의 긍휼이 크시므로 저희를 아주 멸하지 아니하시며 버리지도 아니하셨사오니 주는 은혜로우시고 긍휼히 여기시는 하나님이심이니이다 32 우리 하나님이여 광대하시고 능하시고 두려우시며 언약과 인자를 지키시는 하나님이여 우리와 우리 열왕과 방백들과 제사장들과 선지자들과 열조와 주의 모든 백성이 앗수르 열왕의 때로부터 오늘날까지 당한바 환난을 이제 작게 여기시지 마옵소서 33 그러나 우리의 당한 모든 일에 주는 공의로우시니 우리는 악을 행하였사오나 주는 진실히 행하셨음이니이다_**느헤미야 9장 6-33절**

들어가며: 회개의 목적을 기억할 때 생기는 변화들

회개는 즐거이 해야 할 일입니다. 괴로움이 포함되어 있지만, 슬픔으로 시작할 수 있지만, 그것이 다가 아니라는 것을 지난주에 알게 되었습니다. 회개는 진정한 행복, '하나님과의 관계'를 회복하고자 하는 목적을 가지고 있기 때문입니다. 하나님과의 친밀한 관계에서 누리는 생명과 좋은 것들과 행복으로 삶의 방향을 돌려주기 때문에, 회개는 복된 것이며 즐겁고 기쁜 일이라는 것을 깨닫게 되었습니다.

이 회개의 목적을 기억하는 것만으로도 우리 삶에 많은 변화가 일어날 수 있습니다. 먼저, 참된 행복이 무엇인지, 거짓 행복이 무엇인지 점점 더 확실히 분별하면서 살게 될 것입니다. '내가 하고 싶은 대로 한다고 그것이 나를 진짜 행복하게 만드는 게 아니구나.', '진짜 행복이 하나님과 누리는 관계 속에 있구나.', '하나님과 관계없는 쾌락, 하나님에 대한 감사와 사랑이 없는 즐거움은 텅 비어 있고 허무할 뿐이구나.', '내가 즐거워하는 죄들은 사실 내 모든 고통과 상처의 원인이구나.' 이렇게 점점 더 분별하면서 참되고 영원한 행복이 하루하루 쌓이는 인생을 살아가게 됩니다.

참된 행복을 분별하는 사람은, 더 이상 그 행복을 미루지 않게 됩니다. 간혹 '일단 내 마음대로 살다가, 죽기 전에 회개하고 천국 가야지.' 이런 어리석은 생각을 할 때가 있습니다. 죽기 전에 회개하겠다는 생각이 참 어리석습니다. 죽기 직전을 어떻게 압니까? 이 마음을 먹은 그날, 하나님이 우리 생명을 거두어 가실 수도 있습니다. '회개하고 천국 가야지.'라는 생각도 어리석습니다. 자기 마음대로 천국 문을 열 수 있다고 생각하는 교만을 하나님이 반드시 심판하실 것입니다. 무엇보다도, 진짜 행복을 죽기 전까지 미뤄두겠다는 생각이 가장 어리석습니다. 이 사람은 마치 진정한 사랑을 발견하고도 결혼을 죽기 전으로 미뤄두는 사람과 같습니다. 이 사람은 결혼을 미뤄놓고, 평생 자기를 속이고 괴롭히고 힘들게 하는 사람들만 계속 만나며 살다가 진짜 사랑하는 사람과 누렸어야 할 시간은 다 버리고, 마지막에 결혼하겠다고 하는 사람입니다. 어리석죠. 지혜는 무엇입니까? 최고의 진주를 발견했다면, 땅, 집, 다 팔아서 당장 사는 것이 지혜죠. 최고의 복을 미루지 않는 사람, 우리 가운데 임한 천국을 지금 누리며 사는 사람이 바로 회개하는 사람입니다. 이렇게 회개의 목적을 기억하는 것만으로도, 삶에 많은 변화가 일어납니다.

즐거운 회개, 어떻게 할 것인가?

오늘은 이러한 회개의 목적을 이루기 위한 방법을 살펴보며 말씀의 은혜를 나누겠습니다. '어떻게 회개해야 하는가?' 그 방법을 오늘 읽은 이스라엘의 회개 기도를 통해 함께 살펴보려 합니다. 본문이 밝히고 있는 '회개의 방법'은 세 가지로 요약할 수 있습니다. 첫째, 주님의 의 묵상하기. 둘째, 우리의 악 고백하기. 셋째, 주님의 성실 의지하기.

오늘도 듣고 순종하여, 기도와 삶에서 회개의 기쁨과 행복을 충만히 누리는 여러분 되시기를 바랍니다.

주님의 의 묵상하기

즐거이 회개하는 방법, 그 첫 번째는 '주님의 의 묵상하기'입니다. 이스라엘 백성은 이 기도의 첫 번째 부분에서, 하나님의 의로우심을 깊이 묵상하고 있습니다. 여러분, 의로우심이 무엇입니까? '의롭다'의 원래 단어 의미는 '옳다', '바르다'인데, '정확하다'는 뜻도 있습니다. 성경에서는 이 '의롭다'는 말을 주로 '언약' 관계에서 사용합니다. 얼마 전에 혼인 언약식이 있었습니다. 거기서 '두 사람이 하나가 되는 약속'을 했습니다. 그것이 언약이죠. 죽음이 서로를 갈라놓을 때까지, 남편은 아내를 사랑하고, 아내는 남편에 복종하기로 서약했습니다. 의로운 남편은 어떤 남편입니까? 자기 아내에 대한 사랑을 약속대로 정확하게 지키는 사람입니다. 의로운 아내는 어떤 아내죠? 자기 남편에 대한 복종을 약속대로 정확하게 지키는 사람입니다. 성경은 이처럼 언약에서 맺은 약속을 '정확하게' 지킬 때, 그것을 보고 '의롭다'고 말합니다. 창조주 하나님은 아브라함과 언약을 맺으시고, 가나안 땅을 아브라함의 씨에게 주겠다고 약속하십니다. 하나님은 그 이후에 어떻게 하셨습니까? 약속하신 "말씀대로 이루셨습니다"(8절). 그래서 이스라엘 백성이 내린 결론은 무엇입니까? "주는 의로우심이로소이다."(8절) 중간에 '왜냐하면'이 생략되어 있습니다. 넣어서 읽으면 이해가 쉽습니다. "그 말씀대로 이루셨사오니 왜냐하면, 주는 의로우시기 때문입니다."

이후에는 하나님께서 얼마나 의로우신지를 구체적으로 묘사하고 있습니다(9-15절). 여기서 우리는 계속해서 등장하는 동사들의 다양성에 놀라게 됩니다. 이스라엘은 모세 오경에 기록된 이 수많은 동사를 읽으며 하나님의 의로우심을 바라보고 있습니다. 하나님은 고난을 '감찰하시며' 부르짖음을 '들으셨습니다'(9절). 하나님은 기이한 일들, 열 가지 재앙을 '보여주셨고', 애굽을 '치셨습니다'(10절). 하나님은 바다를 '통과하게 하셨고', 대적은 깊은 물에 '던지셨습니다'(11절). 하나님은 낮에도 구름 기둥으로 '인도하시고', 밤에도 불 기둥으로 길을 '비추셨습니다'(12절). 하나님은 시내 산에 '강림(come)하셨고', 하늘에서 백성과 '말씀하셨고', 계명을 '주셨습니다'(13절). 하나님은 안식일을 '알리셨고', 모세를 통해 율법을 '명령하셨습니다'(14절). 하나님은 하늘 양식을 '주셨고', 반석의 물을 '내셨고', 주리라 약속한 땅을 차지하라고 '명령하셨습니다'(15절). 이 모든 동사가 바로, 하나님의 의로우심, 하나님의 '약속 지키심'의 구체적인 내용입니다. 이스라엘은 하나님 앞에 잘못을 고하기 전에, 먼저 하나님이 백성에게 보이신 의로움을 깊이 묵상하고 있습니다. 내가 지은 죄의 목록을 뽑기 전에, 하나님께서 행하신 의로운 일들의 목록을 먼저 뽑습니다. 기록된 성경을 통하여, 하나님이 먼저 이스라엘에게 행하신 의로운 일들을 하나하나 깊이 되새기고 있습니다.

하나님께서 행하신 의로운 일들을 묵상하기

사랑하는 성도 여러분, 하나님의 의로우심을 바라보는 것, 그분이 우리에게 행하신 일을 구체적으로 묵상하는 것이 회개의 시작입니다. 우리 죄의 목록을 읊어 나가기 전에, 먼저 하나님께서 행하신 일을 묵상하며 회개를 시작해야 한다는 말입니다. 왜냐하면, 그렇게 시작하지 않으면, 우리는 너무나 쉽게 우리 기준에 맞춰서 회개하기 때문입니다. 내가 생각하는 회개의 기준이 있죠. 내가 생각하는 선이 있습니다. 우리의 회개는 그 선을 넘기 힘듭니다. 예를 들어, 매일 반복되는 죄가 있습니다. 습관적인 거짓말, 습관적인 음란한 생각, 습관적인 욕심 등 거의 매일 씨름하는, 나의 천적 같은 유혹이 사람마다 있기 마련입니다. 그런데 가끔 성령님의 도우심 가운데 이 유혹을 이겨낼 때가 있습니다. 그러면 그 날, 회개합니까? 안 합니다! 주요한 죄만 안 지으면 괜찮다고 생각하기 때문입니다. 내 기준이죠. "내가 주로 씨름하는 그 죄만 이겨 내면, 난 회개할 게 없지." 하면서 내 기준에 맞춰 그냥 넘어갑니다.

하나님과의 '관계'에서 회개를 생각할 때, 이건 정말 무례한 행동입니다. 상대방에게 잘못을 사과할 때, "나는 내 기준에 잘못한 것만 사과할 거야." 하면, 그게 사과가 될까요? 아니면 또 다른 싸움의 시작이 될까요? 사과하려면, 가장 먼저, 상대의 말을 들어야 합니다. 오늘 이 기도가 어떻게 시작되었습니까? 3시간의 율법 낭독 후에 시작된 기도입니다(느 9:3). 말씀에서 시작된 기도입니다. 먼저 듣고 나중에 기도한 것입니다. 그 흔적이 기도문에서도 나타나고 있죠. 말씀에 기록된 동사 하나하나를 낭독하며 듣고 있습니다. 즉 기록된 말씀, 들은 말씀을 기준으로 회개를 시작한 것입니다.

말씀에 나타난 하나님의 의로우심을 깊이 묵상하며 회개를 시작하는 여러분 되시기를 바랍니다. 오늘 읽은 말씀의 도움을 받을 수 있습니다. 9-15절의 동사들이 오늘날 저와 여러분에게도 그대로 적용됩니다. 하나님께서는 오늘날에도 우리의 고난을 보시고, 부르짖음을 들으시며, 사탄의 세력을 치시고, 그들을 깊은 물에 던지십니다. 또한 우리가 그리스도를 통하여 죽음의 바다를 육지 건너듯 통과하게 하십니다. 낮에도 밤에도 말씀으로 인도하시고 빛 비추시는 하나님, 오늘도 우리에게 찾아오시고, 말씀하시고 명령하시는 하나님이십니다. 예수 그리스도의 몸을 하늘의 양식으로 교회에 내려 주시고, 교회의 반석이신 그리스도의 보혈로 생수를 내시며, 땅끝까지 주님의 증인이 되라 교회에 명령하시는 하나님이심을 그대로 발견할 수 있습니다. 주일에 듣는 말씀, 주중에 읽는 말씀, 시편 묵상, 이 모든 말씀에서 회개를 시작할 수 있습니다. 우리 어린 자녀들은 사도신경도 좋습니다. 거기서 하나님이 우리에게 행하신 일들을 바라보며 시작하십시오. 하나님이 하신 일을 묵상하며, 말씀이 증언하는 그 의를 기준으로 회개를 시작하기를 간절히 바랍니다. 그렇게 주님이 얼마나 의로우신 분인지를 깨달아야 우리는 그 다음 단계로 나아갈 수 있습니다.

우리의 악 고백하기

즐거이 회개하는 방법, 그 두 번째는 '우리의 악 고백하기'입니다. 하나님을 바라본 자는 죄를 고백해야 합니다. 그러나 단순히 죄의 이름을 읊어 내려가는 것이어서는 안 됩니다. 오늘 기도에서 이스라엘은 세 가지 차원에서 죄를 깊이 있게 다루며, 그들의 악을 솔직하게 고백하고 있습니다.

첫째, '교만'한 태도를 돌아보고 고백합니다

이스라엘이 이 의로우신 하나님께 보인 태도가 바로 교만입니다. 16절

‘교만’, ‘목을 굳게 했다.’, 17절 ‘패역했다(마음을 강퍅하게 하다)’, 18절 ‘크게 설만하게 행하였다(무례히, 거만하게 행했다)’. 이 표현들이 말해주는 것이 무엇입니까? 교만은 하나님이 없어도 괜찮다는 태도입니다. ‘나만으로도 충분해. 하나님이 아니어도 상관없어!’ 이런 태도입니다.

교만이 무서운 이유는 가장 악랄한 죄를 가장 선한 것으로 포장하기 때문입니다. 자기 자신을 높이면서 목을 뻣뻣이 세우고 얼마든지 예배할 수 있습니다. 거만한 마음으로 사랑할 수 있습니다. 강퍅한 마음으로 구제할 수 있습니다. 겉으로 보기에 가장 거룩한 행위도, 교만한 마음으로 얼마든지 속여서 할 수 있습니다. 심지어 회개도 교만하게 할 수 있습니다. 내가 회개하기만 하면 하나님은 용서해 주셔야 한다는 교만함으로 회개할 수 있습니다.

교만은 스스로 깨닫기가 어렵습니다. 따라서 늘 교만을 알아차릴 수 있기를 구하며 겸손히 기도해야 할 것입니다.

둘째, ‘다시 애굽으로 돌아가려’는 죄악 된 성향을 고백합니다

17절에 “스스로 한 두목을 세우고 종 되었던 땅으로 돌아가고자 하는 것”이 바로 타락한 성향을 가리킵니다. 끊임없이 우리가 떠나온 곳으로 돌아가고 싶어 하는 우리의 죄성까지 회개의 내용으로 삼아야 합니다. 우리는 회개를 하면서도, 죄의 성향은 그대로 두고 싶어 합니다. 죄를 짓고 싶은 마음 때문입니다. 겉으로 드러나는 죄는 회개하면서, 죄를 짓고 싶어

하는 숨겨진 성향은 내버려 두는 것입니다. 이 마음을 숨기려 하지 말고 솔직하게 고백해야 합니다. '하나님, 애굽으로 돌아가고 싶은 마음이 있습니다. 예수님을 몰랐던 때로 돌아가면 어떨까 하는 마음이 있고, 하나님을 알지 못하는 사람들처럼 내 마음대로 살고 싶은 마음도 있습니다. 여전히 죄로 향하는 이 성향을 다루어 주옵소서!' 죄악 된 성향을 직시하면서 기도해야 할 것입니다.

셋째, '순종치 아니하는' 불순종의 내용을 고백합니다

하나님을 향한 태도와 타락한 성향을 돌아본 후에야 우리는 불순종을 하나둘 제대로 고백할 수 있습니다. 그런데 26절을 보면 불순종에도 여러 가지가 있다는 것을 보게 됩니다. 단순히 주님을 거역할 수 있고, 율법을 등 뒤에 두고 무시할 수도 있고, 적극적으로 하나님의 뜻을 전하는 선지자들을 죽이는 식으로 불순종할 수 있습니다. 우리도 말씀을 단순히 어기는 것 외에 다양한 불순종을 할 수 있습니다.

먼저, 말씀을 무시할 수 있습니다. 한 귀로 듣고 한 귀로 흘린다거나, 말씀을 듣고도 깊이 생각하지 않거나, 들은 말씀을 행하지 않고 게으르게 지내면서 말씀을 무시할 수 있습니다. 말씀을 공격할 수도 있습니다. 말씀의 교리를 정면으로 부인하는 선택을 하거나, 말씀을 전하는 설교자를 공격하거나 교회의 말씀 사역을 방해하면서 말씀을 공격할 수 있습니다. 불순종은 다양하게 일어날 수 있습니다. 다양한 방식으로 일어나는 불순종을 하나님의 의로우심 앞에서 깨닫고 회개할 수 있도록 기도해야 합니다.

핵심은 이것입니다. 우리의 불순종과 죄를 하나님과의 관계 속에서 진지하게 돌아보아야 한다는 것입니다. 불순종한 죄의 목록뿐 아니라 나의 비밀스러운 성향까지도, 나의 보이지 않는 태도까지도, 하나님 앞에서 기쁨이 되기를 소망하며 회개하는 여러분이 되시기를 간절히 바랍니다.

주님의 신실하심 의지하기

즐거이 회개하는 방법, 그 세 번째는 '주님의 신실하심 의지하기'입니다. '주님의 신실하심 의지하기'라는 말은 한마디로, 그리스도를 의지하는 것입니다. 이 점이 회개에서 가장 중요한 부분입니다. 왜냐하면, 우리가 하나님의 신실하심을 의지하지 않으면, 즉 그리스도를 의지하지 않으면, 우리는 즐거이 회개할 수 없을 뿐만 아니라, 죄를 단 하나도 용서받지 못하기 때문입니다. 지금부터 그 이유가 무엇인지 본문을 통해 살펴보도록 하겠습니다.

죄인에게 긍휼을 베푸시는 의로움?

지금까지 이스라엘 백성은 하나님의 '의로우심'을 묵상했습니다. 하나님은 왜 의로우십니까? 하나님이 언약을 통해 약속하신 바를 모두 지키셨기 때문입니다. 이후에 백성은 '죄'를 고백합니다. 이스라엘은 왜 죄인입니까? 하나님이 언약에서 요구하신 율법을 모두 어겼기 때문이죠. 따라서 이스라엘 백성은 언약 안에서는 희망이 없었습니다. 율법을 어긴 자에게 약속된 '죽음'과 '저주'를 받는 일만 남았습니다. 그런데 이스라엘 백성은 긍휼을 입습니다. 그것이 이스라엘의 역사입니다.

기도 가운데 '의로우신' 하나님을 먼저 바라보았던 백성에게 이 사실은 굉장히 이상한 지점입니다. 이스라엘은 그들의 불순종의 역사를 회상하면서, 의로우신 하나님께서 언약을 어긴 백성에게 신실하게 '긍휼'을 계속 베풀어 오셨다는 사실을 재차 확인합니다: "주는 사유하시는 하나님이시라 은혜로우시며 긍휼히 여기시며 인자가 풍부하시므로"(17절), "주께서는 연하여(동일한) 긍휼을 베푸사"(19절), "주께 부르짖을 때에 주께서 하늘에서 들으시고 크게 긍휼을 발하사"(27절), "주께서 하늘에서 들으시고 여러 번 긍휼을 발하사 건져 내시고"(28절), "주의 긍휼이 크시므로 저희를 아주 멸하지 아니하시며 버리지 아니하셨으니"(31절), "주는 은혜로우시고 긍휼히 여기는 하나님이심이니이다"(31절).

참으로 신실하고 성실하신 긍휼입니다. 계속 언약을 어긴 자들에게, 약속된 죽음을 집행하지 않으시고 긍휼을 베푸십니다. 그런데 이것은 율법대로 벌하신 것이 아닙니다. 용서하신 것입니다. 그렇다면 하나님은 의로우신 것이 맞을까요? 언약에 약속한 대로 정확하게 행하신 것이 맞습니까? 율법이 죄인으로 정죄하는 백성에게 계속 긍휼을 베푸신 하나님이 의로우십니까? 자연스레 이런 의문이 생깁니다. 그러나 오늘 기도하고 있는 이스라엘 백성은 '하나님은 참으로 의로우신 분입니다!'라고 고백하고 있습니다. 언약 안에서 약속을 잘 지키시는 하나님도 의롭고(8절), 언약을 어긴 백성을 벌하셨으나 긍휼을 완전히 거두어 가지 않으시고 구원을 베푸신 신실하신 하나님도 의로우시다고(33절) 기도합니다. 어떻게 이해해야 할까요? 언약을 어긴 자들에게 끝까지 언약을 지키시는 하나님..., 또 언약대로 벌하셔야 하지만 벌하지 아니하시는 하나님, 의로우신 걸까요?

하나님의 의로우심의 두 가지 측면

하나님의 의로우심에는 두 가지 측면이 있습니다. 오늘 본문 8절의 '의로우심'과 33절의 '(공)의로움'이 이 두 가지 측면을 보여 줍니다. 8절의 의로움은, 서두에 살펴본 대로, 하나님이 언약하신 대로 약속을 정확하게 지키셨다는 뜻입니다. 좁은 의미의 이 의로움은 아브라함에게 약속대로 이삭을 주셨을 때, 우리가 확인할 수 있는 의로움입니다. 열조에게 약속하신 대로 이스라엘을 애굽에서 구하셨을 때, 확인할 수 있는 의로움입니다. 약속하신 대로 이스라엘을 사방 나라로 흩으셨을 때, 확인할 수 있는 의로움입니다. 그러니까 이 의로움은 언약 관계 안에서 하나님의 '일'을 통해 드러납니다. 그러나 33절의 의로움은, 그보다 넓은 의미로써, 하나님의 본래적인 의로움 그 자체를 말합니다. 하나님은 '존재 자체'가 의로우십니다. 꼭 언약 안에서 약속을 지키셔야, 꼭 무슨 일을 해야 하나님이 의로우신 것이 아닙니다. 언약 밖에서도, 언약과 상관없이 하나님은 의로우십니다. 뭔가를 하시지 않아도 의로우신, '존재가 의로움'이신 영원하신 삼위 하나님의 의로움이 33절이 말하는 의로움입니다.

오늘 이스라엘의 회개 기도는 '존재가 의로움이신 하나님'을 의지한 기도입니다. 이스라엘의 역사와 상관없이 늘 의로우신 하나님을 의지하는 기도입니다. 이스라엘은 '언약 안에서'는 하나님이 요구하신 율법을 지키지 못했고, 그래서 언약의 약속대로라면 의로우신 하나님께 저주받아 죽어야 할 존재임을 인정합니다. 그러니까 율법 안에서는 단 하나의 죄도 용서받지 못하고 죽어야 합니다. 그러나 백성을 저주하고 죽이셔야 할 하나님이 계속해서 '긍휼'을 베푸시며 홀로 언약에 '신실함'을 보이십니다. 이를 보며, 하나님의 백성은 깨닫게 됩니다. '율법 밖에, 율법 외에 의로움이 있구나! 죄로 죽어야 할 우리를 용서하시고 긍휼을 베푸실 수 있는 의로움의 근거가 율법보다 더 크신 하나님께 있구나!' 이스라엘은 그들의 역사 속에서 이 사실을 확인하고, 언약 밖에 있는 하나님의 그 영원하신 의로움에 의지하여 구원을 요청합니다. 언약 안에서는 이미 아무것도 이룰 수 없고, 우리가 죽음으로 심판받는 것이 의로운 일이기에, 언약 밖에, 죄인에게 긍휼을 베푸시는 것이 여전히 '의'가 되게 하시는 하나님의 '신실함'에 의지한 것입니다. 이스라엘 백성은 하나님의 본래적인 신실하심에 근거하여, '언약에 근거하지 않는 자비'를 베풀어달라고 요청합니다("6-31절의 참회는 더욱 실제적인 동기 없이 이루어진 것이 아니었다. 그것은 하나님의 알려진 성품에 호소하는 일이었다. 그러나 이스라엘은 언약을 저버렸고, 논리적으로 이러한 요구를 할

처지가 못 된다. 그래서 그들의 희망은 오직 하나님께서 그의 언약에 의거하지 않는 자비를 베푸시는 것 뿐이다." D. J. 클라인스). '그 자비와 긍휼로 우리를 용서하시고 구원하셔서, 회개하는 우리에게 다시 왕이 되어 주소서!' 이스라엘 백성은 신실하심에 의지하여 기쁘고 또 담대하게 회개하고 있습니다.

율법 외에 하나님의 한 의, 예수 그리스도

이 본래적인 하나님의 의로움에 대하여 바울은 조금 더 분명하게 기록하고 있습니다. "그러므로 율법의 행위로 그의 앞에 의롭다 하심을 얻을 육체가 없나니 율법으로는 죄를 깨달음이니라 **이제는 율법 외에 하나님의 한 의**가 나타났으니 **율법과 선지자들에게 증거를 받은 것이라** 곧 예수 그리스도를 믿음으로 말미암아 모든 **믿는 자에게 미치는 하나님의 의니 차별이 없느니라**"(롬 3:20-22). 율법 외에 하나님의 의로움, 율법과 선지자에게 증거를 받아온 의로움, 즉 '모든 믿는 자에게 미치는 하나님의 의로움'은 바로 예수 그리스도를 믿는 것입니다. 하나님의 신실하심이 이루어낸 긍휼, 예수 그리스도의 구속 사역을 의지하는 것입니다. 율법 외의 한 의로움, 예수 그리스도를 믿는 것입니다. 의로우신 그리스도를 '믿는 것'을 나의 '의로움'으로 여겨달라는 것이 즐거운 회개의 핵심입니다. 율법의 회개로는 하나님 앞에 설 수 없고, 용서도 없습니다. "예수 그리스도를 믿음으로 그리스도와 함께 설 때에야 내가 하나님께 다시 받아들여질 수 있다."고 기쁘게 고백하는 것이 '회개'입니다.

사랑하는 성도 여러분, 이 즐거운 회개 기도 이후에도 나의 선행과 노력은 하나님의 기준에 전혀 미치지 못할 것입니다. 그러나 선행이 나의 기쁨일 뿐 아니라 하나님께도 기쁨으로 받아들여질 수 있는 이유 역시 그리스도께 있습니다. 하나님께서는 하나님 앞에서 온전한 의로움을 이루신 그리스도 안에서 우리의 행실을 어여쁘게 받아 주시기 때문입니다. 그리스도를 믿는 자를 '자녀'로 삼아주시기 때문에, 우리의 부족한 헌신도 하나님께 기쁨이 됩니다. 어린 자녀들이 종종 부모님을 도와줄 때를 봅시다. '내가 물고기 밥 줄게~.' 하면서 사료를 바닥에 엎질러 버리고, '내가 쓰레기 버릴게~.' 해놓고 분리수거를 엉망으로 해놓기도 합니다. 부모로서는 할 일이 더 늡니다. 그런데도 웃음이 터집니다. 사랑스럽습니다. 자녀이기 때문이죠.

우리는 그리스도의 의로움 때문에, 하나님의 자녀가 되었습니다. 실수하더라도, 완벽하지 못하더라도, 두려워하거나 절망하지 않고 기뻐할 수 있는 신분이 되었습니다. 예수님이 이루신 완벽한 의로움으로 우리 죄를 용서하시고 기쁘게 받아 주신 하나님께서, 동일한 의로움 안에서 우리의 노력도 기쁘게 받아 주시기 때문입니다. 그리스도를 의지하여 회개하는 모든 자에게 기쁨의 은혜가 있습니다. 회개가, 열매 맺음이, 부담이 아니라 큰 선물과 기쁨이 되는 복이 그리스도 안에 있습니다. 하나님의 신실하심의 결정체, 그리스도 예수를 의지하여 회개하며, 이 모든 복을 누리는 여러분 되시기를 간절히 바랍니다.

그리스도를 의지하여 즐겁게 회개하는 교회

삼위 하나님의 의를 바라보며, 우리의 악을 고백하며, 주 예수 그리스도를 의지하여 회개하는 것이 하나님 나라 백성의 정체성입니다. 회개는 내 죄 때문에 화가 나신 하나님을 달래는 시간이 아닙니다. 나의 죄가 하나님과의 관계를 망쳐버렸다고 울고 절망하는 우리를 '괜찮다, 네가 그리스도 안에 있다.' 하시며 여전히 아들과 딸로 불러 주시는 시간, 하나님이 우리를 위로하시고 다시 세우는 시간이 회개의 시간입니다. 어찌 이 복된 회개를 꺼리겠습니까? 어찌 회개를 미루겠습니까? 지금 당장 회개의 삶을 시작하시기 바랍니다. 그리하여 말씀에서 하나님의 의를 바라보며, 그 앞에서 우리의 죄악을 고백하며, 그리스도를 믿음으로 회복의 은혜를 누리는 여러분이 되시기를 성부와 성자와 성령의 이름으로 간절히 축원합니다.

15

다시 시작하는 백성의 구별됨

15
다시 시작하는 백성의 구별됨

38 우리가 이 모든 일을 인하여 이제 견고한 언약을 세워 기록하고 우리의 방백들과 레위 사람들과 제사장들이 다 인을 치나이다 하였느니라 1 그 인친 자는 하가랴의 아들 방백 느헤미야와 시드기야, 2 스라야, 아사랴, 예레미야, 3 바스훌, 아마랴, 말기야, 4 핫두스, 스바냐, 말룩, 5 하림, 므레못, 오바댜, 6 다니엘, 긴느돈, 바룩, 7 므술람, 아비야, 미야민, 8 마아시야, 빌개, 스마야니 이는 다 제사장이요 9 또 레위 사람 곧 아사냐의 아들 예수아, 헤나닷의 자손 중 빈누이, 갓미엘과 10 그 형제 스바냐, 호디야, 그리다, 블라야, 하난, 11 미가, 르홉, 하사뱌, 12 삭굴, 세레뱌,스바냐, 13 호디야, 바니, 브니누요 14 또 백성의 두목들 곧 바로스, 바핫모압, 엘람, 삿두, 바니, 15 분니, 아스갓, 베배, 16 아도니야, 비그왜, 아딘, 17 아델, 히스기야, 앗술, 18 호디야, 하숨, 베새, 19 하립, 아나돗, 노배, 20 막비아스, 므술람, 헤실, 21 므세사벨, 사독, 얏두아, 22 블라댜, 하난, 아나야, 23 호세아, 하나냐, 핫숩, 24 할르헤스, 빌하, 소벡, 25 르훔, 하삼나, 마아세야, 26 아히야, 하난, 아난, 27 말룩, 하림, 바아나이었느니라 28 그 남은 백성과 제사장들과 레위 사람들과 문지기들과 노래하는 자들과 느디님 사람들과 및 이방 사람과 절교하고 하나님의 율법을 준행하는 모든 자와 그 아내와 그 자녀들 무릇 지식과 총명이 있는 자가 29 다 그 형제 귀인들을 좇아 저주로 맹세하기를 우리가 하나님의 종 모세로 주신 하나님의 율법을 좇아 우리 주 여호와의 모든 계명과 규례와 율례를 지켜_**느헤미야 9장 38절 - 10장 29절**

들어가며: 회개의 열매

하나님 나라는 어떤 백성들의 나라인가? 우리는 이 질문의 답을 찾아서 8장부터 10장까지 살펴보고 있습니다. 8장에서는 말씀 안에서 여호와를 깨닫고 즐거워하는 백성이라는 답을 들었습니다. 9장에서는 말씀에 나타난 하나님께로 돌이켜 회개하기를 기뻐하는 백성이라는 답을 들었습니다. 그리고 이제 10장에 이르렀습니다. 드디어 이 백성이 견고한 언약을 세우고 자기 이름이 새겨진 도장을 찍고 있습니다. 이 언약을 통하여 성령님께서는 '하나님 나라는 어떤 백성들의 나라인가?' 이 질문에 대한 최종적인 답을 주고 계십니다. 우리는 어떤 교회가 되어야 하는가? 우리는 무엇을 회복이라고 불러야 하는가? 우리는 어떻게 개혁되어야 하는가? 다시 시작하는 나는 무엇을 목표로 해야 하는가? 지금 우리가 궁금해하는 많은 질문에 대한 답을 주십니다. 10장은 앞서 일어났던 회개의 열매를 담고 있습니다. 회개는 '구별됨'과 '새로운 순종'이라는 열매를 맺습니다. 오늘은 구별됨이라는 열매를 살펴보고, 다음 주는 새로운 순종의 열매를 살펴봅니다. 말씀의 인도를 따라, 앞으로 두 주 동안 구별됨과 새로운 순종으로 나아가시기를 바랍니다.

언약으로 구별된 사람들

언약 대표자들의 명단

본문은 두 부분으로 나뉩니다. 먼저 명단입니다(10:1-28). 언약의 대표자로 참여한 사람들과 그들과 결속된 사람들을 명단으로 보여 줍니다. 그리고 그들이 맺은 언약에 관해 설명하고 있습니다(29절). 먼저 명단을 통해 이 언약에 참여한 사람들이 누구인지 살펴봅시다. 오늘 본문은 거의 90% 정도가 이 언약에 참여한 사람들이 누구인지를 보여 주는 명단입니다. '또 명단인가요, 목사님?'하는 분들이 계실 것입니다. 매우 당황하셨겠지만, 아직 두 번이나 더 남았습니다. 읽기 힘들고 지루할 수 있습니다. 하지만 느헤미야서에서 이런 이름의 목록이 자주 나오는 이유가 있습니다. 먼저 그 이유를 설명하겠습니다.

신앙을 고백하기 위함입니다

느헤미야서에 나오는 이름의 목록들은 기본적으로 하나님께서, 포로된 이스라엘 백성 가운데 남겨두신 사람들입니다. 하나님의 특별한 보호 가운데 돌아온 자들의 이름입니다. 이들은 페르시아의 발달한 문명 속에서 살았습니다. 눈과 마음을 유혹하는 문화 속에 살았습니다. 그래서 실제 많은 사람이 예루살렘으로 돌아오지 않았습니다. 돌아왔다면, 그것은 하나님의 특별한 돌보심, 곧 은혜 때문입니다. 즉 이 명단의 사람들은 하나님께서 자비를 베푸시고, 그 마음을 지켜주신 은혜를 입은 사람들의 이름입니다. 하나님께 은혜 입은 자들의 이름을 자주 언급하는 것은 그들을 도우신 하나님, 다시 이스라엘을 통해 구원의 역사를 이어가시는 하나님을 고백하고 증언하는 의미가 있습니다.

그들 자신을 유혹으로부터 보호하기 위함입니다

똑같은 사람이 운전해도 교회 승합차에 교회 이름이 붙어 있는 차는 신호 위반을 덜 합니다. 사람이 보지 않아도 정직하게 지켜야 하지만, 사람이 참 연약합니다. 이렇게 이름을 공적으로 공포하면, 이방 문화에 이끌리는 마음을 스스로 경계하게 되는 것입니다. 본인이 흔들리더라도, 같이 이름이 공포된 형제들이 그를 보호해 줄 수도 있습니다. 그리고 이 명단은 몰래 내부로 들어오려는 외부의 대적들을 미연에 방지합니다. 거룩한 사명에 참여할 수 있는 사람의 목록을 정하여, 그 외의 사람들을 막는 것입니다. 이런 이유들로 목록이 자주 등장하는 것입니다.

결론적으로, 구별되기 위함입니다

궁극적으로는 이 두 가지 모두 이스라엘 백성을 이방 세계로부터 '구별'해주는 역할을 한다는 걸 알 수 있습니다. '마음의 성벽' 역할을 하는 것입니다. 이 이름의 목록을 기록으로 남도록 하신 성령님의 의도도 여기에 있을 것입니다. 이들은 하나님의 은혜로 구별된 자이며, 여전히 구별되어 살아야 하는 사람들이라는 것입니다. "언약에 참여한 우리는 구별된 사람들이다." 이것이 언약 대표자들의 이름 목록이 증언하는 내용입니다.

언약 대표자들과 결속된 사람들

명단에 이름을 올린 사람들만 언약에 참여한 것은 아닙니다. 이 명단에 등장하는 언약의 대표들과 강력하게 결속된 나머지 사람들이 있습니다. 그들도 언약 안으로 구별된 자들입니다. 우선 9장 38절을 보면, 이 명단에 이름을 올린 사람들이 누구인지 알 수 있습니다. "방백들과 레위 사람들과 제사장들"입니다. 이 언약의 대표자들입니다. 그리고 10장 28절을 보면, 이 대표들과 하나로 연합되어 있는 나머지 사람들도 나옵니다. "곧 제사장들과 레위 사람들, 문지기와 노래하는 자들, 느디님 사람들과 및 이방 사람과 절교하고 하나님의 율법을 준행하는 모든 자와 그 아내와 그 자녀들 무릇 지식과 총명이 있는 자"(28절). 29절에서 이들은 그 형제 귀인들을 좇아 저주로 맹세했다고 했는데, '좇아'라는 말을 원어로 보면, '결속해서, 서로 강하게 붙어서, 연결되고 연합하여'. 이런 뜻입니다. 이 사람들도 언약의 대표들과 하나로 연합되어 있는 백성입니다.

모두 소환

28절은 우리 눈에 익숙합니다. 이유가 있습니다. 이미 우리가 만났던 사람들을 '소환'하고 있기 때문입니다. 저와 같이 성경을 앞뒤로 찾으며 확인해보겠습니다. 10장 28절입니다. "제사장들과 레위 사람들과 문지기들과 노래하는 자들과 느디님 사람들과"까지 읽고, 7장 73절로 가봅시다. "이와 같이 제사장들과 레위 사람들과 문지기들과 노래하는 자들과 백성

몇 명과 느디님 사람들과 온 이스라엘이 다 그 본성에 거하였느니라." 똑같습니다. 하나님께서 포로 생활에서 귀환하게 하신 자들의 명단을 요약할 때 사용한 그룹을 오늘 명단에 그대로 가져왔습니다. 다시 10장 28절로 와서, "이방 사람과 절교하고"를 읽고, 9장 2절로 가봅니다. "모든 이방 사람과 절교하고". 똑같습니다. 하나님의 말씀을 듣고 회개한 자들에 대한 설명인데 같습니다. 다시 10장 28절로 와서, "그 아내와 그 자녀(그 아들과 그 딸)들 무릇 지식과 총명이 있는 자"를 읽고, 8장 2절로 갑니다. "남자, 여자 무릇 알아들을 만한 회중"이 나옵니다. 완전히 똑같은 단어를 쓰지는 않지만, 동일한 대상을 가리킵니다. 8장에서 하나님의 말씀을 듣기 위해 자발적으로 모여든 사람들을 다시 언급한 것입니다. 모두 소환되고 있습니다. 10장 28절은, 언약을 맺는 이 사람들이 곧 '하나님이 포로 생활에서 돌아오게 한 그 사람들'이고, '하나님의 말씀을 듣기 위해 모여든 그 사람들'이고, '말씀을 듣고 회개한 그 사람들'이라고 선언하고 있습니다. 게다가 본문은 '모두'라는 단어를 3번이나 사용합니다: "다 인을 치나이다"(9:38), "율법을 준행하는 모든 자"(10:28), "다 그 형제 귀인을 좇아 맹세하기를"(10:29).

본문은 은혜를 입은 자는 단 한 사람도 빠짐없이 언약에 참여했다고 선언하고 있습니다. '이름을 다 기록하지 않았지만, 7장의 그 사람들, 8장의 그 사람들, 9장의 그 사람들이 다 언약에 참여했다. 남자도, 아내도, 그들의 아들도, 그들의 딸들도, 은혜 받은 자들은 다 참여했다. 은혜를 입은 전체 공동체가 하나의 예외 없이 모두 다 이 언약에 참여했다.' 이것이 언약에 참여한 사람들의 목록이 말하고 있는 내용입니다. 말씀에서 여호와를 발견하고 기뻐한 사람 모두가 세상과 구별됩니다. 회개하고 하나님께로 돌이킨 백성은 한 사람도 빠짐없이 이 땅의 사람들과 구별됩니다. 그 은혜를 경험한 사람은 세상과 구별되는 견고한 언약의 결단을 열매 맺는다고 말하고 있습니다.

견고한 언약으로 구별됨

그렇다면, 그 '구별됨'이란 도대체 무엇을 말하는 것입니까? 단절을 말하는 것입니까? 세상 친구들과 관계를 끊고 사는 것입니까? 아니면, 스스로 소외되는 것을 말합니까? 그 구별됨이라는 것이 무엇일까요? 한마디로 이야기해서, '방향 전환'과 '우선순위'입니다. 이 두 가지 축을 중심으로 거룩함을 향해 나아가는 것이 바로 '구별됨'입니다. 29절에서 언급되는 언약에 대한 내용을 보시면 이 두 가지가 함께 발견됩니다.

방향성 – 거룩함

율법의 의로움을 향한 방향성, 하나님이 말씀하시는 거룩함을 향한 방향 전환, 그것이 구별됨의 한 축입니다. 이스라엘 백성이 견고한 언약으로 맹세한 내용 가운데 이 방향 전환이 나타납니다. "우리가 하나님의 종 모세로 주신 하나님의 율법을 좇아 우리 주 여호와의 모든 계명과 규례와 율례를 지키겠습니다"(29절). 율법을 좇아, 율법을 지키며 살겠다고 맹세합니다. 28절은 이 맹세의 의미를 더 잘 드러내 줍니다. "이방 사람과 절교하고 하나님의 율법을 준행하는 모든 자"를 직역하면 이렇습니다. '그 땅의 백성들로부터 하나님의 **율법을 향하여** 구별된 모든 사람'. 율법을 향하여, 그 땅의 백성들로부터 눈을 돌리고 몸을 돌려, 율법을 향하여 구별되었다고 말씀합니다. 이 백성은 성벽이 완공되기 전, 이 땅의 백성들을 향해 서 있던 자신들의 잘못을 고백하고 있습니다. 이 땅의 백성을 향해 나아가고, 그들처럼 살고 싶어 하고, 그들과 같이 살고 싶어 하던, 그래서 성 쌓기도 포기하고 이방인과 깊은 관계를 맺으며 지내던 그 모든 방향으로부터 돌아서고 있습니다. 방향을 바꿀 때, 우리는 세상에서 아무 단절 없이 아주 자연스럽게 구별됩니다. 이 땅의 사람들이 옳다 하는 방향이 아니라 하나님의 율법이 의롭다 하는 방향으로 향하기 때문입니다. 이 땅의 사람들이 박수하는 방향이 아니라 삼위 하나님의 칭찬을 바라며 나아가기 때문입니다. 남자와 여자, 아들과 딸, 하나님의 백성 한 사람 한 사람이 그렇게 방향을 바꾸어 구별되어야 합니다.

우선성 – 신실함

방향 전환이 다가 아닙니다. 구별됨은 우선성을 함께 가져야 합니다. 이것이 구별됨의 다른 한 축입니다. 29절에서 백성은 이 언약을 "저주로 맹세하였다."고 말합니다. 이 부분을 원어로 직역하면, '하나님의 법 안에서 행하려고 저주와 맹세 속으로 들어갔다.'입니다. 하나님의 법 안에서 행하려고, 법을 어길 때에는 자신에게 저주가 내리기를 맹세하였다는 것입니다. 여기서 저주는 죽음을 뜻합니다. 하나님의 법 안에서 행하기를 죽음보다 더 중요한, 즉 생명보다 더 중요한 것으로 여기겠다는 의미입니다.

이렇게 자신을 저주하면서까지 진실성을 확보하는 맹세를 '자기 저주적 맹세'라고 합니다. 주인에게 신하가 충성과 봉사를 다하겠다는 것을 확증하기 위해 자기 목숨을 걸고 하는 맹세입니다. 그래서 이스라엘 백성은 언약의 의무가 담긴 계명을 "우리 주 여호와의 모든 계명"이라고 부릅니다(29절). "주님(히, 아도나이)"이라는 말을 "여호와(히, 야훼)" 앞에 덧붙여 놓았습니다. 종으로서 주인 되신 하나님을 늘 우선하겠다는 충성의 맹세요 신실한 맹세입니다. 남자와 여자, 아들과 딸, 하나님의 백성인 교회 한 사람 한 사람이 하나님의 거룩함을 우선시하며 구별되어야 합니다.

거룩함과 신실함을 겸비하지 못한 성도

하나님께서 기뻐하시는 구별됨을 위하여 우리는 거룩함을 향한 방향성과 거룩함에 대한 우선성 모두 포기해선 안 됩니다. 생각해 보십시오. 집에서 학교에 가야 합니다. 방향을 바로 잡고, 학교로 걸어갑니다. 그런데 학교 가는 게 '우선'이 아니면 어떻게 됩니까? 중간에 문방구도 들르고, 친구 집에도 들르고, 메뚜기도 잡고, 가재도 잡고. 중간에 자꾸 새면 결국 결석합니다. 반대로 학교가 가장 우선인데, 학교 방향으로 안 가면 어떻게 됩니까? 역시 학교에 도착할 수가 없습니다. 게다가 마음에 상처도 입을 것입니다. '나는 왜 늘 학교가 우선인데 도착하지 못할까?' 혹시 이 모습이 우리의 모습이 아닙니까? 거룩함에 대한 지식은 있으나, 나태하고 게으릅니다. 성경이 중요하고 기도가 중요한 줄 잘 알지만, 취미 생활보다, 유튜브보다 우선하지 않습니다. 혹은 신실하고 충성되지만, 거룩함에는 관심이 없습니다. 부지런히 성경을 읽고 기도하지만, 내가 원하는 대로 해석하고 내가 하고 싶은 대로 기도합니다. 결국, 그토록 소망하는 '구별된 삶'에 이르지 못하고 좌절합니다.

거룩한 방향성과 그 방향을 늘 우선시하는 신실함, 이 두 가지는 함께 가야 합니다. 그래야 '구별됨'이라는 성도의 사명을 비로소 제대로 수행할 수 있게 됩니다. 하나님의 뜻과 방향을 아는 지식과, 하나님을 신실히 따르는 굳센 신뢰가 함께 가야, 이 믿음의 길을 참되게 걸어갈 수 있는 것입니다(하이델베르크 교리문답, 21문답).

구별됨을 이루는 길, '오직 은혜'

언약, 은혜 입은 사람들의 맹세

사랑하는 성도 여러분, 쉽지 않습니다. 우선순위를 바로 잡는 것만 해도 힘이 듭니다. 방향성을 바로 잡는 것만도 힘겹습니다. 어떻게 이 두 마리 토끼를 다 잡을 수 있겠습니까? 우리는 처음 들었던 말씀을 기억해야 합니다. '명단'을 기억해야 합니다. 누가 이 언약에 참여하는지 기억합시다. '하나님의 은혜를 경험한 사람'이 이 언약적 결단에 참여합니다. 이들은 긍휼을 베푸시는 신실하신 하나님의 '의로움'을 발견한 사람들입니다. "그러나 우리의 당한 모든 일에 주는 공의로우시니 우리는 악을 행하였사오나 주는 진실히 행하셨음이니이다"(느 9:33). 말씀에서 주의 의로우심을 바라보고, 말씀에서 자신의 악함을 돌아보는 사람들입니다. 무엇보다 말씀에서 주님의 신실하심을 발견한 사람들입니다. 하나님의 신실하심, 그 그리스도의 은혜를 입은 사람이 회개에 이르고, 그 사람에게 이 어려운 결단이 열매로 맺힙니다. 말씀에서 삼위 하나님을 뵙고 교제하는 성도가 이 언약적 결단에 참여하는 것입니다. 다시 시작하는 성도의 힘, '말씀'을 통해 그리스도 안에서, 그분의 은혜로, 삼위 하나님과 교제하는 그 기쁨과 즐거움이 회개를 일으키고, 이 언약적 결단 앞에 서게 만드는 것입니다.

은혜의 출처, 예수 그리스도

우리가 구별된 삶을 살아가기 위해 예수 그리스도의 은혜를 의지해야 할 이유는 분명합니다. 방향성과 우선성, 달리 말하자면, 거룩함과 신실함은 삼위 하나님 안에서만 발견되기 때문입니다. 우리는 가장 거룩한 성품을, 가장 신실한 성품을 그리스도 안에서만 발견합니다. 우리 안에는 그런 것들이 없습니다. 우리 스스로 거룩함과 신실함을 생산할 수 없습니다.

그리스도와 연합하여 그분과 교제하지 않고서는 이 아름다운 성품을 우리 안에 둘 수가 없습니다. 말씀을 통해 그리스도를 만나지 않고서는, 기도를 통해 그리스도와 대화하지 않고서는 그분의 성품을 알 수 없습니다. 성품은 머리로 아는 지식이 아니라 마음으로 아는 지식입니다. 삼위 하나님을 계시하시는 그리스도의 말씀, 그 말씀에 의지하는 기도를 통해서만, 우리 마음이 그리스도를 알고 그분의 거룩하심과 성실하심을 배웁니다.

이뿐만 아니라, 오직 그리스도 안에서만 우리 언약의 결단이 '아멘'이 됩니다. 여러분, 율법을 향해 선다 하더라도, 우리는 율법이 가라고 하는 방향으로 나아가지 못합니다. '아멘, 나아가겠습니다!' 해놓고 바로 넘어질 것입니다. 십계명 앞에 우리 삶을 세워 보면 답이 금방 나옵니다. 우리로서는 무리입니다. 우리가 하나님을 최고 우선순위로 둔다 한들, 자기 저주적 맹세를 실현할 수 있습니까? '아멘, 제가 죽기까지 하나님을 우선하겠습니다!' 하고는 바로 우상 앞으로 달려갈 것입니다. 그런 식으로 하나님께 불순종할 때마다 저주의 형벌을 받았다면 우리는 몇 번이나 죽었겠습니까? 하나님의 율법이 요구한 대로, 정방향으로 좌로나 우로나 치우침 없이 걸어가신 그리스도 안에서만, 우리가 받을 율법의 저주를 대신 받으신 그리스도 안에서만, 우리가 결단한 순종을 '아멘!'한 그대로 이루어갈 수 있습니다. 결함이 있고, 더러움이 있고, 수없이 흔들리는 불완전한 '아멘'을 하나님께서 완전한 '아멘'으로 받으시는 이유는, 우리가 예수님의 은혜 안에 있기 때문임을 기억하시기 바랍니다.

그리스도의 은혜를 사모하는 언약 백성

이제 답해 봅시다. 하나님 나라는 어떤 백성들의 나라입니까? 우리는 어떤 교회가 되어야 합니까? 우리는 무엇을 회복이라고 불러야 합니까? 우리는 어떻게 개혁되어야 합니까? 다시 시작하는 나는 무엇을 목표로 해야 합니까? '구별됨'입니다. 구별되어야 합니다. 구별된 백성이 돼야 합니다. 교회는, 그리스도인은, 구별되지 못할 때 생명력을 잃어버립니다. 바른 방향으로 가지 못할 때, 바른 우선순위를 세우지 못할 때 언약 백성의 삶은 무너집니다.

구별됨을 굳세게 결심하기 위해 그리스도와 함께 교제하는 은혜를 사모하십시오. 모든 은혜가 흘러나오는 그리스도를 사모합시다. 내 삶을 돌이켜 하나님의 율법, 하나님이 기뻐하시는 뜻을 나도 기뻐할 수 있게 해달라고 은혜를 구합시다. 하나님을 사랑하고 이웃을 사랑하는 삶의 방향을 다시 잡을 수 있도록 지혜를 구합시다. 하나님을 사랑하고 이웃을 사랑하는 우선순위를 세울 수 있는 믿음을 선물로 주시기를 간구합시다.

무엇보다 은혜를 주시려고 우리를 부르시는 예배를 사모하십시오. 오늘 본문에서 언약을 새롭게 하는 언약 갱신 사건은, 오늘날에는 예배에서 일어납니다. 우리를 부르시는 예배의 자리로 나아올 때, 기대함을 가지고, 감사함으로 나아옵시다. 도대체 어느 방향인지, 무엇을 우선해야 하는지 기도로 구하고, 설교를 통해 응답을 들려주시기를 기대하며 소망하십시오. 성찬 때마다 율법을 완전하고 신실하게 이루신 주님께서 우리에게 베풀어 주시는 새 언약의 은혜를 누리십시오. 봉헌을 드릴 때, 우리의 몸과 마음과 모든 것을 드려도 모자랄 구주의 은혜를 생각합시다. 모든 방법을 동원하십시오. 그리스도와 깊이 교제하는 은혜를 누리시기 바랍니다. 삼위 하나님과의 깊은 교제 가운데, 세상으로부터 돌아서서 거룩함을 우선하며 살아가기를 소망하는 모든 성도에게, 은혜가 함께 하기를, 성부와 성자와 성령의 이름으로 간절히 축원합니다.

16

다시 시작하는 백성의 새로운 순종

16

다시 시작하는 백성의 새로운 순종

30 우리 딸은 이 땅 백성에게 주지 아니하고 우리 아들을 위하여 저희 딸을 데려오지 아니하며 31 혹시 이 땅 백성이 안식일에 물화나 식물을 가져다가 팔려 할지라도 우리가 안식일이나 성일에는 사지 않겠고 제칠 년마다 땅을 쉬게 하고 모든 빚을 탕감하리라 하였고 32 우리가 또 스스로 규례를 정하기를 해마다 각기 세겔의 삼분 일을 수납하여 하나님의 전을 위하여 쓰게 하되 33 곧 진설병과 항상 드리는 소제와 항상 드리는 번제와 안식일과 초하루와 정한 절기에 쓸 것과 성물과 이스라엘을 위하는 속죄제와 우리 하나님의 전의 모든 일을 위하여 쓰게 하였고 34 또 우리 제사장들과 레위 사람들과 백성들이 제비 뽑아 각기 종족대로 해마다 정한 기한에 나무를 우리 하나님의 전에 드려서 율법에 기록한 대로 우리 하나님 여호와의 단에 사르게 하였고 35 해마다 우리 토지 소산의 맏물과 각종 과목의 첫 열매를 여호와의 전에 드리기로 하였고 36 또 우리의 맏아들들과 생축의 처음 난 것과 우양의 처음 난 것을 율법에 기록된 대로 우리 하나님의 전으로 가져다가 우리 하나님의 전에서 섬기는 제사장들에게 주고 37 또 처음 익은 밀의 가루와 거제물과 각종 과목의 열매와 새 포도주와 기름을 제사장들에게로 가져다가 우리 하나님의 전 골방에 두고 또 우리 물산의 십일조를 레위 사람들에게 주리라 하였나니 이 레위 사람들은 우리의 모든 성읍에서 물산의 십일조를 받는 자임이며 38 레위 사람들이 십일조를 받을 때에는 아론의 자손 제사장 하나가 함께 있을 것이요 레위 사람들은 그 십일조의 십분 일을 가져다가 우리 하나님의 전 골방 곧 곳간에 두되 39 곧 이스라엘 자손과 레위 자손이 거제로 드린바

곡식과 새 포도주와 기름을 가져다가 성소의 기명을 두는 골방 곧 섬기는 제사장들과 및 문지기들과 노래하는 자들이 있는 골방에 둘 것이라 그리하여 우리가 우리 하나님의 전을 버리지 아니하리라_**느헤미야 10장 30-39절**

들어가며: 순종하는 마음속에 무엇이 있나

오늘 본문은 우리 교회가 순종하려고 애쓰고 있는 구체적인 내용을 담고 있습니다. 우리 교회는 세례를 받아야 결혼을 허락하고, 주일에 상거래를 삼가도록 하며, 헌금을 의무로 규정합니다. 이 외에도 여러 의무가 있습니다. 주일 점심 후의 설거지, 청소부터 시작해서, 교사, 쌀 구매, 김 구매, 케이크 구매 등 각종 봉사가 있습니다. 예배로 나아올 때는 노출이 너무 심하거나 소리가 크게 나는 옷을 삼가고 아담한 옷을 입어야 합니다. 우리 어린 자녀들, 특히 아들들에게 너무 힘든 일인데, 부모님과 함께 예배를 같이 드려야 합니다. 주일에는 스마트폰 사용을 삼가고 교제에 힘써야 합니다. 오후 모임, 긴 나들이 등 모임에 적극적으로 참여해야 합니다. 평일에도, 가정예배와 경건 생활에 힘써야 하고, 심방을 받아야 하고, 성찬과 예배를 준비해야 합니다. 이 외에도 그리스도인으로서 순종해야 할 많은 의무가 있습니다. 이 의무들에 대한 우리 마음을 한번 돌아봅시다. 이 의무들에 순종하는 우리의 마음이 감사로 가득 차 있습니까? 아니면, 여러 의무 때문에 불편해진 삶에 대한 불평이 마음 한편에 자리 잡고 있지는 않습니까? 불편한 마음으로 억지로 성도의 의무를 행하고 있는 것은 아닙니까?

오늘 본문의 백성들은 순종의 열매를 구체적이고도 풍성하게 거두는 모습을 보여 줍니다. 결혼과 안식과 성전에 대한 새롭고 구체적인 순종을 맹세하고 있습니다. 그러면서도 불편해하거나 불만스러운 정서는 전혀 보이지 않습니다. 거룩함을 향해 방향을 잡고, 거룩함을 우선시하며 즐거이 순종하는 모습을 보여 줍니다. 이들이 이렇게 구체적인 순종의 열매를 거둘 수 있는 이유는, 이 순종이 은혜로부터 나왔기 때문입니다. 생각해 보면, 하나님은 늘 은혜를 주고 계셨습니다. 이들이 성을 쌓기 전부터 회복의 열정을 가지고 은혜로 함께 하셨습니다. 그리고 이제 거의 회복의 마지막 단계입니다. 백성들의 결단과 백성들의 순종이 요구되는 시점입니다. 그런데 이 시점에서조차, 새롭고 구체적인 우리의 순종을 위해 하나님께서 준비해 놓으신 은혜가 있습니다. 그 은혜를 의지하지 않을 때, 여러 의무에 마음이 불편하고, 입에서 짜증과 불평이 나오는 것입니다.

새로운 순종을 위한 은혜

사랑하는 성도 여러분, 오늘 설교 제목처럼, 절망하고 넘어졌던, 그래서 다시 시작하는 백성을 일으키는 '새로운 순종'이 있습니다. 내가 부담스럽고, 내가 힘이 드는 순종이 아니라, 분명히 사력을 다하여 씨름하는데,

나는 소망을 얻고 더욱 큰 확신을 얻는, 전혀 새로운 순종이 있습니다. 하나님의 은혜로부터 샘솟아 오르는 기쁨의 순종이 있습니다. 오늘 말씀을 통해 그 은혜로 말미암는 순종을 우리의 것으로 삼아, 열매 맺는 교회가 되기를 소망하며 말씀을 나누겠습니다. 특히 오늘 본문은 하나님께서 우리가 구체적으로, 또 새롭게 순종하도록 두 가지 은혜를 베푸신다는 것을 보여 줍니다.

해석하여 적용할 수 있는 말씀의 은혜

우리가 순종을 생각하면 가슴이 답답해지는 이유가 있습니다. 그 이유는 삶의 구체적인 상황에서 우리가 말씀을 어떻게 적용해야 할지 난감할 때가 많기 때문입니다. 십계명 말씀을 외우는데, 아들이 나의 짜증을 폭발하게 할 때, 우리는 십계명의 말씀을 그 상황에 어떻게 연결 지어야 할지 모릅니다. 성경의 거의 모든 내용을 아는데, 회사를 이직해야 하는 결정 앞에서는 어떤 말씀을 의지해야 할지 잘 모르겠습니다. 자녀들이 밤새 열이 떨어지지 않을 때는 무슨 말씀을 붙들고, 어떻게 적용해야 할지 모르겠습니다. 그래서 말씀에 의지하지 못하고 힘이 드는 것입니다. 그러나 하나님은 구체적인 상황에서 우리 삶에 적용할 수 있는 해석된 말씀을 은혜롭게 허락하고 계십니다.

결혼에 대한 율법 해석

본문을 보면 결혼과 안식과 성전에 대하여 아주 구체적으로 적용할 수 있는 해석된 말씀을 발견할 수 있습니다. 먼저, 이들은 앞으로 이방인과 혼인하지 않기로 결정합니다(30절). 이 결론에 이르는 과정을 주목하여 살펴보겠습니다. 모세오경, 즉 율법은 애초에 이방인과의 결혼을 금지하고 있습니다. "또 그들과 혼인하지 말찌니 네 딸을 그 아들에게 주지 말 것이요 그 딸로 네 며느리를 삼지 말라"(신 7:4). 다른 해석의 여지가 없죠. 그런데 포로 생활에서 돌아온 많은 백성이 이방인 아내를 데리고 있었습니다. 심지어 포로 생활에서 돌아온 이후에도 예루살렘 주변에 있는 이방인들과 혼인하는 지도자들이 있었습니다. 돌아온 자들은 분명 신앙이 좋은 사람들일 텐데, 어떻게 이 기본적인 율법을 어겼을까요?

여기에는 나름의 이유가 있습니다. 율법에는 결혼하지 말아야 할 이방인의 구체적인 목록이 나옵니다. "헷 족속, 기르가스 족속, 아모리 족속, 가나안 족속, 브리스 족속, 히위 족속, 여부스 족속"(신 7:1 참고), 즉 가나안 일곱 족속이죠. 느헤미야 시대는 모세의 때로부터 시간이 많이 흐른 후였고, 이 당시에 가나안 일곱 족속은 대부분 사라진 상황이었습니다. 또한 페르시아에 포로로 살면서 결혼을 하다 보니, 다양한 족속의 여인들이 공동체 안으로 들어왔을 것입니다. 신명기에 나오는 '이방인'의 목록에 없는 이방인 여인과 결혼해도 되는가? 이들은 가능한 것으로 판단했던 것입니다. 성경을 문자적으로 읽고, 가나안 일곱 족속이 아니면 혼인해도 된다고 판단한 백성이 많았던 것입니다. 이미 에스라가, 성전을 지은 시기에 이방인과의 결혼에 대해 대대적인 개혁을 단행했었지만, 관성이 사라지지 않았던 것입니다. 시간이 지나자 이방인과 다시 혼인하기 시작했습니다.

이에 새로 법을 정하면서, 가나안 일곱 족속을 '이 땅 백성'이라고 명명합니다(33절). 이 표현을 정확하게 번역하면, '그 땅의 백성들'입니다. 즉 무슨 족속 출신인지는 이제 중요하지 않다는 것입니다. 앞으로 출신지가 어디든지 간에, 하나님을 모르고, 우상을 섬기는 바로 '그' 땅의 백성과는 혼인 관계를 맺지 않을 것이며, 그렇게 이 땅의 사람들과 구별된 삶을 지킬 것이라고 맹세하고 있는 것입니다. 율법을 '해석'하여 새로운 상황에 적용하고 있습니다. 율법을 원래 의도에 맞게 해석하여 적용한 것입니다. 이들은 성령님의 조명하심 가운데, 그 시대에 맞는 결혼 제도를 율법에 근거하여 바로 잡을 수 있었습니다.

안식에 대한 율법 해석

다음으로 안식일과 안식년, 즉 안식에 대하여 다룹니다(31절). 율법은 4계명으로 안식일에 직업적인 노동을 금지합니다. 그런데 안식일에 노동을 금지하는 것은 시간이 갈수록 다른 모든 행동까지 확대되었고, 상거래까지 포함하게 되었다는 것을 아모스 8장에서 확인할 수 있습니다. "너희가 이르기를 월삭이 언제나 지나서 우리로 곡식을 팔게 하며 **안식일이 언제나 지나서 우리로 밀을 내게 할꼬**"(암 8:5). 이 말씀은 저울을 속여서 장사하려는 백성들이, 겉으로는 율법을 지킨답시고, '곡식을 팔 건데 안식일이 언제 지나가나?' 하며 기다리고 있다는 내용입니다. 한마디로, 도둑질하려는 유다인들도 안식일에는 장사를 안 했다는 말입니다. 그것이 상식이었다는 뜻입니다.

느헤미야의 시대에는 달라진 것이 있었습니다. 사방이 새로운 이방 민족들로 둘러싸여 있다는 것입니다. 이들이 안식일에 예루살렘 성으로 들어와서 장사합니다. 이들은 이방인입니다. 하나님을 믿지 않습니다. '유다인끼리는 율법을 아니까 상거래를 하지 않더라도, 이방인이고 하나님도 모르고 율법도 안 지키는 사람들과의 상거래까지 끊어야 할까? 이들이 파는 물건은 사도 되지 않나?' 이런 고민 끝에, 유다인들은 이방인과의 상거래는 해도 되는 것으로 판단했습니다. 즉 느헤미야 시대에 특별히 이방 상인들의 안식일 장사가 성행하게 되었고, 이에 대해 '어떻게 율법을 해석하고 적용해야 하나?' 이 문제를 풀어야 했던 것입니다. 이 문제에 대해서도 성령님의 조명하심 가운데 적용할 수 있는 해석된 말씀이 선포되었습니다. 이방 상인에게서도 안식일과 성일에는 물건을 사지 않기로 한 것이죠. 안식일에는 소와 나귀뿐만 아니라 타국의 나그네도 쉬라 하셨기 때문에(신 5:14), 장사하는 이방인도 노동하지 않고 쉬게 하는 것이 율법의 정신임을 재확인합니다. 이와 함께 잘 지켜지지 않았던 안식년과 면제년을 하나의 절기로 합치면서 안식을 위한 제도가 다시 시행되도록 하였습니다.

성전에 대한 율법 해석

성전에 대해서도 풀어야 할 숙제가 있었습니다. 32절부터 성전에 대한 규칙들이 나오는데, 느헤미야는 직접 이 규칙들을 '우리가 스스로 정한 규례'라고 밝히고 있습니다(32절). 율법에 확실한 근거를 두고 있지만, 느헤미야 시대에 적용될 수 있는 새로운 규칙이 필요했던 것입니다. 율법은 예루살렘이 멸망하고, 성전 시스템이 다 무너진 상황에서 어떻게 성전 시스템을 새롭게 시작할 수 있는지는 알려주지 않습니다. 성전은 수십 년 전에 세워졌지만, 시스템이 작동하지 않아 제대로 된 기능을 하지 못하는 상황이었습니다. 이에 따라, 제사장과 레위인, 성전 봉사자를 위한 시스템을 다시 가동하기 위해서, 그리고 페르시아에서 발전된 화폐를 사용하게 된 생활 양식의 변화를 고려해서, 율법의 의도대로 이 시대에 적용할 수 있는 해석된 율법과 규칙들을 만들었던 것입니다. 1/3 세겔의 성전세를 거두어 정기적인 모든 성전 봉사를 유지하도록 하고(32절), 성전에 불이 꺼지지 않도록 한 율법을 지키기 위해 제비를 뽑아 나무를 공급하도록 했습니다(34절). 또 첫 열매, 첫 곡식, 십일조와 새 올리브유, 포도주 등을 성전에 두어서 제사장과 레위인과 성전 봉사자들의 생계를 위해 쓰도록 했습니다(35절 이하).

당대의 문제에 답을 주는 해석된 말씀

정리하자면, 느헤미야 시대에는 결혼, 안식일, 성전에 대해서 모세의 율법을 바로 적용하기에 어려움이 있었습니다. 이에 따라 많은 백성이 이 세 가지 문제에서 어찌해야 할지를 몰라 자기 소견에 옳은 대로 결정했습니다. 따라서 포로 생활에서 돌아온 백성이 다시 언약을 맺으면서, 모세의 율법을 해석하고 적용하여 새로운 규칙을 포함하여 맹세했다는 내용입니다. 즉 율법을 해석하여 오늘날 적용할 수 있게 만들어 당대의 문제들을 해결했다는 것입니다. 해석하여 적용할 수 있는 말씀의 은혜가, 시대의 문제 앞에 새롭게 순종해야 할 백성들을 위해 주어진 것입니다.

우리에게 주어진 '해석된 말씀'

사랑하는 여러분, 오늘날에도 해석하여 적용할 수 있는 말씀의 은혜가 교회에 주어지고 있습니다. 오늘날 우리에게 이 해석하여 적용할 수 있는 말씀이 무엇이겠습니까? 가장 먼저는 성경이라고 할 수 있습니다. 성경은 그 자체로 하나님의 말씀이면서 동시에 해석된 말씀의 보고입니다. 구약을 이해하기 위해 신약의 해석이 필요하고, 신약의 해석을 위해 구약이 필요하죠. '말씀으로 말씀을 해석한다.'는 성경의 해석 원리가 신구약 성경에 고스란히 담겨 있습니다. 이와 동일한 원리로 신앙고백서와 교리문답서가 작성되었습니다. 신앙고백서와 교리문답서는 성경이 믿으라고 하는 내용과 순종하라고 하는 내용 '전체'를 해석하고 요약하여 논리적으로 정리한 책입니다. 오늘날 성경 전체의 진리를 배우고 알아가는 데 어려움을 겪는 우리에게 큰 도움을 주는 해석된 말씀이라고 할 수 있습니다. 한국 장로교회 상황에 가깝게는 총회의 헌법이 있습니다. 하나님의 말씀을 구체적인 교회정치에서 어떻게 적용할 것인지에 대한 총회의 성경해석의 결과물입니다. 우리 교회의 상황에 가깝게는 무엇이 있겠습니까? 우리 교회의 신앙생활 지침이 있을 것입니다. 성경과 신앙고백서와 헌법에 근거하여 마련한 지침입니다.

가장 우리 상황과 밀접한 관계에 있는 해석된 말씀은 설교입니다. 신앙고백서에 따르면, 신구약 성경에 근거를 두는 한 설교는 하나님의 말씀으로 받을 수 있습니다. 설교는 오늘날 우리가 처한 구체적인 상황 속에서 우리의 새로운 순종을 돕고 있습니다. 설교를 가까이하는 사람은 은혜에 의지하여 구체적인 순종에 이릅니다. 순간순간 어떻게 순종해야 할지 몰라서 기도하고, 응답을 받는 대로 순종합니다. 개혁신앙은 기도 응답을 부인하지 않습니다. 오히려 매주 하나님께서 분명하게 기도에 응답하신다고 가르칩니다. 그것이 바로 설교입니다. 아주 구체적이고 어려운 문제에 대해 하나님께 기도하고 기대함으로 듣는 자에게 분명한 응답이 있습니다.

하나님의 응답은 살아 있습니다. 내가 원하는 답만을 주시지 않습니다. 매일 사탕을 달라는 아들에게 '안돼!'라고 말하는 아버지처럼, 하늘 아버지께서는 정말 선한 것만 응답으로 주십니다. "A입니까 B입니까?" 하고 답을 정해놓고 여쭐 때, 설교를 통해 "그 질문이 잘못되었다."는 응답을 받기도 합니다. 바른 질문을 할 수 있도록 위로하시기도 합니다. 무엇을 어떻게 기도해야 할지 모를 때, 교리문답서의 주기도문을 펴서 따라 기도해보십시오. 말씀의 인도함을 받아 기도할 수 있습니다. 하루하루 매시간 구체적으로 인도함을 받을 수 있는 은혜가 성경을 통해, 신앙고백서와 교리문답서를 통해, 설교를 통해 제공됩니다. 이렇게 하나님께서는 우리와 대화하시면서 구체적인 상황에 답을 주신다는 것을 분명히 알 수 있습니다. 다만 우리가 들으려 하지 않기 때문에, 많은 응답을 놓치고 있는 경우가 많은 것입니다. 해석하여 적용할 수 있는 말씀의 은혜를 사모하시고, 부지런히 눈과 귀와 마음을 열어 듣고, 이전까지 생각해 보지 못한 새로운 순종으로 나아가게 되시기를 간절히 바랍니다.

하나님을 바라보며 반응할 수 있는 은혜

우리의 새로운 순종을 위하여, 하나님께서는 '하나님을 바라보며 반응'하게 하십니다. 마치 부모를 따라 하며 배우고 자라는 자녀처럼, 우리가 하나님의 성품과 하나님의 일하심을 바라보면서, 주어진 상황에서 창조적이고 새로운 순종을 행하게 하신다는 것입니다. 결혼과 안식과 성전, 이 세 가지는 하나님께서 이스라엘 백성에게 행하신 일과 매우 깊은 관련이 있어서, 그들이 새로운 순종을 위해 하나님을 바라볼 수 있는 통로가 됩니다.

결혼, 하나님께서 당신의 백성과 맺으신 언약

결혼은 무엇입니까? 언약으로 둘이 하나가 되는 것입니다. 결혼은 하나님께서 먼저 당신의 백성에게만 자신을 보여 주시고, 찾아오시고, 언약을 맺으신 일, 즉 이스라엘 백성에게 하나님께서 당신을 구별하신 일을 상징적으로 나타냅니다. 이 백성들이 율법을 들으며 말씀을 깨달았습니다. 그리고 그 신실하신 언약의 하나님을 말씀에서 보고 즐거워하였습니다. 그 결과, 이들의 결혼이 새롭게 거룩해지는 것입니다. 하나님이 이스라엘 백성에게 언약 관계에서 거룩하신 것처럼, 이스라엘 백성도 계속해서 선포된 율법과 말씀 가운데 바라본 그 하나님의 성품대로, 그 의로우심과 거룩하심과 성실하심대로, 자신들의 결혼도 새로워지기를 맹세합니다.

안식, 하나님께서 당신의 백성에게 주신 구원

안식일은 창조의 하나님께서 이스라엘을 애굽에서 건지시고 구원하신 일을 기억하는 날입니다. 안식년은 칠 년마다 한 해는 고아와 과부와 가난한 자가 그 땅에서 야생으로 난 곡식을 취하게끔, 면제년은 빚을 갚지 못해 노예가 된 자들을 면제하고 자유를 주기 위하여 생겼습니다. 구원 없이 안식도 없습니다. 율법 가운데 구원의 하나님으로 말미암아 안식을 누려야 한다는 것을 깨달은 백성들은 그 구원의 하나님을 말씀에서 보고 즐거워하였습니다. 그 결과, 이들도 구원의 하나님의 긍휼과 자비를 닮는 것입니다. 다시 칠 년마다 안식년과 면제년을 지키면서, '가난한 자를 돌아보겠다. 그들을 자유롭게 하겠다.' 맹세한 것이죠. 말씀에서 본 하나님의 행위대로, 그들도 행동하기로 결심하고 있는 것입니다.

성전, 하나님께서 당신의 백성을 만나는 집

성전에 대해서는 좀더 구체적인 말씀의 증거를 얻을 수 있습니다. 오늘 본문에서 이스라엘 백성은 하나님의 집, 성전으로 들어갑니다. 32절부터 39절까지 단 한 번도 빠지지 않고 매 구절 나오는 단어가 있습니다. '하나님의 집', 성전입니다. 그리고 34절부터 39절까지 단 한 번도 안 빠지고 매 구절 나오는 단어가 있습니다. '들어가다' 혹은 '가지고 들어가다'라는 의미를 지닌 '보아'라는 히브리어입니다. 성전과 관련된 내용은 다소 길지만 한 가지를 말하고 있습니다. '우리가 우리의 것들을 가지고 하나님의 집으로 들어가겠습니다.' 이것이 32–39절의 요약입니다.

놀랍게도, 이 내용은 하나님으로부터 먼저 나왔었습니다. "만일 내게로 돌아와서 내 계명을 지켜 행하면 너희 쫓긴 자가 하늘 끝에 있을찌라도 내가 거기서부터 모아 **내 이름을 두려고 택한 곳**에 **돌아오게 하리라** 하신 말씀을 이제 청컨대 기억하옵소서"(느 1:9). 느헤미야의 기도에 나오는 '내 이름을 두려고 택한 곳'은 성전입니다. 그 하나님의 집으로, 돌아오게 하리라(보아) 하신 하나님의 약속을 붙들고 느헤미야가 기도했었습니다. 하나님께서는 이 약속대로 이스라엘을 하나님의 나라, 하나님의 집으로 다시 들여보내셨습니다. 백성은 그들이 돌아와서 성벽을 쌓고, 모든 것이 회복되는 과정을 통해, 하나님이 하신 이 약속이 이루어졌다는 것을 보게 되었습니다. 하나님께서 먼저 다시 자기 집으로 백성을 들어오게 하셨다는 것을 보았습니다. 그래서 이들도, 성전에 들여보내 주시고 관계를 회복해 주신 하나님께, 자신의 모든 것을 드립니다. 1/3 세겔을, 십일조를, 첫 열매와 첫 농산물을 성전으로, 자기 몸 대신 들여보내며 새롭게 순종하고 있는 것입니다. 이들의 새로운 순종은 하나님이 행하신 일을 보고 반응한 결과였습니다.

그리스도를 바라볼 수 있는 은혜

사랑하는 성도 여러분, 분명히 이들이 회개의 열매를 맺고 있고, 이들이 하나님께 순종을 드리고 있는데, 그들의 모습에서 하나님의 성품과 하나님의 행위와 하나님의 모습이 보입니다. 이것이 새로운 순종의 모습입니다. 하나님을 만나 직접 배운 것처럼, 이들의 순종이 하나님의 모습을 많이 닮았습니다. 구약의 그 희미한 말씀의 빛 가운데서도, 이스라엘이 결혼과 안식과 성전을 통해 하나님을 보고 배웠습니다. 하물며 우리는 하나님의 형상이신 그리스도 안에서 얼마나 더 잘 보고 배울 수 있겠습니까?

그리스도 안에서 우리도 결혼과 안식과 성전을 하나님을 바라보는 통로로 사용할 수 있습니다. 신랑 되신 예수 그리스도께서 그의 신부를 위하여 죽임을 당하신 은혜를 바라봅시다. 그리스도 안에서만 누릴 수 있는 참된 안식과 평안을 우리 형제들과 함께 바라봅시다. 참 성전이 되셔서 3일 만에 그 성전을 다시 일으켜 세우신 부활의 그리스도, 그분의 성령님을 보내셔서 우리 몸을 성령의 전으로 삼아주신 그분의 은혜를 바라봅시다. 성경을 통해, 설교를 통해 이 그리스도를 깊이 바라보는 사람은, 그리스도가 우리에게 보이신 그 사랑을 따라서 사랑할 수 있습니다. 이웃과 형제를 이전과는 다르게, 새 마음과 새로운 순종으로 사랑하고 섬기기 시작합니다.

말씀을 통해 그리스도와 더 깊이 교제하면 할수록, 성도의 순종은 성숙하고 무르익고 깊어집니다. 그리스도의 칭의의 은혜 저 깊은 곳을 바라보는 성도는 도무지 용서할 수 없는 사람을 용서할 것입니다. 양자의 은혜 저 깊은 곳을 들여다보는 성도는, 사랑받을 자격 없다고 여겨지는 사람을 사랑할 것입니다. 성화의 은혜 저 깊은 곳을 들여다보는 성도는, 자녀를 거룩하게 양육하기 위해, 순결한 결혼을 지키기 위해, 성결한 삶을 살아가기 위해 참을 수 없는 일들을 인내할 것입니다. 영화의 은혜 그 깊은 곳을 들여다보는 성도는, 끝내 하나님의 영광이 될 것입니다. 이 은혜가 우리를 구체적인 상황 속에서 어떻게 행동할지, 무엇을 선택할지를 알려 줄 것입니다. 이 은혜를 사모하며 의지하는 모든 사람에게, 이전에 알지 못하던 새로운 순종이 시작될 것입니다.

순종하기 위해 은혜를 구하는 교회

사랑하는 성도 여러분, 해석된 말씀의 은혜, 하나님을 바라보며 반응하는 은혜 가운데, 새로운 순종을 기대하시기 바랍니다. 주님께서 우리의 순종의 결단에 함께하실 때, 우리가 순종을 마음먹는 순간, 가득 채워지는 기쁨을 경험하게 될 것입니다. 성도의 수많은 의무들이 더는 불평의 이유가 되지 않을 것입니다. 순종할 수 있음에 감사하게 될 것입니다. 은혜를 의지하는 모든 성도의 삶에 삼위 하나님께서 함께하시기를, 성부와 성자와 성령의 이름으로 간절히 축원합니다.

17

예루살렘의
즐거워하는 소리

17
예루살렘의 즐거워하는 소리

27 예루살렘 성곽이 낙성되니 각처에서 레위 사람들을 찾아 예루살렘으로 데려다가 감사하며 노래하며 제금 치며 비파와 수금을 타며 즐거이 봉헌식을 행하려 하매 28 이에 노래하는 자들이 예루살렘 사방 들과 느도바 사람의 동네에서 모여 오고 29 또 벧길갈과 게바와 아스마웻 들에서 모여왔으니 이 노래하는 자들은 자기를 위하여 예루살렘 사방에 동네를 세웠음이라 30 제사장들과 레위 사람들이 몸을 정결케 하고 또 백성과 성문과 성을 정결케 하니라 31 이에 내가 유다의 방백들로 성 위에 오르게 하고 또 감사 찬송하는 자의 큰 무리를 두 떼로 나누어 성 위로 항렬을 지어가게 하는데 한 떼는 우편으로 분문을 향하여 가게 하니 32 따르는 자는 호세야와 유다 방백의 절반이요 33 또 아사랴와 에스라와 므술람과 34 유다와 베냐민과 스마야와 예레미야며 35 또 제사장의 자손 몇이 나팔을 잡았으니 요나단의 아들 스마야의 손자 맛다냐의 증손 미가야의 현손 삭굴의 오대손 아삽의 육대손 스가랴와 36 그 형제 스마야와 아사렐과 밀랄래와 길랄래와 마애와 느다넬과 유다와 하나니라 다 하나님의 사람 다윗의 악기를 잡았고 학사 에스라가 앞서서 37 샘문으로 말미암아 전진하여 성으로 올라가는 곳에 이르러 다윗 성의 층계로 올라가서 다윗의 궁 윗길에서 동향하여 수문에 이르렀고 38 감사 찬송하는 다른 떼는 저희를 마주 진행하는데 내가 백성의 절반으로 더불어 그 뒤를 따라 성 위로 행하여 풀무 망대 윗길로 성 넓은 곳에 이르고 39 에브라임 문 위로 말미암아 옛문과 어문과 하나넬 망대와 함메아 망대를 지나 양문에 이르러 감옥 문에 그치매 40 이에 감사 찬송하는 두 떼와 나와 민장의

절반은 하나님의 전에 섰고 41 제사장 엘리아김과 마아세야와 미냐민과 미가야와 엘료에내와 스가랴와 하나냐는 다 나팔을 잡았고 42 또 마아세야와 스마야와 엘르아살과 웃시와 여호하난과 말기야와 엘람과 에셀이 함께 있으며 노래하는 자는 크게 찬송하였는데 그 감독은 예스라히야라 43 이 날에 무리가 크게 제사를 드리고 심히 즐거워하였으니 이는 하나님이 크게 즐거워하게 하셨음이라 부녀와 어린아이도 즐거워하였으므로 예루살렘의 즐거워하는 소리가 멀리 들렸느니라_**느헤미야 12장 27-43절**

들어가며: 하나님이 기뻐하게 하신 기쁨의 봉헌식

오늘 본문의 핵심 단어는 '기쁨'입니다. 우선 기쁨으로 시작해서 기쁨으로 끝납니다. 처음 27절에 "즐거이 봉헌식을 행하려 하매"에서 '즐거이'는 '기쁨'이라는 명사입니다. '기쁨의 봉헌식'을 시작하였습니다. 또 마지막 43절에 "예루살렘의 즐거워하는 소리가 멀리 들렸다."에서 '즐거워하는' 역시 '기쁨'이라는 명사입니다. "기쁨의 소리가 들렸다."는 것입니다. 하나님께 성을 구별하여 드리는 봉헌식 전체가 기쁨의 축제였습니다. 이뿐만 아니라 오늘 본문의 결론에 해당하는 43절에, '기뻐하다'라는 똑같은 동사가 세 번 나옵니다. '즐거워하였으니', '즐거워하게 하셨음이라', '즐거워하였으므로'. 이 모든 동사가 '기뻐하다' 입니다. 히브리어에서 같은 단어를 세 번 반복하면, 최상급보다 더한 '신적'인 상태를 뜻합니다. 이 기쁨이 신적인 기쁨, 완전한 기쁨이었다는 것을 뜻합니다. 본문에도 이 기쁨의 의미를 알려주려고 이유를 설명하고 있습니다. "이는 하나님이 크게 즐거워하게 하셨음이라." 하나님이 주신 큰 기쁨이 있었다고 말합니다.

오늘 본문은 예루살렘 성의 봉헌식을 통해, 하나님 나라의 본질을 밝히고 있습니다. 하나님의 나라는 어떤 나라인가? 기쁨의 나라입니다. 하나님 나라는 본질적으로 기쁨의 나라입니다. 교회는 본질적으로 기뻐하는 사람들입니다. 이 기쁨을 위해 느헤미야가 에스라가 온 백성이 지금 이 때까지 고난을 견디며 성을 쌓았던 것입니다.

사랑하는 성도 여러분, 언약의 자녀 여러분, 하나님 나라는 기쁨의 나라라고 하는데, 여러분의 하루하루는 어떠합니까? 하나님 나라의 시민으로서 하루하루를 즐거워하고, 즐거워하고, 또 즐거워하고 있습니까? 만약에 기쁨과 즐거움이 없거나 너무 작다면, 그 이유가 무엇이겠습니까? 우리는 어떻게 기쁨을 회복할 수 있겠습니까? 이러한 질문에 대한 답을 오늘 본문이 밝혀주고 있습니다. 오늘 말씀을 통해 기쁨의 은혜를 회복하고 또 누리게 되시기를 바랍니다.

기쁨의 이유

우리는 먼저, 본문의 백성들이 무엇 때문에 기뻐했는지를 알아야 합니다. 그들은 두 가지 이유로 기뻐합니다.

첫째, 하나님의 임재에 기뻐한 백성

이스라엘 백성은 하나님의 임재를 기뻐하고 있습니다. 그 기쁨이 '봉헌식 준비 과정'에서 구체적으로 나타납니다. 먼저 백성이 봉헌식을 준비하며 가장 먼저 한 일은 레위인들을 다 불러 모은 것입니다(27절). 예루살렘 성 사방에 정착해서 집을 짓고 사는 레위인들을 모두 찾아서 예루살렘 성으로 데리고 옵니다. 이들을 왜 불렀을까요? "즐거이 봉헌식을 행하려고"(27절), 즉 '기쁨이 함께 하는 봉헌식'을 위해서입니다. 노래와 연주를 통해 기쁨을 더 풍성히 표현하기 위해서 레위인도 부르고 노래 부르는 자도 불렀습니다. 레위인은 성전 봉사자들입니다. 성전 봉사자가 '성벽' 봉헌식에 모두 집결합니다. 예루살렘 성이 성전의 확장이며, 하나님이 임재하시는 성전의 기능을 예루살렘 성 전체가 가진다는 것을 의미합니다. 이제 이 성은 하나님이 함께하시는 성전과 같은 성으로 다시 회복될 것입니다. 백성은 그것을 기뻐하고 있습니다.

'정결 의식'(30절)이 예루살렘 성이 가지고 있는 '성전'의 의미를 더 부각합니다. 정결 의식은 부정을 씻는 것입니다. 사람은 몸을 씻고 금식을 하고, 옷을 빨고, 정결수를 뿌려서 정결 의식을 가졌습니다. 성문이나 성벽 같은 건물에도 우슬초를 흔들어 만든 정결수를 뿌렸습니다. 제사장과 레위인이 참석했고, 백성들과 성문, 성, 모든 것을 정결하게 씻었습니다. 왜 부정을 씻습니까? 하나님을 만나기 위해서입니다. 정결 의식은 하나님을 만나기 전에, 준비하기 위한 과정으로 하나님이 명령하신 의식입니다. 출애굽 이후 시내 산에서 첫 번째 정결 의식이 있었습니다(출 19:10-11). "… 너는 백성에게로 가서 오늘과 내일 그들을 성결케 하며 그들로 옷을 빨고 예비하여 제 삼일을 기다리게 하라 이는 제 삼일에 나 여호와가 온 백성의 목전에 시내 산에 강림할 것임이니." 그리고 말씀대로 하나님은 시내 산에 오셨고, 친히 십계명을 선포하셨습니다. 지금 이스라엘 백성들은, 시내 산에 강림하실 하나님을 위해 준비하듯이, 그렇게 이 봉헌식을 준비하고 있습니다. 임재하신 하나님이 백성들의 부정함에 진노하지 않고 기뻐하시는 봉헌식이 되도록, 이 성에 하나님이 함께하시는 것이 얼마나 기쁜지 마음껏 표현할 수 있도록, 만반의 준비를 했다는 뜻입니다.

예루살렘은 원래 다윗 때부터 하나님이 임재하시는 '시온성'이라 불렀습니다. 백성들은 이 성이 다시 하나님께서 임재하시는 성이 되었음을 봉헌식을 통해 선언하고 있습니다. 이 성을 멸망하게 하시고 떠나셨던 하나님께서 이제 다시 돌아오신다는 사실에 기뻐하고 즐거워했습니다. 하나님의 나라는 '하나님이 함께하심을 가장 기뻐하는 사람들의 나라'라는 것을 보여 주고 있습니다. '하나님의 임재', 이것이 백성이 기뻐했던 첫 번째 이유였습니다.

둘째, 하나님의 통치에 기뻐한 백성

회복된 이스라엘은 하나님께서 왕으로 다스리시는 나라가 다시 섰다는 것에 가장 기뻐합니다. 그 기쁨이 '봉헌식 과정'에서 잘 드러나고 있습니다(31–43절). 봉헌식은 두 개의 순서로 진행됩니다. 첫 번째 순서는 찬양대의 행진이고, 두 번째 순서는 기쁨의 제사입니다. 첫 번째 순서인 찬양대의 행진은 전례를 찾을 수 없을 정도로 매우 독특한 방식으로 이루어집니다. 이 행진은 같은 구성으로 이루어진 두 찬양대의 행진입니다. 에스라가 속한 '에스라 찬양대'가 있고, 느헤미야가 속한 '느헤미야 찬양대'가 있습니다. 두 찬양대는 유다 지도자 절반, 제사장 일곱 명, 레위인 아홉 명으로 주요 구성원이 같습니다. 이들이 성 위에 올라가서 남서쪽 골짜기 문이라는 곳에서부터 노래하고 연주하며 출발합니다. 에스라 찬양대는 시계 반대 방향으로 돌아서 올라갑니다. 느헤미야는 시계 방향으로 올라갑니다. 앞에서는 노래하고 뒤에서는 악기를 연주합니다. 좌우의 스테레오 사운드가 성을 감쌉니다. 완성된 성을 걸어가면서, 백성들은 성이 완성되기까지 일어난 일들을 깊이 묵상했을 것입니다. 특히 느헤미야 찬양대가 걷는 길은 처음에 느헤미야가 도착해서 한밤에 도성 탐방을 했던 경로라 감회가 더 새로웠을 것입니다. 끝까지 올라가 마지막에는 두 찬양대가 각각 성전에서 가까운 문을 통해 내려와서 만납니다. 성전에서 만난 후 레위인과 제사장은 안으로 들어가고, 백성과 지도자는 밖에 남아 예배합니다.

언약궤를 메고 들어온 다윗의 찬양단

이 독특한 광경 속에서 우리는 처음으로 언약궤를 성으로 메고 들어온 다윗 시대의 찬양 행렬을 기억하게 됩니다. 왜 그렇습니까? 우선 본문에서 '다윗'의 이름이 자주 보입니다. 36-37절을 보시면, 그냥 '악기'라고 하면 될 것을, "하나님의 사람 다윗의 악기"를 잡았다고 기록합니다. 37절에도 다윗을 두 번이나 언급하죠. "다윗 성의 층계로 올라가서 다윗의 궁 윗길에서". 또 연주하는 레위인과 노래하는 자들을 다윗이 조직하였습니다. 역대상 25장에 다윗이 아직 지어지지도 않은 성전을 위해 찬양단을 조직하는 모습을 볼 수 있습니다. 특별히 '제사장, 레위인, 유다 지도자들'이 찬양대를 이루는데, 이 찬양대 구성이 바로 언약궤를 성으로 들여올 때, 다윗과 함께했던 찬양대의 구성과 같습니다. "다윗이 레위 사람의 어른들에게 명하여 그 형제 노래하는 자를 세우고 비파와 수금과 제금 등의 악기를 울려서 즐거운 소리를 크게 내라 하매"(대상 15:16). 악기 구성까지 똑같습니다. 즉 예루살렘 성 봉헌식은 하나님의 통치가 가장 빛났던 '다윗'의 시대와 긴밀하게 연결되어 있습니다. '하나님께서 이 나라의 왕이십니다!' 하며 큰 기쁨으로 춤추고 노래했던 다윗 시대와 연결되어 있습니다.

이어서 봉헌식의 두 번째 순서인 기쁨의 제사가 이어집니다. 이 제사에 대해서는 별다른 설명이 없고, 즐거워했다는 것을 강조합니다. 아마도 이 제사는 화목제였을 것으로 추정됩니다. "부녀와 어린아이도 즐거워하였다"(43절)고 되어 있는데, 화목제물은 부녀와 아이도 즐길 수 있었습니다. 가장 좋은 부위를 하나님께 드리고, 일부를 제사장과 레위인에게 주고, 나머지는 제사 드린 가족들이 먹는 화목제를 드리면서, 하나님과 관계가 회복된 것을 기뻐하였을 것입니다. 이 화목제 역시 다윗이 언약궤를 들여오고 나서 백성들과 함께 즐거워하며 드린 제사였습니다.

결론적으로, 봉헌식 전체가 다윗이 언약궤를 들여와 하나님의 통치를 선포한 사건과 관련되어 있습니다. 다윗이 한 나라의 왕이지만 하나님 앞에서는 한 사람의 예배자에 불과하다는 것을 만천하에 드러냈던 사건과 연결되고 있습니다. 오늘 본문의 백성들 역시 성벽이 완성되어 하나님께서 통치하시는 나라로 다시 회복되었음을 기뻐합니다. 얼마나 즐거워하였으면 성 밖에서 그 소리가 들렸을까요? 성전 기초가 놓였을 때는 우는 소리도 섞여 있었는데(스 3:12-13), 이제 우는 소리 하나 없이 기쁨의 소리뿐입니다. 언약궤가 들어올 때, 속옷이 내려가는 줄도 모르고 춤췄던 다윗처럼 춤을 추었는지도 모릅니다. 다윗이 하나님의 통치하심에 기뻐했던 그 기쁨이 오늘 본문의 백성에게도 똑같이 있었습니다. '다시 이 성이 하나님의 통치를 받기 시작하다!' 이것이 백성의 기쁨의 두 번째 이유였습니다.

하나님의 임재와 통치를 기뻐하는 백성의 나라

오늘 본문의 백성은 하나님의 임재와 하나님의 통치를 기뻐하며 성벽을 봉헌하여 드렸습니다. 우리는 이 본문이 가장 강조하는 것은 성벽이나 성전이 아니라 '백성'들이라는 것을 주목해야 합니다. 이 기사가 보여 주는 것은, 하나님의 임재와 통치를 싫어하여 망했던 백성이, 이제 회복되었다는 것입니다. 결론적으로 성벽의 회복은 곧 하나님 나라 백성의 회복을 뜻합니다. 하나님의 임재를 기뻐하는 백성, 하나님의 통치를 기뻐하는 백성으로 회복되었다는 것이 본문의 주제입니다. 말씀을 듣고 회개하고 하나님의 임재와 통치 아래에 자신을 구별해 드린 백성에게 하나님은 말로 다 할 수 없는 큰 기쁨을 선물로 주셨다는 것입니다. 따라서 오늘 본문은, '하나님의 임재와 통치에 자신을 구별하여 드리는 백성에게, 하나님이 큰 기쁨을 주신다.'는 가르침을 주고 있습니다.

첫째, 삼위 하나님은 백성에게 기쁨을 주기 원하신다

영원 전에 삼위 하나님께서는 사랑으로 말미암는 완전하고도 충만한 큰 기쁨을 삼위 하나님 안에 누리고 계셨습니다(잠 8:30; 마 3:16–17; 12:18; 17:5; 요 1:1; 17:24). 태초에 하나님께서는 천지를 창조하시고 그 기쁨을 온 세상에 드러내셨습니다(창 1:31; 잠 8:31). 그리고 창조한 사람에게로 오셔서, 통치하심으로 우리가 큰 기쁨 가운데 머물기를 원하셨습니다(창 2:15–17; 3:8a). 그러나 죄로 말미암아 모든 것이 망가졌습니다. 아담과 함께 죄를 지었을 때, 우리도 그의 통치를 거부하였고, 우리도 하나님의 임재를 피해 숨어버렸습니다(창 3:8; cf. 히 7:10). 우리 힘으로는 하나님의 임재의 기쁨도, 하나님의 통치의 기쁨도 누릴 수 없는, 죄인이 되었습니다(롬 5:14; 고전 15:22a).

저와 여러분은 무너진 성전, 무너진 성벽, 버려진 돌무더기처럼 비참한 인생들이었습니다. 그러나 삼위 하나님께서는 사랑하고자 하신 사람들에게 여전히 큰 기쁨을 주기를 원하셨습니다. 얼마나 사랑하고 얼마나 원하셨던지, 이를 위하여 엄청난 대가를 지불하셨습니다. 그 대가가 무엇입니까? 예수 그리스도, 하나님의 독생자를 내어주신 것입니다. 그리스도께서는 십자가에서 우리의 범죄 때문에 죽으셨고, 우리의 의로움을 위하여 부활하셨습니다(롬 4:25). 그분을 믿는 자마다 회복된 성전, 회복된 성벽이 됩니다. 하나님의 임재와 하나님의 통치가 회복됩니다. 하나님께서 자기 아들의 죽음으로 우리의 기쁨을 위한 대가를 다 치르셨기 때문입니다(히 2:9).

사랑하는 여러분, 하나님은 독생자 예수 그리스도를 내어주실 만큼 우리에게 큰 기쁨 주기를 원하십니다. 이 말씀을 깨닫고 믿으며 하나님께 깊이 감사하시기 바랍니다. 혹시 이 자리에, 우리의 기쁨을 원하시는 삼위 하나님을 아직 알지 못한 분이 계시면, 예수 그리스도를 믿고, 이 큰 기쁨을 누리게 되시기를 간절히 바랍니다.

둘째, 하나님의 백성은 성전과 성벽답게 살아야 한다

세상이 줄 수 없는 기쁨을 받은 우리는, 성전답게 하나님의 임재를, 성벽답게 하나님의 통치를 기뻐하며 살아야 합니다. 다시 말해, 우리 삶이 예배와 순종이어야 합니다. 사랑하는 여러분, 이제 그리스도 안에서 우리가 성전입니다(고전 3:26; 고후 6:16; 엡 2:21). 건물을 성전이라 부르던 시대는 끝났습니다. 이동 성전의 시대, 성도 각 사람이 성령의 전으로 살아가는 시대가 그리스도로 말미암아 열렸습니다. 이제 우리가 성곽이신 하나님(슥 2:5)이 임재하시는 회복된 성전의 역할을 해야 합니다. 성도의 삶이 예배하는 성전 그 자체여야 합니다. 마찬가지로 그리스도 안에서 이제 우리가 성벽입니다. 건물 성벽의 시대는 끝났습니다. 각 사람이 벽돌이 되고, 하나님의 군사가 되어 전신 갑주를 입고(엡 6:11, 13), 하나님 나라를 위해 싸우는 시대입니다. 그래서 이제 우리가 회복된 성벽 역할을 해야 합니다. 각 성도의 삶이 순종하는 삶, 하나님의 통치를 받는 성벽이어야 합니다.

성전과 성벽, 우리의 정체성

사랑하는 성도 여러분, 성전과 성벽, 이것이 우리의 정체성입니다. 바로 여기에서 우리의 신앙생활이 무료하고, 기쁘지 않고, 즐겁지 않은 원인을 발견합니다. 예배가 없는 성전에 기쁨이 있을 수 있습니까? 성전이 예배하기를 포기하면 기쁨도 없습니다. 하나님의 통치를 거부하는 성에 평안이 있을 수 있을까요? 백성이 하나님의 통치를 포기할 때, 성은 무너졌습니다.

예배하지 않는 성도, 순종이 없는 성도의 삶이 즐거울 수가 없다는 말입니다. 물론, 공부하랴, 야근하랴, 애들 돌보랴, 그 가운데 예배하며 순종하는 것, 결코 쉽지 않습니다. 예배하려고 할 때마다, 순종하려 할 때마다 고난이 따를 것입니다. 그러나 이 시대에 성전과 성벽으로 부름 받은 우리가 기억해야 할 것은, 고난이 힘들어서 내린 결론이 '나 고난 안 받을 거야.'가 되어서는 안 된다는 것입니다. 차라리 힘들어서 울면 울었지, 괴로워서 아팠으면 아팠지, 예배와 순종을 포기하면 안 됩니다. 고난이 있다고 예배를 멈추면 성전이 아니기에, 고난이 있다고 순종을 멈추면 성벽이 아니므로, 울고, 아프고, 애통하더라도 예배하고 순종해야 합니다. 오늘 본문처럼 예배하고 순종할 때 우리에게 하늘의 기쁨이 임하게 되기 때문입니다.

> "그리스도를 위하여 너희에게 은혜를 주신 것은 다만 그를 믿을 뿐 아니라 또한 그를 위하여 고난도 받게 하심이라"(빌 1:29).
> "우리가 그와 함께 영광을 받기 위하여 고난도 함께 받아야 될 것이니라"(롬 8:17).

하나님의 말씀은 고난을 명령합니다. 우리를 괴롭히고 싶어서가 아닙니다. 그리스도를 내어주실 만큼 큰 기쁨을 주기 원하시는 분이, 같은 마음으로 고난도 주시는 것입니다. 고난 받지 않으려는 것이 교회 안에 유행하는 시대입니다. '예배를 못 드려도 좋으니 가난에서 벗어나게 해주세요.' '순종을 못 해도 좋으니 학교는 좋은 곳 가게 해주세요.' '하늘의 기쁨은 없어도 좋으니 내 마음대로 살게 해주세요.' 이런 기도가 유행인 시대를 살고 있습니다. 성전과 같은 성벽이신 여러분, 차라리 울며 고난 당하시기 바랍니다. 그 고난을 통해 하늘의 큰 기쁨을 위로로 받는 여러분이 되시기를 간절히 바랍니다.

셋째, 하나님은 애통해 하는 백성에게서 임재와 통치를 거두지 않으신다

말씀이 주는 마지막 교훈은, 삶이 이미 고난으로 가득 찬 성도에게 주시는 삼위 하나님의 위로입니다. 이미 많이 아프고 상처 입고 괴로운 성도, 이미 예배와 순종을 드릴 힘도 없이 고난을 당하는 성도가 계시면, 꼭 기억하시기 바랍니다. 하나님의 임재와 통치가 그 고난에도 여전히 살아 있습니다. 여러분이 겪는 그 고난에 하나님이 임재해 계시고, 눈물짓는 그 고통을 하나님이 통치하고 계십니다. 여러분이 성전이고 성벽인 이상, 그 삶으로 부름 받은 이상, 우리 삶에 하나님의 임재와 통치 없이 일어나는 일은 하나도 없습니다. 바울 사도의 가르침을 들으십시오. "마지막으로 말하노니 형제들아 기뻐하라 온전케 되며 위로를 받으며 마음을 같이 하며 평안할지어다 또 사랑과 평강의 하나님이 너희와 함께 계시리라"(고후 13:11). 기뻐하고 위로를 받고 평안하라. 사랑과 평강의 하나님이 너희와 함께 계시리라. 위로를 받으십시오. 예수님도 기도하셨습니다. "아버지께서 아들에게 주신 모든 자에게 영생을 주게 하시려고 만민을 다스리는 권세를 아들에게 주셨음이로소이다"(요 17:2). 영생을 주게 하시려고 만민을 다스리는 권세를 받으신 아들이 여러분이 겪는 고난까지 다스리고 계십니다.

죽을 것만큼 힘들 때는, 이 말씀을 통해 우리 주 예수 그리스도를 바라보십시오. "믿음의 주요 또 온전케 하시는 이인 예수를 바라보자 저는 그 앞에 있는 즐거움을 위하여 십자가를 참으사 부끄러움을 개의치 아니하시더니 하나님 보좌 우편에 앉으셨느니라"(히 12:2). 예수님이 하나님 보좌 우편에서 누리고 계시고, 이제 우리의 것이 될 그 기쁨은 십자가도 참을 수 있을 만큼 강한 기쁨입니다. 죽음도 견딜 수 있을 정도로 큰 기쁨입니다. 말씀을 묵상하며 그리스도와 교제하며, 큰 기쁨을 가지고 계신 그리스도께 그 기쁨을 받으십시오. 죽음보다 더 큰 기쁨으로 우리와 함께해 주시고 우리를 다스려 달라고 기도하시기 바랍니다.

교회의 즐거워하는 소리

'예루살렘의 즐거워하는 소리', 그것은 하나님께서 주신 참 기쁨에서 터져 나오는 소리였습니다. 소망합니다. 모든 성도의 삶에서 즐거워하는 소리가 터져 나오기를 기대합니다. 그 기쁨을 위하여 하나님의 임재와 통치를 포기하지 않는 시온성과 같은 여러분이 되시기를, 성부와 성자와 성령의 이름으로 간절히 축원합니다.

18

계속 개혁되는 교회 1,
성전

18

계속 개혁되는 교회 1, 성전

1 그 날에 모세의 책을 낭독하여 백성에게 들렸는데 그 책에 기록하기를 암몬 사람과 모압 사람은 영영히 하나님의 회에 들어오지 못하리니 2 이는 저희가 양식과 물로 이스라엘 자손을 영접지 아니하고 도리어 발람에게 뇌물을 주어 저주하게 하였음이라 그러나 우리 하나님이 그 저주를 돌이켜 복이 되게 하셨다 하였는지라 3 백성이 이 율법을 듣고 곧 섞인 무리를 이스라엘 가운데서 몰수히 분리케 하였느니라 4 이전에 우리 하나님의 전 골방을 맡은 제사장 엘리아십이 도비야와 연락이 있었으므로 5 도비야를 위하여 한 큰 방을 갖추었으니 그 방은 원래 소제물과 유향과 또 기명과 레위 사람들과 노래하는 자들과 문지기들에게 십일조로 주는 곡물과 새 포도주와 기름과 또 제사장들에게 주는 거제물을 두는 곳이라 6 그 때에는 내가 예루살렘에 있지 아니하였었느니라 바벨론 왕 아닥사스다 삼십이 년에 내가 왕에게 나아갔다가 며칠 후에 왕에게 말미를 청하고 7 예루살렘에 이르러서야 엘리아십이 도비야를 위하여 하나님의 전 뜰에 방을 갖춘 악한 일을 안지라 8 내가 심히 근심하여 도비야의 세간을 그 방 밖으로 다 내어던지고 9 명하여 그 방을 정결케 하고 하나님의 전의 기명과 소제물과 유향을 다시 그리로 들여놓았느니라 10 내가 또 알아본즉 레위 사람들의 받을 것을 주지 아니하였으므로 그 직무를 행하는 레위 사람들과 노래하는 자들이 각각 그 전리로 도망하였기로 11 내가 모든 민장을 꾸짖어 이르기를 하나님의 전이 어찌하여 버린 바 되었느냐 하고 곧 레위 사람을 불러 모아 다시 그 처소에 세웠더니 12 이에 온 유다가 곡식과 새 포도주와 기름의 십일조를 가져다가 곳간에 들이

므로 13 내가 제사장 셀레먀와 서기관 사독과 레위 사람 브다야로 고지기를 삼고 맛다냐의 손자 삭굴의 아들 하난으로 버금을 삼았나니 이는 저희가 충직한 자로 인정됨이라 그 직분은 형제들에게 분배하는 일이었느니라 14 내 하나님이여 이 일을 인하여 나를 기억하옵소서 내 하나님의 전과 그 모든 직무를 위하여 나의 행한 선한 일을 도말하지 마옵소서_**느헤미야 13장 1-14절**

들어가며: 왜 우리는 금방 넘어질까?

느헤미야의 마지막 장에 이르렀습니다. 영화로 생각한다면 13장은 엔딩(결말)이라고 할 수 있습니다. 그런데 여러분 어떻게 생각하십니까? 이 영화가 해피 엔딩으로 잘 마치고 있습니까? 차라리 12장에서 끝났다면 어땠을까요? '성벽이 완성되고, 성벽 봉헌식이 있고, 즐거운 소리가 멀리서 들렸다!' 여기서 끝나는 게 해피 엔딩이고, 완벽한 마무리 아니었을까요? 하지만 느헤미야는 12장을 지나 13장에서 끝납니다. 13장은 비슷한 주제를 가진 세 개의 이야기가 등장하는데, 오늘 읽은 본문이 그 첫 번째 이야기입니다.

해피 엔딩입니까? '예루살렘의 백성은 그 이후로도 즐겁고 행복하게 오래오래 살았답니다.'입니까? 전혀 아니죠. 오히려, 다시 시작합니다. 이스라엘의 숙적 모압 사람 도비야가 다시 등장해서 성전에 방을 내고 떡하니 자리를 잡습니다. 왜일까요? 성전 봉사자들이 먹을 것들을 두는 방이 텅 비었고, 그들이 결국 생계를 위해 성전을 떠났기 때문이죠. 그래서 느헤미야가 하나님의 보냄을 받아 다시 개혁하고 있습니다. 대단원의 막을 내려야 할 시점에 이야기가 다시 시작하는 것 같습니다.

새로운 내용을 담은 새로운 형식

본문 3절까지는 그래도 12장의 행복한 분위기가 계속 이어집니다. 하나님의 말씀을 읽고, 그 말씀에 기록된 대로 하나님의 회에서 모압과 암몬 이방인을 구별합니다. 이것은 인종차별이 아닙니다. 단순히 모압과 암몬 '출신'에 따라 구별한 것이 아니었습니다. 모압과 암몬이 보여 준 '태도'로 여호와 하나님을 예배하는 자리에 슬쩍 들어와 있던 자를 구별해 낸 것입니다. 모암과 암몬이 보인 태도는 율법이 설명하고 있습니다. 한마디로 '하나님과 그 백성을 싫어하는 마음, 적대하는 태도'입니다(2절).

과거에 암몬은 애굽에서 나온 이스라엘 백성이 자신들의 땅을 밟고 지나가지 못하게 했습니다. 빵과 물도 주지 않았고, 가까이 오는 것을 싫어했습니다. 또한 모압은 발람이라는 선지자에게 뇌물을 주고 이스라엘을 저주하려고 했습니다(민 22:2-40). 이처럼 느헤미야 시대에도, 실제로는 하나님과 그 백성을 적대하면서도 사적인 이익을 누리기 위하여 예배를 통해 교회 속으로 침투했던 사람들이 있었습니다. 교회는 바로 그들을 내보냈습니다. 3절 말씀 그대로, 그들이 "섞인 무리들"이었기에 분리한 것입니다.

1–3절 말씀은 간단한 기사이지만, 12장과 오늘 본문을 연결하는 다리 역할을 합니다. 그리고 오늘 본문 전체의 주제를 잘 드러냅니다. '내용은 형식과 함께 가야 한다.'는 주제를 잘 드러내죠. '하나님의 임재와 통치를 기뻐하자!'고 즐거워할 뿐 아니라, 그 기쁨을 담아낼 예배 구성원을 갖춘 것입니다. 새로운 내용에 맞는 새로운 형식을 갖춘 것입니다. 그 앞에 있는 12장 44절 이후에 일어난 일도 같은 맥락입니다. '우리가 우리 하나님의 전을 버려두지 아니하리라.' 감동적인 고백을 기억하시죠?(10:39) 그 고백대로 하나님의 전을 버리지 않기 위해, 어떤 형식을 갖췄습니까? 직분을 회복하고 성전 창고를 채웠습니다. 한마디로, 주신 은혜의 내용을 쏟아버리지 않도록, 그릇을 만들었습니다. 내용에 따라 형식을 만든 것입니다.

이 자리에 초등학교 1학년 자녀들이 있는데, 한 해 어떻게 보냈나요? 부모님들도 적응하느라 힘드셨죠? 초등학교 1학년 내용을 배우기 위해서는 유치원 시간표로 살면 안 됩니다. 새로운 시간표로 살아야 합니다. 결혼하면, 이전의 삶의 형식에서 새로운 형식으로 넘어가야 합니다. 형식이 못 따라갈 때, 자주 다투게 됩니다. '삼위 하나님을 예배하는 것이 참 예배구나!'라고 깨달았다면, 예배 용어와 예배 순서가 따라가야 합니다. 즉 새로운 내용은 새로운 형식과 함께 가야 합니다. 새 술은 새 부대에 담아야 둘 다 보존된다는 말입니다(마 9:17). 이것은 성전인 저와 여러분이 항상 해야 할 일이고 하나님 나라를 소망하는 교회가 늘 해야 할 일입니다.

내용과 형식을 금방 잃어버리는 우리

안타까운 것은, 우리가 금방 되돌아간다는 것입니다. 그 새로운 내용과 새로운 형식을 우리가 오래 보존하지 못합니다. 느헤미야가 자리를 비우자, 바로 이스라엘의 숙적 도비야에게 성전 입구에 있는 큰 방을 내어 줍니다(5절). 깨달음과 회개의 과정은 매우 긴데, 옛 삶으로 돌아가는 것은 한순간입니다. 주일에 교회 문을 나서자마자, 바로 우리의 생각과 말과 행동에 죄가 침투하기 시작합니다. 회복되자마자, 바로 개혁의 대상이 되어 버리는 오늘 본문의 모습이 왠지 낯설지가 않은 것입니다. '이런 이야기가 느헤미야의 엔딩이라니. 이것이 하나님 나라 회복 이야기의 끝이란 말인가?' 실망스럽습니까?

원인: 죄인의 경향성

사랑하는 성도 여러분, 오히려 이 결말이 우리에게 위로를 줍니다. 일어선 줄 알았는데 너무나 쉽게 죄악으로 넘어져 버리는 우리의 성향을 성경은 잘 알고 있다고 말씀합니다. 잘 알고 이해하고 있으니까, 쉽게 죄를 지어도 된다는 말이 아닙니다. 삼위 하나님께서는 우리를 잘 아시고, 그에 따르는 대책을 마련하신다는 것을 성경이 보여 줍니다. 오늘 본문은 회복된 교회가 왜 쉽게 죄로 미끄러져 들어가는지 그 원인을 말해 줍니다. 동시에, 그러한 교회를 위하여 하나님이 가지고 계시는 해결책이 무엇인지

도 알려 줍니다. 먼저 원인에 대한 답을 본문에서 찾아보겠습니다. '왜 우리는 금방 넘어질까요?'

형식을 무시함

우리에게는 형식을 무시하는 경향이 있습니다. 오늘 본문이 이 경향성을 잘 보여 줍니다. 본문은 큰 사건을 먼저 다루고, 그 원인을 찾아 해결하는 흐름으로 진행됩니다. 큰 사건은 도비야가 성전에 한 방을 차지한 사건입니다(4-9절). 그 이후에는 느헤미야가 이 사건의 원인을 찾아 해결하는 과정을 보여 줍니다(10-14절).

도비야는 성전의 한 방을 어떻게 쓸 수 있었을까요? 그는 제사장 그룹과도 친하고 유다 지도자 그룹과도 친했습니다. 하지만, 무엇보다, 그 방이 비어 있었기 때문에, 혹은 그 방을 비워 버렸기 때문에 그 방에 들어갈 수 있었을 것입니다. 그럼 왜 그 방이 비게 되었습니까? 그 방은 원래 레위인과 성전에서 노래하는 자에게 주어야 할 곡식과 포도주와 기름의 십일조를 두는 곳입니다(13:5). 그런데 방이 비어버렸습니다. 방이 비었기에 레위인과 성전에서 노래하는 자들은 먹고살 수가 없게 되었습니다. 그러니 다 자기 밭을 일구기 위하여 성전을 떠나 도망했던 것입니다(13:10).

그렇다면, 어떻게 이 십일조가 다 사라졌을까요? 물론 관리 소홀의 책임도 있었을 것입니다. 그래서 느헤미야는 민장들, 즉 성전 관리자들을 꾸짖고, 창고지기를 세웁니다. 그런데 레위인들이 복귀하고 나서야 온 유다가 곡식과 포도주와 기름의 십일조를 내는 것을 볼 수 있습니다(12절). 지금까지는 그 모든 것을 내지 않았다는 것을 뜻합니다. 백성이 성전을 위한 의무를 소홀히 한 것입니다.

성전 유지를 위해서 내기로 언약으로 약속했던 최소한의 헌물을 내지 않은 것. 이 작은 것이 시작이었습니다. '하나님의 집을 버려두지 않겠다!' 이 아름다운 내용을 담아내기 위해 정했던 약속을 어기면서 교회 전체가 무너지기 시작한 것입니다. 이 작은 것에 대한 무시가 도미노처럼, 성전 봉사자를 떠나게 하고, 예배에 차질을 일으키고, 하나님을 대적하는 자가 성전을 더럽히는 일까지 일으킵니다. 아주 작은 균열이 댐을 무너뜨리는 것입니다.

형식을 무시하는 신앙

사랑하는 성도 여러분, 우리 스스로 돌아봅시다. 우리에게도 아름답고 풍성한 신앙의 내용을 자랑하면서도, 그 내용이 담긴 형식은 무시하는 경향이 있지 않습니까? 성령님을 통해 언제 어디서나 하나님과 교제할 수 있다고 자랑하면서 정작 기도는 하지 않습니다. 내 인생 전부가 하나님의 것이라 고백하면서 헌금은 인색함으로 하기도 합니다. 말씀만이 모든 결정의 최고 권위를 갖는다고 고백하면서 말씀을 연구하는 일에 시간을 내지는 않습니다. 경건의 능력이 중요하다고 말하면서, 경건의 모양조차 갖추지 않습니다. 이런 모순적인 일들을 우리가 매일 행하며 살지요. 작은 일일 뿐이라며 무시하며 삽니다.

기억하십시오. 형식을 무시하면 어느 순간 내용을 다 잃어버립니다. 그릇을 하찮게 여기다가 깨뜨리면, 그 안에 물도 다 쏟아지는 것입니다. 형식만을 강조하는 것은 문제지만, 형식을 무시하는 것도 그에 못지않은 큰 문제입니다. 2계명이 1계명 못지않게 중요합니다. 오직 하나님만 섬기겠다는 내용만큼, 그 하나님이 원하시는 방식대로 예배하는 것, 즉 금송아지를 하나님이라 부르지 않는 이 형식도 굉장히 중요한 것입니다. 모세가 십계명의 돌판을 받아 내려오는 길에 어기고 있던 계명이 2계명이었습니다(출 32:1-4). 느헤미야가 떠나자 가장 먼저, 가장 쉽게 무시하게 된 것이 헌금이라는 '형식'이었습니다. 오늘도 우리 자신을 힘들게 하는 크고 심각한 문제들의 출발점에는 아주 작은 형식에 대한 무시가 자리하고 있을 수도 있다는 것입니다. 규칙적인 식사, 규칙적인 운동, 규칙적인 수면을 계속 무시하면, 어느 날 건강을 통째로 잃어버리는 것입니다. 그럼에도 우리는 당장 바빠서, 혹은 작은 욕심 때문에 그 규칙을 지키지 않습니다. 작은 형식이라고 무시하면서, 가장 먼저 포기하게 되는 죄의 경향이 저와 여러분에게 있습니다.

버린 내용으로 돌아감

우리는 버렸던 내용으로 다시 기우는 경향이 있습니다. 형식을 무시하면 그 안에 담겨 있던 좋은 내용도 잃어버립니다. 중요한 건 좋은 내용을 잃어버린 후입니다. 다시 그 좋은 내용을 회복할 생각을 하지 못하죠. 이미 버렸던, 돌아섰던, 이제 다시 눈도 두지 않으리라 했던 내용으로 돌아가려는 경향이 우리에게 있다는 것입니다. 자, 형식이 무너지고, 성전 창고가 텅 비고, 레위인과 노래하는 자들이 성전을 떠났습니다. 그럼, 성전 관리인들은, 제사장들은, 어떻게 해야 마땅합니까? 그들을 다시 불러오고, 백성들에게 십일조의 의무를 일깨우고, '다시 성전을 버려두지 말자!' 고 외쳐야 마땅합니다. 그런데 성전이 빈 그 시점에, 바로 등장하는 인물이 누굽니까? 모압 사람 '도비야'입니다.

도비야는 산발랏의 행동대장이었다가 나중에는 가장 앞서서 이스라엘을 공격했던 사람입니다. 도비야는 2절에 등장했던 모압과 암몬의 태도를 완벽하게 갖추고 있는 사람입니다. 하나님께 적대감을 가진 사람의 표본입니다. 그는 암몬 사람이 자기 땅에 이스라엘이 들어오는 것을 싫어했듯이, 느헤미야가 예루살렘에 도착했다는 소식을 듣고 가장 근심했던 사람입니다(2:10). 그는 완성되어가는 예루살렘 성을 보고 '여우가 올라가도 무너질 성이라(4:3).'고 저주했던 사람입니다. 발람은 저주하려고 했지만 결국 저주하지 않았습니다. 도비야가 발람보다 더한 사람입니다. 그도 발람처럼 뇌물을 받고, 거짓으로 느헤미야를 불러내어 들에서 죽이려 했던 사람입니다. 하나님 나라와 하나님의 사람에 대한 이런 적대감을 가지고 있으면서도, 그는 계속 제사장 그룹과 관계를 맺으며 영향력을 행사하려 할 뿐 아니라, 마침내 성전의 한 방을 차지하고 앉은 것입니다. 신성 모독입니다. 놀라운 것은, 바로 앞에서, 1-3절에서 이런 자들을 분리해 냈었다는 것입니다. 이들로부터 돌아서기로 했습니다. 도비야 같은 자와 함께 예배하지 않겠다고 선언했습니다. 그런데 느헤미야가 떠나고, 하나둘 형식이 무너지기 시작하더니, 결국 모압과 암몬이 보인 적대감의 표본이라 할 수 있는 도비야를 성전 안에 들이고 말았습니다.

성도 여러분, 이 일이 대제사장과 제사장 그룹 전체의 동의 없이 일어날 수 있는 일입니까? 도비야가 차지한 방은 성전 입구에 가까이 붙어 있는 방이었습니다. 교회 입구에 이방인 지도자를 살게 하는 결정을 한낱 골방 맡은 사람이 결정할 수 있었을까요? 이 사실을 어떤 제사장 모르게 진행할 수 있습니까? 여기에는 제사장 그룹 전체가 연루되어 있을 수밖에 없습니다. 즉 제사장 그룹 전체가 함께 예배할 수 없다고 돌아선 자와 다시 손잡고 예배할 뿐 아니라, 그를 마치 예배 봉사자처럼 대우했다는 것입니다. 누군가는 적극적으로 동의하지 않았더라도, 눈감아주고, 외면하고, 무시했던 것입니다. 매우 충격적인 사건이죠.

어떻게 이런 집단행동이 가능했습니까? 우선 도비야가 칼을 갈고 있었던 것은 사실입니다. 느헤미야의 등장 이후로 도비야는 예루살렘에서 매우 입지가 좁아졌습니다. 같이 예배도 드리고, 자녀끼리 결혼도 시키고, 좋은 관계 유지하면서, 이득 취할 것은 취하고, 그렇게 좋은 시절이 있었습니다. 그런데 느헤미야가 온 이후로, 도비야는 예루살렘 성 밖으로 구별되었고, 예배에서도 구별되었고, 예루살렘에서 누리던 많은 것을 포기할 수밖에 없게 됐습니다. 그러니 인맥, 뇌물, 모든 것을 동원하여 이전에 누리던 것을 되찾으려고 노력했을 것입니다. 제사장들은 도비야의 이 미끼를 덥석 물어버렸습니다. 사람들이 십일조와 제물을 바치지 않습니다. 즉 예배하러 오지 않습니다. 그리고 성전 창고가 비어갑니다. 제사장들은 어떻게 하면 성전을 유지할까 생각했을 것입니다. 그러다 이방인들을 떠올렸을 것입니다. '그들이라면, 우리와 관계를 맺기 위해 많은 것을 가져올 거야.'

본문에 '발람'이 언급된 이유는 이런 정황을 독자들에게 알리기 위한 목적도 있을 것입니다. 발람은 성경에서 '탐욕적인 사람'의 대명사입니다. "저희가 바른길을 떠나 미혹하여 브올의 아들 발람의 길을 좇는도다 그는 불의의 삯을 사랑하다가 자기의 불법을 인하여 책망을 받되…"(벧후 2:15-16). "화 있을찐저 이 사람들이여, 가인의 길에 행하였으며 삯을 위하여 발람의 어그러진 길로 몰려갔으며…"(유 1:11). 돈을 위하여 사는 사람, 불의의 삯을 사랑하는 삯꾼이 발람이라고 신약 성경은 소개합니다. 도비야나, 도비야를 맞아들인 제사장 모두 발람처럼 함께 탐욕을 누리며 공생했던 과거로 돌아갑니다. 결국 빈 창고는 이스라엘이 돌아서고 구별하고 버렸던 내용으로 다시 채워지고 말았던 것입니다.

옛 사람으로 돌아가는 신앙

성도 여러분, 우리에게도 이와 같은 경향성이 있습니다. 형식을 무시하다가 내용을 쏟아버리면, 우리는 어이없이 분노합니다. 우리가 쏟아 놓고서는 화를 냅니다. 기도를 안 한 것은 나 자신인데, 교제의 기쁨이 없다며 하나님을 탓합니다. 헌금을 안 한 것은 나 자신인데, 하나님께 드릴 것이 없는 인생을 불평하며 하나님을 탓합니다. 말씀을 안 읽은 것은 나 자신인데, 왜 말씀으로 인생을 인도해 주지 않냐며 하나님을 탓합니다. 그러면서 어디로 달려갑니까? 하지 않기로 약속한 내용으로 달려갑니다. 하지 않겠다고 한 생각을 하면서 스트레스를 풉니다. 하지 않기로 한 말을 하면서 불만을 풉니다. 돌아서기로 한 행동을 하면서 다시 쾌락을 즐깁니다. '우리는 다시 애굽 땅 종 되었던 집으로 돌아가길 원한다!'고 외칩니다. 다시 옛 사람의 행위를 주섬주섬 주워 입습니다. 좋은 것을 잃었으면 얼른 다시 주워 담아야 하는데, 죽은 옛 사람을 향해, 무척이나 그리워했던 것처럼, 속히 달려가는 경향성이 저와 여러분에게 있습니다.

다시, 하나님의 개혁

사랑하는 성도 여러분, 그렇다면, 이렇게 우리를 깊이 이해하시는 하나님께서 이 문제를 어떻게 해결하십니까?

중보자를 보내심

하나님께서는 자신의 종, 느헤미야를 다시 보내십니다. 스스로 헤어

나오지 못하고, 스스로 개혁하지 못하는 우리를 깊이 아시는 하나님께서, 당신의 종을 보내어 친히 우리를 개혁하신다는 것을 오늘 본문이 보여 줍니다.

내용을 본래대로 회복하심

느헤미야를 보내신 하나님께서는 모든 것을 원래대로 돌려놓으십니다. '다시 원래대로' 이것이 바로 개혁입니다. 먼저 하나님은 내용을 본래대로 돌려놓으십니다. 잠시 페르시아로 떠났던 느헤미야를 하나님이 다시 유다 땅으로 급히 보내십니다(6-7절). 다시 돌아간 느헤미야는 하나님의 의분을 품고 하나님을 대적하는 도비야를 성전에서 쫓아냅니다(8절). 그리고 제사장들에게 명령하여 도비야의 신성 모독으로 더러워진 성전을 다시 정결하게 합니다(9절). 제사장이 그들의 탐욕으로 더럽힌 성전을 다시 깨끗하게 합니다. 마치 예수님께서 성전에서 장사하는 자들을 다 내쫓으시고 성전을 청결하게 하셨듯이(마 21:12-13; 막 11:15), 느헤미야는 하나님의 집을 향한 열심으로, 하나님의 율법의 집행자로, 성전을 청결하게 합니다. 그리고 원래 그 방에 있어야 할 내용으로 다시 방을 채웁니다.

형식을 본래대로 회복하심

하나님께서는 형식을 본래대로 돌려놓으십니다. 느헤미야는 원래 그 방의 공급으로 살아갈 사람들을 제 자리에 세웁니다(10-11절). 백성에게 다시 십일조를 내라고 명령합니다(12절). 이렇게 하나님이 선물로 주신 형식을 그대로 돌려놓습니다. 다시 '하나님의 집을 버려두지 않겠다.'는 내용을 구현하기 위한 성전 시스템, 형식을 복구한 것입니다.

헤세드를 기억하심으로 개혁하심

하나님께서는 언약적인 사랑을 기억하심으로 이 모든 개혁을 이루십니다. 느헤미야가 마지막으로 기도를 드립니다. "내 하나님이여 이 일을 인하여 나를 기억하옵소서 내 하나님의 전과 그 모든 직무를 위하여 나의 행한 선한 일을 도말하지 마옵소서"(14절). 오해하지 마시기 바랍니다. 느헤미야는 '하나님, 이 백성은 죄를 지었는데, 나는 선하게 일했습니다. 나만은 기억해주십시오.'라고 말하고 있는 게 아닙니다. 여기서 '나의 행한 선한 일'을 원어로 살펴보면, '헤세드'라는 단어가 나옵니다. '나의 행한 헤세드를 기억하소서.'입니다. 히브리어 '헤세드'는 언약에 대한 충성에서 나오는 사랑을 뜻합니다. 느헤미야가 성전을 청결하게 한 것도 이 언약에 대한 충성에서 나온 사랑 때문이며, 성전의 기능을 회복한 것도 언약에 대한 충성에서 나온 사랑 때문입니다.

그는 백성의 대표로서 이렇게 기도하고 있는 것입니다. '헤세드의 하나님, 언약에 충실하시고, 신실하신 하나님, 이 백성이 하나님께 받은 형식과 내용을 버리고 또다시 개혁의 대상이 되었습니다. 그러나 하나님, 저의 헤세드를 보시옵소서. 이 백성 중에 있는 언약에 대한 저의 충성 어린 사랑을 기억해주십시오. 저의 헤세드를 기억하사, 이 백성을 다시 회복해 주시고, 개혁하여 주시며, 새롭게 하여 주시고, 이 교회를 보존하옵소서.'

느헤미야는 언약의 대표자로 중보 기도 하고 있습니다. 하나님과 사람 사이에 서서, 다시 멀어져가는 관계를 붙들고 기도하고 있는 것입니다. 언약을 지키는 자가 이 백성 가운데 있음을 보시고, 용서와 회복을 다시 베풀어 달라는 기도입니다. 그의 기도로 인해, 하나님께서는 이스라엘을 기억하시고, 용서하시며, 회복을 다시 베풀어 주신 것입니다.

교회를 개혁하는 중보자의 헤세드

사랑하는 성도 여러분, 이것이 하나님 나라를 소망하는 교회가 바라야 할 개혁의 모델입니다. 우리는 헛된 욕망과 거짓의 유혹으로, 내용도 형식도 잃어버리기 일쑤입니다. 그렇게 매번 자주, 금방 넘어지고 미끄러지는 존재입니다. 개혁된 교회도 늘, 버리고 돌아선 그 길로 다시 들어설 위험이 있습니다. 성직 매매, 교회가 버린 길 아닙니까? 사제주의, 교회가 버린 길 아닙니까? 교권이 강화되는 것, 교회가 버린 길 아닙니까? 직분의 서열화, 교회가 버린 길 아닙니까? 그런데 왜 이 땅의 교회가 다시 그 길로 걸어가고 있을까요? 작은 욕심에 형식을 하나둘 무시한 결과 아닙니까? 열린 예배라는 명목으로 버리고 버리고 다 버려서 예배에 아무 내용도 남지 않은 교회, 율법이 우리를 자유하게 했다는 이유로 경건의 모양까지 다 무시하는 성도, 무엇보다 이러한 죄악 된 경향을 가지고 있는 우리 자신에 대한 무지함, 자신감, 교만. 그것이 이 땅의 교회가 모든 개혁된 내용들을 다 잃어버리게 만든 것은 아닌가? 오늘 말씀은 우리에게 묻고 있습니다.

사랑하는 성도 여러분, 개혁도 은혜로 됩니다. 하나님께서 보내신 중보자를 통해 은혜로 됩니다. 우리의 기도와 우리의 노력이 아니라, 중보자 그리스도 예수님의 기도와 그분의 일하심으로 됩니다. 느헤미야가 가리키고 있는 중보자 예수 그리스도의 헤세드를 하나님이 기억하실 때, 우리는 개혁됩니다. '십자가 고난을 당하기까지 충성을 다한 나의 언약적 사랑을 기억하소서. 아버지의 헤세드로 내가 구속한 백성에게 긍휼을 베푸소서.' 하늘 보좌 앞에서 기도하시는 그리스도 때문에, 우리는 새로워질 것입니다.

교회의 개혁을 위해, 중보자를 의지하며 기도하는 교회

이 사실을 기억하는 교회와 성도는 그리스도를 의지하여 이렇게 기도합니다.

'우리의 내용을 바꾸기 원하시는 하나님, 우리는 자꾸 예전에 즐기던 내용으로 돌아서려 합니다. 우리가 고백하지 않은 신앙, 교회에 주시지 않은 권위와 탐욕으로 늘 기웁니다. 그리스도의 영으로 우리를 도우소서. 우리의 형식을 복구하기 원하시는 하나님, 우리는 늘 이 작은 것을 무시하려 합니다. 우리가 다 따를 수 없기에 쉽게 만들어 주신 기도, 예배, 경건 생활을 하찮게 여기며 무시하려 합니다. 바른 예배를 위한 형식과 준비들을

하찮게 여기려 합니다. 그리스도의 영으로 우리를 깨우치시고 도우소서.'

사랑하는 성도 여러분, 기도하시기 바랍니다. 종교개혁의 계절, 10월. 개혁을 다시 한번 소망하시기 바랍니다. 하나님께서는 이 소망으로 기도하는 사람들을 통해 헤세드를 베푸사 다시 개혁되는 교회로 삼아주실 것입니다. 개혁된 교회로서 계속 개혁되는 삶을 살아가는 교회, 성도들이 되시기를 성부와 성자와 성령의 이름으로 간절히 축원합니다.

19

계속 개혁되는 교회 2,
안식일

19
계속 개혁되는 교회 2, 안식일

15 그 때에 내가 본즉 유다에서 어떤 사람이 안식일에 술틀을 밟고 곡식단을 나귀에 실어 운반하며 포도주와 포도와 무화과와 여러 가지 짐을 지고 안식일에 예루살렘에 들어와서 식물을 팔기로 그 날에 내가 경계하였고 16 또 두로 사람이 예루살렘에 거하며 물고기와 각양 물건을 가져다가 안식일에 유다 자손에게 예루살렘에서도 팔기로 17 내가 유다 모든 귀인을 꾸짖어 이르기를 너희가 어찌 이 악을 행하여 안식일을 범하느냐 18 너희 열조가 이같이 행하지 아니하였느냐 그러므로 우리 하나님이 이 모든 재앙으로 우리와 이 성읍에 내리신 것이 아니냐 이제 너희가 오히려 안식일을 범하여 진노가 이스라엘에게 임함이 더욱 심하게 하는도다 하고 19 안식일 전 예루살렘 성문이 어두워 갈 때에 내가 명하여 성문을 닫고 안식일이 지나기 전에는 열지 말라 하고 내 종자 두어 사람을 성문마다 세워서 안식일에 아무 짐도 들어오지 못하게 하매 20 장사들과 각양 물건 파는 자들이 한두 번 예루살렘 성 밖에서 자므로 21 내가 경계하여 이르기를 너희가 어찌하여 성 밑에서 자느냐 다시 이같이 하면 내가 잡으리라 하였더니 그 후부터는 안식일에 저희가 다시 오지 아니하였느니라 22 내가 또 레위 사람들을 명하여 몸을 정결케 하고 와서 성문을 지켜서 안식일로 거룩하게 하라 하였느니라 나의 하나님이여 나를 위하여 이 일도 기억하옵시고 주의 큰 은혜대로 나를 아끼시옵소서_**느헤미야 13장 15-22절**

들어가며: 성전과 안식일과 결혼, 다시 흔들리는 '정체성'

지난 주일부터 살펴보고 있는 느헤미야서의 엔딩은 개혁에 관련된 세 가지 이야기로 마무리됩니다. 그 세 가지 개혁 과제는 이미 살펴본 '성전'과 오늘 살펴볼 '안식일', 그리고 다음 주일에 살펴볼 '결혼'입니다. 이 세 가지는 거룩한 백성의 정체성이 달린 주제였음을 이미 확인한 바 있습니다. 사탄은 집요하게 하나님 나라 백성의 정체성을 흔들려고 합니다. 언약 백성이 세상과 구별되는 정체성이 성전, 안식일, 결혼을 통해 구현되기에, 이 세 가지를 계속해서 공격하는 것입니다. 성전을 잊은 백성, 안식일이 없는 백성, 결혼이 뒤섞여 버린 백성은 하나님의 백성다움을 지닐 수도 없고, 지켜나갈 수도 없다는 것이 느헤미야의 결론입니다. 이 하나님 나라의 정체성을 잃어버리지 않기 위해서, 구약 교회의 마지막 종교개혁이 일어났던 것입니다.

느헤미야가 13장 전체의 구조를 통해 말하고자 하는 결론은 이렇게 정리할 수 있겠습니다. 첫째, 하나님 나라 백성은 성전이라는 공간을 통해 이방 나라와 구별되어야 한다. 둘째, 하나님 나라 백성은 안식일이라는 시간을 통해 이방 나라와 구별되어야 한다. 셋째, 하나님 나라 백성은 결혼이라는 연합을 통해 이방 나라와 구별되어야 한다. 오늘날 우리에게는 이 세 가지가 예수 그리스도 안에서 모두 완성되고 성취되어 적용됩니다. 그리고 이 세 가지 모두 여전히 그리스도인의 정체성과 깊은 관련이 있습니다.

본문의 내용

지금부터 안식일과 관련하여 어떤 문제가 있었고, 하나님께서는 느헤미야를 통해 이 문제를 어떻게 개혁해 나가셨는지를 먼저 본문의 이야기를 자세히 살펴보며 나누겠습니다.

드러난 문제: 안식일에 장사하는 유다인과 두로인

느헤미야가 성을 완성하고 약 12년 동안 유다 총독으로 있었습니다. 그 후에 잠시 페르시아 왕에게 보고를 하러 갑니다. 약 1년 정도 걸린 것으로 예상이 되는데, 그 사이에 예루살렘에서 안식일에 장사하는 사람이 생겨났습니다. 15-16절을 보면, 장사했던 두 사람이 나옵니다. 한 사람은 유다인이고, 다른 한 사람은 두로 사람, 즉 이방인입니다. 마치 유다인과 이방인의 대표처럼 보이도록 기록하고 있습니다.

유다 사람의 안식일 장사

먼저 15절에 나오는 유다 사람을 살펴봅시다. 그는 '식물을 팔기 위해 예루살렘에 들어왔다.'고 합니다. 이 사람은 예루살렘 주민은 아닌 것 같습니다. 성 밖 다른 곳에 살던 유다인이었던 것 같습니다. 그가 '술틀을 밟았다.'고 기록하고 있는데, 이것을 보면, 이때가 9-10월쯤, 포도 추수하는 시기였음을 알 수 있습니다. 술틀은 큰 목욕탕 욕조처럼 생겼습니다. 거기에 포도를 잔뜩 부어 놓고, 발로 이불 빨래하듯이 푹푹 밟아서 즙을 짜내면, 아래쪽에 난 구멍으로 포도즙이 콸콸 쏟아집니다. 매우 힘든 노동이었을 것입니다. 이 유다 사람은 미리 발효시켜서 만들어 놓은 포도주와 방금 딴 포도와 곡식단과 무화과와 여러 짐을 당나귀 등에 싣고 안식일에 예루살렘 성에 들어와 장사합니다. 도대체 느헤미야가 어떻게 성 밖에서부터 성안까지 이동하며 일어난 이 모든 과정을 볼 수 있었는지는 의문입니다. 아마도 느헤미야가 그 유다 사람을 조사하고 밝혀낸 사실까지 다 기록해 놓은 것 같습니다. 중요한 것은, 여기서 이 유다 사람이 한 모든 일이 율법을 어긴 일이라는 것입니다.

율법에 따르면, 안식일에는 추수하는 것을 포함하여(출 34:21), 어떠한 노동도 하지 말아야 합니다. 율법은 당나귀와 모든 가축도 쉬어야 한다고 말하고 있습니다(출 23:12). 선지자들은 '안식일에 짐을 지고 예루살렘 문으로 들어오면 하나님께서 직접 성문에 불을 놓아 예루살렘 궁전을 삼키게 하실 것이다.'라고 예루살렘 성의 멸망을 경고했습니다(렘 17:22, 27). 이날은 일정한 거리 이상 움직이는 것도 금지되었습니다(행 1:12). 유다 사람은 이 모든 것을 어겼습니다. 그래서 느헤미야가 그를 경계하였습니다. 꾸짖었다는 뜻입니다.

두로 사람의 안식일 장사

도대체 이게 어찌 된 일입니까? 안식일에 쉬어야 한다는 것을 상식적으로 알고 있는 유다 사람이 율법을 이렇게 정면으로 어길 수 있습니까? 그 이유를 알 수 있도록 16절은 바로 이어서 두 번째 사람을 소개합니다. 이 사람은 '두로 사람'이라고 되어 있는데요, 예루살렘에 거했다고 합니다. 즉 예루살렘 시민입니다. 두로는 예루살렘에서 북서쪽으로 약 800Km 떨어진 지중해 연안에 자리 잡은 무역 도시였습니다. 본문이 말하듯이 이스라엘과는 소금에 절이거나 말린 물고기를 포함하여 각양 물건들, 기록에 따르면 과자, 꿀, 기름, 유향 같은 물건을 거래했습니다. 아마 장사가 잘되어서 예루살렘 성내에 가게를 하나 낸 것 같습니다. 이방인인데 예루살렘 거주민이 된 것입니다. 안식일에도 문을 닫지 않고 물건을 팝니다. 팔았다는 말은 무슨 말입니까? 누군가가 샀다는 말입니다.

안식일 거래, 흐려지는 정체성

안식일에 거래가 일어나고 있습니다. 기억하실지 모르겠지만, 느헤미야 10장에서 이스라엘 백성이 눈물로 회개하면서 약속한 내용이 있습니다. "혹시 이 땅 백성이 안식일에 물화나 식물을 가져다가 팔려 할지라도 우리가 안식일이나 성일에는 사지 않겠고..."(느 10:31). '유다인이 안식일에 물건을 사고팔고 하는 것은 당연히 안 되는 것이고, 이방인이 물건을 팔 때도 우리는 사지 않겠습니다! 이방인도 우리가 누리는 안식을 같이 누리게 하겠습니다.' 이렇게 언약을 세워 약속했습니다. 그러나 느헤미야가 없던 1년 사이에 이런 일이 벌어진 것입니다. 이렇게 빨리 안식일 거래가 시작되었다는 것은 예루살렘 사람들이 느헤미야가 총독으로 있던 12년 동안 엄청나게 참아왔다는 정황을 보여 줍니다. 그들을 억제할 만한 힘이 사라지자 곧바로 안식일 상거래를 시작했습니다.

느헤미야는 성 밖에서 들어온 유다인과 성안에 거주하는 이방인 순서로 사건을 기록합니다. 문제를 밝히고 원인을 찾는 느헤미야식 서술방식이 여기서도 드러납니다. 두로 사람, 이방인 거주민이 안식일에 장사할 때, 예루살렘 시민들이 구매하기 시작했습니다. 그러자 유다 사람이 자신들은 장사할 수 없다는 것에 대해 '불공정'과 '불이익'을 느낍니다. 결국 유다 사람들도 가게 문을 열고 안식일에 예루살렘 성에서 장사하기 시작합니다. 먼 곳에 있는 유다 사람들도 모두 안식일 율법을 어겨가며 장사하기 시작합니다. 그렇게 안식일에 장사한다는 점에서 유다와 이방이 점점 하나가 되어가고 있었습니다. 즉 이스라엘이 정체성을 잃어가고 있습니다.

즉각적인 개혁: 권위자를 권징함

느헤미야는 거룩한 안식일의 의미가 변질되고 정체성이 희미해져 가는 이 시점에 바로 강력한 개혁을 실행합니다. 그는 먼저 유다인 귀족들을 불러서 꾸짖습니다(17-18절). 왜 귀족들을 불렀을까요? 우리 10장 28-29절로 잠시 돌아가 보겠습니다. "그 남은 백성과 제사장들과 레위 사람들과 문지기들과 노래하는 자들과 느디님 사람들과 및 이방 사람과 절교하고 하나님의 율법을 준행하는 모든 자와 그 아내와 그 자녀들 무릇 지식과 총명이 있는 자가 다 그 형제 귀인들을 좇아 저주로 맹세하기를 우리가 하나님의 종 모세로 주신 하나님의 율법을 좇아 우리 주 여호와의 모든 계명과 규례와 율례를 지켜". 돌아온 이스라엘이 다시 언약을 세워 하나님과 약속할 때, 다 그 형제 귀인들을 좇아 맹세하였습니다. 이 '귀인들'의 명단이 10장에 나오는데, 제사장, 레위인, 백성의 두목들, 즉 지도자들로 구성되어 있습니다. 언약의 대표자 그룹이고, 예루살렘 성에서 가장 큰 권위와 영향력을 가지고 있던 사람들이었습니다. 유다인 귀족들은 바로 '권위자'들이었습니다. 느헤미야는 안식일을 어긴 죄에 대해 권위자를 권징한 것입니다.

실제로 4계명을 읽어보면, 안식은 권위 있는 자에게 내리신 명령이라는 것을 알 수 있습니다. "제칠일은 너의 하나님 여호와의 안식일인즉 너나 네 아들이나 네 딸이나 네 남종이나 네 여종이나 네 육축이나 네 문안에 유하는 객이라도 아무 일도 하지 말라"(출 20:10). 자녀를 가진 자, 남종과 여종을 가진 자, 육축을 가진 자, 손님을 모실 수 있는 사람이 명령의 대상이었습니다. 웨스트민스터 대교리문답 118문답을 보면 이 계명에 대한 깊은 이해를 가지고 이렇게 질문하고 답합니다.

> 문. 왜 안식일을 지키라는 책임이 가장과 다른 윗사람들에게 특별히 더 주어졌습니까?
> 답. 가장과 다른 윗사람들에게 안식일을 지키라는 책임이 더 주어진 것은 그들이 자신들만 안식일을 지켜야 할 뿐만 아니라 그들의 영향 아래 있는 모든 사람 또한 안식일을 지키게 해야 하기 때문이며, 그들 자신의 일로 아랫사람들이 안식일을 지킬

수 없게 자주 방해할 수 있기 때문입니다.

하나님께서 명령하신 안식은 위아래가 없는 안식이었습니다. 누구나 평등하게 쉴 수 있는 안식입니다. 그러기 위해서는 소위 '윗사람들'이라 불리는 권위자들이 먼저 이 계명에 순종해야 하는 것입니다. 느헤미야도 같은 생각으로 귀인들을 부른 것입니다. 귀인들이 허락하지 않았다면, 안식일에 장사하는 일이 일어날 수 없는 것입니다. 언약의 대표자들이 안식일 장사를 허락하고, 이방인의 출입을 허가하고, 유다인의 장사에 눈 감았기에 예루살렘 성의 모든 사람이 이 죄에 물들고 있다고 느헤미야는 바르게 판단한 것입니다.

느헤미야는 거침없이 이들의 나태함과 거룩함에 대한 무감각을 '악'이라고 규정합니다. '너희가 거룩한 안식일을 더럽히는 악을 행했다. 너희 조상이 이렇게 행하다가 재앙을 받고 망했다! 너희는 이스라엘을 향한 하나님의 진노를 또다시 더 심하게 받을 만한 심각한 악을 저지르고 있다!' 호되게 꾸짖습니다. 느헤미야는 17절에서 법정적인 용어를 쓰면서 이들을 사실상 고소하고 있습니다. 이것이 그렇게 큰 죄악인지 깨닫지 못하는 자들에게 그들이 지은 죄가 하나님의 심판과 재앙을 받기에 합당한 죄임을 깨우칩니다. 그리고 바로 이렇게 조치합니다. '안식일이 다가오는 저녁, 해가 져서 성문에 그림자가 내릴 때, 문을 닫아버려라. 그래서 안식일 내내 아무 짐도 들여오지 못하게 지키라'(19절). 단호하게 명령합니다. 자기 사병을 세워 문을 지키게 하고, 물건이 들어오지 못하게 감시해서 장사를 원천적으로 막아 버립니다.

여기서 장사꾼들은 물러서는 듯했습니다. 그런데, 진짜 물러선 것은 아니었습니다. 반격이 일어납니다. 장사꾼들이 두 번 정도의 안식일에, 성 밖에서 잠을 잡니다(20절). 무슨 생각이었을까요? '못 들어가게 한다면, 방법이 없냐? 성 밖으로 나오는 사람은 못 막는다. 그들은 우리가 낚을 수 있다. 반드시 낚는다! 이 성의 사람들은 성 밖에 나와서 물건을 살 사람들이다.' 이렇게 자신감을 보입니다. 이에 느헤미야는 '너희 내가 잡으러 간다!'(21절) 하고 소리칩니다. 당시에 느헤미야가 얼마나 무서웠던지 그 후로 다시는 성벽 밖에서 자는 사람이 없었습니다.

장기적인 개혁: 예루살렘 성의 정체성을 회복함

느헤미야는 장기적인 대책을 세우며 개혁을 완성합니다(22절). 안식일에 장사하는 사람들이 다시 오지 못하게 하고, 대신에 레위 사람들, 성전 봉사자들을 오게 합니다. 그리고 그들을 성문 문지기로 세웁니다. 이 모든 조치는 예루살렘 성민의 정체성과 관련되어 있습니다.

느헤미야는 7장에서 성문이 완성되자마자 문지기로 레위인을 세웠었습니다. 이 성 전체가 예배하는 자들의 성이라는 선포였습니다. 그러나 성 문지기 자리에 있어야 할 그들이 없었습니다. 여기서 안식일에 상인들이 성을 드나들었던 또 다른 이유가 드러납니다. 문지기로 서 있던 레위인들이 그 자리를 비우고 없었던 것입니다. 왜 그렇게 되었을까요? 지난 설교에서 봤듯이, 사람들이 봉헌과 십일조에 소홀해졌고, 결국 레위인은 자기 생계를 위해 떠날 수밖에 없었습니다. 성전에서도 찾아볼 수 없는 레위인이 성문에 있을 리가 없습니다. 이 점에서 지난 주일 설교와 오늘 설교가 연결됩니다. 마치 도미노 같습니다. 개개인의 봉헌이라는 형식이 깨어지니까, 기쁨의 예배라는 내용이 쏟아져 버렸고, 그러자 레위인의 직무가 깨지고, 성문지기가 사라졌으며, 백성의 안식이라는 내용까지 쏟아져 버리고 맙니다. 하나님 나라의 형식과 내용이 연쇄적으로 파괴되고 있는 것을 느헤미야가 홀로 막아내고 있습니다.

기도

개혁은 기도로 마칩니다. 하나님의 헤세드, 그 크신 은혜대로 나를 기억하고 아껴달라는 간구로 끝납니다. 여기서 아껴달라는 것은 느헤미야의 '생명'을 말하는 것입니다. 오래 이 일을 할 수 있도록, 계속해서 안식을 지키고 이 백성의 거룩함을 지킬 수 있도록 간구합니다.

느헤미야가 악을 제거하는 개혁을 통해 거룩한 안식일을 회복했습니다. 거룩한 백성의 정체성을 지켜냅니다.

안식, 하나님 나라의 정체성

사랑하는 성도 여러분, 우리는 오늘 말씀을 통해 하나님 나라의 정체성인 안식에 대해 두 가지를 생각해 보아야 합니다.

첫째, 그리스도 안에 있는 안식 누리기

느헤미야가 왜 안식일을 지켜내기 위해 이렇게 힘썼을까요? 안식이 하나님 나라의 정체성을 지킬 뿐 아니라, 안식의 완성이 곧 하나님 나라의 완성을 뜻하기 때문입니다. 그가 '나의 생명을 아껴달라.'고 기도했던 이유는 이 완성을 보기 위함이었습니다. 안식을 통해 하나님 나라의 완성, 완성된 하나님 나라의 정체를 보기 위함이었습니다.

성경 전체에서도 안식은 곧 하나님 나라의 완성을 뜻합니다. 6일 창조의 끝에 무엇이 있습니까? 안식이 있었습니다. "하나님이 일곱째 날을 복주사 거룩하게 하셨으니 이는 하나님이 그 창조하시며 만드시던 모든 일을 마치시고 이 날에 안식하셨음이더라"(창 2:3). 모든 일을 마치시고, 7일째 하나님의 안식이 있습니다. 안식이 창조의 목적이었습니다. 여기서 안식이란, 하나님의 장소에서 하나님의 통치를 받고 하나님의 복을 누리는 하나님의 백성이 삼위 하나님과 충만한 사랑의 교제 속에서 함께 기뻐하는 것입니다. 그날 하나님 나라의 정체가 드러났습니다. 하나님 나라의 완성이 바로 안식이기 때문입니다. 이 안식을 위해 6일간의 창조가 있었습니다. 그래서 7일 이후에, 8일이나 9일이 오지 않는 것입니다. 비록 얼마 지나지 않아 죄로 인해 안식이 깨어져 버렸지만, 그래서 하나님 나라의 정체성도 깨어져 버렸지만, 타락한 인류 역사의 끝에도 무엇이 있을까요? 역시 하나님 나라의 완성과 영원한 안식이 있습니다. 삼위 하나님께서 작정하신 모든 역사가 안식으로 시작하여 영원한 안식을 향해 나아가고 있습니다.

안식의 중심, 예수 그리스도

사랑하는 여러분, 그 안식의 중심에 예수 그리스도가 계십니다. 그분이 십자가에서 돌아가시기 직전에 이렇게 외치셨습니다. "…다 이루었다…"(요 19:30). 이제 다 마쳤고, 완성되었다는 뜻입니다. 십자가에서 죽으시면서 예수님이 무엇을 완성하셨다는 것입니까? 안식입니다. 안식을 완성한 하나님 나라입니다. 하나님의 나라와 거기서 누릴 안식을 예수님께서 십자가에서 완성하셨습니다. 십자가에서 예수님은 하나님의 뜻에 죽기까지 순종하는 하나님의 참 백성이 되셨습니다. 십자가에서 자기 백성의 죄를 사하신 예수님은 하나님께서 임재하시고 백성을 만나시는 장소인 성전이 되셨습니다. 그래서 당시 건물 성전의 휘장이 위에서 아래로 찢어졌습니다(마 27:51). 십자가 명패에 기록된 대로, 그분은 유대인의 왕(눅 23:38), 하나님의 통치를 이 땅에 펼치는 메시야가 되셨고, 십자가에서 흘리신 보혈로 죄와 사망에서 자기 백성을 자유하게 하는 하나님의 복 그 자체가 되셨습니다. 인간의 죄악으로 잃어버린 창조 후의 그 안식을 예수님께서 새 창조 사역으로 완성하신 것입니다.

사실 느헤미야의 개혁에는 여러 한계가 보입니다. 그는 혼내고 꾸짖어서 율법을 지키도록 할 수는 있었지만, 마음으로 율법을 따르게 만들 수는 없었습니다. 그는 성문을 닫고 문지기를 세울 수는 있었지만, 마음을 지킬 수는 없었습니다. 그는 장수하며 안식을 계속 지키고 싶었지만, 하나님이 허락하신 수명을 넘어서까지 안식을 지킬 수는 없었습니다. 하지만 하나님께서는 하나님 나라의 완성과 영속적인 안식을 소망하는 느헤미야의 기도를 들어주셨습니다. 안식을 구하는 자기 백성의 부르짖음에 응답하셨습니다. 그래서 예수 그리스도를 내어주셨고, 그리스도의 영을 보내어 주셨습니다. 느헤미야의 기도를 들으시고 먼 훗날 우리에게 응답해 주신 것입니다. 느헤미야 때부터 오늘날까지 2,500년 정도 흘렀습니다. 그 시간 동안 나타난, 변함이 없으신 하나님의 언약적 사랑이 보이십니까? 참으로 측량할 수가 없는 헤세드입니다. 은혜가 무한하신 하나님을 발견하게 됩니다. 사랑하는 성도 여러분, 그리스도 안에서 이 안식을 누리는 여러분이 되시기를 바랍니다.

주일만은, 안식

구체적으로 우리는 어떻게 그 안식을 누릴 수 있습니까? 주일에 예배하고 설교를 듣고 성찬에 참여하고 성도와 교제하면서 누릴 수 있습니다.

우리는 설교 시간을 통해 말씀이신 그리스도를 만납니다. 성찬을 통해 아담의 범죄 이후 하나님께서 사람에게 땀 흘리지 않고 먹을 수 있게 하신 유일한 음식을 취합니다. 한 주간의 삶을 성도들과 나누며 영원한 교제의 기쁨을 미리 누립니다. 매일 이 안식을 누리면 좋겠지만, 모두 모일 수 있는 주일을 더욱 구별하여 말씀을 듣고, 성찬을 받고, 성도와 교제함으로 영원한 안식을 깊이 묵상하시기 바랍니다. 묵상한다면, 성령님께서 안식 가운데 살아갈 수 있도록 말씀으로 우리 안에서 일하실 것입니다. 주일에 그리스도 안에서 완성된 안식을 누리고 소망하며 살아가는 여러분 되시기를 간절히 바랍니다.

둘째, 악을 제거하며 안식을 지키기

우리는 그리스도 안에서 악을 제거하며 안식을 지키기를 힘써야 합니다. 느헤미야의 때와 같이 오늘날에도 안식에 대한 공격은 여전합니다. 그리스도 안에서 안식을 누리고 소망하는 우리에게도 여전히 제거해야 할 악이 있습니다. 오늘 본문에 따르면 그 악은 탐심입니다. 두 상인은 탐심으로 자신과 예루살렘 백성의 안식을 파괴하는 어리석음을 범합니다.

미덕이 되어버린 탐심

탐심은 오늘날 이 땅에서는 오히려 미덕이 되어 있습니다. 욕심 때문에라도 더 일해서 더 많이 벌고 더 많이 쌓는 결과만 내면 능력이 되어 버린 세상입니다. 그래서 야근을 해서라도, 배우자와 자녀와 보내는 시간을 한없이 미뤄서라도, 기도와 말씀과 경건 생활과 하나님과의 교제를 희생해서라도 더 많이 모으려 합니다. 우리 자녀들도 주일 하루 공부 더 하면, 성적이 조금 더 오르니까, 그래야 좋은 대학에 가고, 그래야 좋은 직장을 얻으니까, 하루 예배를, 하루 성도의 교제를 희생하면서까지 공부하기도 합니다. 그러면서, 매일 기도와 말씀 묵상의 시간을 보내는 것은 아까워합니다. 시간 낭비라 생각합니다. 심지어 매일 안식을 누릴 수 없어서 따로 떼어 놓은 주일까지도 나의 탐욕을 위해 사용하려 합니다. '어떻게 이 삶에서 말씀을 더 보고 기도를 더 하라는 말입니까?' 안식하라는 명령에 오히려 항변하는 가장 탐욕적인 마음이 우리에게 있습니다.

탐심 이면의 불안

우리는 이 탐심을 조금 더 면밀하게 들여다볼 필요가 있습니다. 왜 우리 마음은 탐심이 설치도록 내버려 두는 걸까요? 근심과 불안 때문입니다. 많이 가져야 근심과 불안이 사라질 것이라고 착각하기 때문입니다. 사랑하는 성도 여러분, 이것이 얼마나 어리석은 생각인지 깨달으십시오. 예수님은 "삼가 모든 탐심을 물리치라 사람의 생명이 그 소유의 넉넉한 데 있지 아니하니라."(눅 12:15) 하고 말씀하셨습니다. 사람의 생명이, 소유의 넉넉한 데 있는 게 아닙니다. 내 생명을 위해, 부모와 자녀의 생명을 위해 불안하고 걱정하는 내용들, 소유가 많다고 사라지지 않습니다.

불안을 이기기

사랑하는 성도 여러분, 우리는 탐심을 내버려 두기로 결정하는 우리 마음을 꾸짖어야 합니다. 말씀으로 꾸짖으시는 성령님의 음성에 귀 기울여야 합니다. 그리고 깨달으십시오. 불안은 우리가 그 누구도 빼앗을 수 없는 안식을 가졌다는 것을 알 때 사라지는 것입니다. 말씀과 기도를 통해 우리가 걱정하거나 불안해할 필요가 없다는 걸 깨달아야, 걱정이 그칩니다. 말씀 가운데 수천 년이 지나도록 변함없으신 하나님께서 우리의 하나님 되심을 확인해야 그칩니다. 우리의 본향이 이 땅이 아님을 확인할 때 불안이 멈춥니다.

이 모든 것을 확인하는 시간이 경건의 시간입니다. 흔히 경건 생활을 '거룩한 시간 낭비다.', 그렇게 말하는데, 저는 틀렸다고 생각합니다. 시간을 가장 아낄 방법이 안식을 누리는 곳에 있습니다. 불안을 광고하고 걱정을 광고하는 세상에서, 반드시 해야 할 고민만 하고 살 수 있도록 마음을 지키는 길이 안식 가운데 있습니다. 시간 낭비가 아니라, 시간을 아끼는 방법이 기도와 묵상입니다. 가정 예배입니다. 경건 생활입니다. 쓸데없는 고민과 불안이 안식 가운데 사라집니다. 탐심을 쫓아다닐 시간을 없애 줍니다. 그리스도 안에서 안식하시기 바랍니다. 탐심을 버리고 쉴 수 있는 여러분이 되시기를 간절히 바랍니다.

탐심을 허용하는 권위와 싸우기

조금 더 범위를 넓혀서 우리는 탐심을 허용하는 권위들을 제한하기 위해 노력하고 싸워야 합니다. 이 문제는 혼자서는 해낼 수 없고, 교회가 다 함께 고민하고 협력해야 할 것입니다. 성도님들 가운데 대부분은 자신의 의지와 상관없이 야근하는 삶으로 내몰리고 계시다는 것을 압니다. 회사의 방침이 그래서, 위에서 시키는 대로 할 수밖에 없어서 안식을 누릴 여유가 없는 분들이 많을 줄 압니다. 이 모든 것이 누군가의 결정에 의해 일어나고 있음을 기억해야겠습니다. 안식을 빼앗아 가는 시민적인 결정에 주의를 기울이고, 영향을 끼칠 수 있는 활동을 할 수 있다면 해야 합니다.

이에 대한 작은 실천으로, 내가 가진 힘으로 누군가의 안식을 보살피는 삶을 늘 살아가도록 합시다. 각 가정의 남편들은 내가 안식할 때, 아내도 자녀들도 쉴 수 있도록 돌봐야 할 책임이 있다는 것입니다. 같이 쉬기 위해서는 내가 수고해야 할 일들도 있습니다. 우리 교회도 한 달씩 설거지를 맡은 성도님들로 인해, 나머지 분들이 안식을 누립니다. 이런 원리가 매사 어떤 일에든 적용되도록 해야 합니다. 마찬가지로, 주일에 소비할 때에도 고민해야 합니다. 율법적으로 어떠한 예외도 없이 주일에 돈을 쓰지 말라는 말이 아닙니다. 탐심에 대한 나의 권위를 스스로 제한하면서 타인의 안식을 늘 생각하는 삶을 살아야 한다는 말입니다. 그리스도 안에서 안식을 누리는 사람들만이, 당연한 자기 권리를 절제하며 이웃을 사랑할 수 있습니다. 탐심과 관련된 모든 결정과 힘과 우리 안에 있는 욕망을, 성령님을 의지하여 싸우면서 안식을 지켜가시기 바랍니다.

주일이 교회의 정체성을 지킨다

"우리가 주일을 지키는 게 아니라, 주일이 우리를 지킨다."는 말을 책에서 읽고 깊은 감명을 받았습니다(이정규). 맞습니다. 주일이 우리를 지킵니다. 주일에 우리가 듣는 말씀이, 받는 성찬이, 누리는 교제가 안식의 완성을 미리 맛보게 합니다. 그 하늘 안식이 우리의 정체성을 지켜 낼 것입니다. 탐심으로 늘 경쟁해야 하는 삶 속에서, 불안과 근심 속으로 늘 내몰리는 삶에서 우리가 누군지를 알려주며 살게 할 것입니다. 그리스도 안에서 이 안식을 충만히 누리며, 마지막 날의 온전한 안식을 소망하며 살아가는 여러분 되시기를 성부와 성자와 성령의 이름으로 간절히 축원합니다.

20

계속 개혁되는 교회 3,
결혼

20
계속 개혁되는 교회 3, 결혼

23 그 때에 내가 또 본즉 유다 사람이 아스돗과 암몬과 모압 여인을 취하여 아내를 삼았는데 24 그 자녀가 아스돗 방언을 절반쯤은 하여도 유다 방언은 못 하니 그 하는 말이 각 족속의 방언이므로 25 내가 책망하고 저주하며 두어 사람을 때리고 그 머리털을 뽑고 이르되 너희는 너희 딸들로 저희 아들들에게 주지 말고 너희 아들들이나 너희를 위하여 저희 딸을 데려오지 않겠다고 하나님을 가리켜 맹세하라 하고 26 또 이르기를 옛적에 이스라엘 왕 솔로몬이 이 일로 범죄하지 아니하였느냐 저는 열국 중에 비길 왕이 없이 하나님의 사랑을 입은 자라 하나님이 저로 왕을 삼아 온 이스라엘을 다스리게 하셨으나 이방 여인이 저로 범죄케 하였나니 27 너희가 이방 여인을 취하여 크게 악을 행하여 우리 하나님께 범죄하는 것을 우리가 어찌 용납하겠느냐 28 대제사장 엘리아십의 손자 요야다의 아들 하나가 호론 사람 산발랏의 사위가 되었으므로 내가 쫓아내어 나를 떠나게 하였느니라 29 내 하나님이여 저희가 제사장의 직분을 더럽히고 제사장의 직분과 레위 사람에 대한 언약을 어기었사오니 저희를 기억하옵소서 30 내가 이와 같이 저희로 이방 사람을 떠나게 하여 깨끗하게 하고 또 제사장과 레위 사람의 반열을 세워 각각 그 일을 맡게 하고 31 또 정한 기한에 나무와 처음 익은 것을 드리게 하였사오니 내 하나님이여 나를 기억하사 복을 주옵소서_**느헤미야 13장 23-31절**

들어가며: 결혼식보다 중요한 결혼

결혼은 성경 전체에서 가장 중요한 주제들 가운데 하나입니다. 요즘 우리에겐 '결혼식'이 가장 중요한 것처럼 되어 있습니다. 돈도 정성도 시간도 결혼식 준비에 많이 들입니다. 그러나 1시간도 안 되어 식은 끝이 나고, 결혼의 민얼굴을 마주 대할 때, 많은 사람이 당황합니다. '결혼이 이런 거였어?' '결혼이 이런 거면 하지 않았을 거야.' 하고 후회하기도 합니다.

사람들은 왜 당황할까요? 결혼을 준비하지 않았기 때문입니다. 식은 준비했지만 결혼은 준비하지 않았기 때문이죠. '결혼하면 고생이다, 절대 결혼하지 마라.'는 사람들은 주변에 많지만, '결혼이 중요하다, 그러니 이렇게 준비하라.'고 말하며 나를 진심으로 생각하는 사람은 많지 않습니다. '결혼이 중요하다.' 본문은 마치 우리를 진정으로 위하는 친구처럼 결혼이 중요하다고 말하고 있습니다.

느헤미야 13장은, 성전만큼이나 안식만큼이나 결혼이 중요하다고 가르칩니다. 하나님이 임재하시는 나라, 하나님이 통치하시는 나라의 정체성이 성전에 달린 만큼, 안식에 달린 만큼 '결혼에 달려 있기도 하다.'는 것이 느헤미야의 결론입니다. 결혼을 아주 강력하게 강조하지요. 그래서 하나님 나라의 정체성을 혼탁하게 만드는 결혼, 그러한 결혼이 오늘 느헤미야가 바로 잡으려는 중대한 문제입니다. 느헤미야는 이 문제의 원인을 하나하나 밝혀 가면서, 개혁하며, 최종적으로 하나님께 '복'을 구하며 기도

합니다. 우리 함께 성령님의 인도하심을 따라서 본문이 우리에게 교훈하는 가르침에 귀 기울여 보겠습니다.

느헤미야의 문제 제기

표면적 문제: 이방인과의 결혼

먼저 오늘 본문이 제기하는 문제를 살펴봅시다. 느헤미야가 직접 보고 분석한 문제는 무엇입니까? 하나님 나라의 정체성을 혼탁하게 만드는 결혼은 어떤 결혼입니까? 겉보기에는 간단하게 이방인과의 결혼인 것 같습니다(23절). 그런데 단순히 아내가 이방 나라에서 왔다는 것이 문제입니까? 그들이, 율법이 혼인을 금하는 지역 출신이라는 것이 문제입니까? 느헤미야는 인종차별을 하고 있습니까? 벌써 이 시대로부터 몇백 년 전에 '모압' 출신인 룻이라는 여인이 있었습니다. 룻은 하나님 나라의 백성이 되었을 뿐만 아니라 가장 위대한 다윗 왕의 증조할머니가 됩니다(룻 4:13-22). 모압 출신? 암몬 출신? 아스돗 출신? 출신 지역은 문제의 본질이 아닙니다.

근본적 문제: 가족 사이의 언어장벽

그럼 문제의 본질은 무엇입니까? 자녀의 '언어'입니다. '말'이 문제의 핵심입니다. "그 자녀가 아스돗 방언을 절반쯤은 하여도 유다 방언은 못하니 그 하는 말이 각 족속의 방언이므로”(24절).

24절은 이러한 일이 있었다는 기록입니다. 이스라엘 가운데 유다인과 이방인이 결혼해서 태어난 자녀들이 있었습니다. 느헤미야가 이들을 전수 조사 합니다. 그 자녀들 중에 약 50%는 유다 말을 할 줄 알았습니다. 즉 어머니가 이방인인데 유다말을 했습니다. 느헤미야는 이 가정의 아비들에겐 아무런 벌을 주지 않습니다. 즉 어머니의 출신 지역 자체는 문제의 본질이 아닙니다. 신앙을 가지게 된 이방인 여인들도 있었던 것입니다. 그러나 나머지 50%는 유다 말을 전혀 할 줄 몰랐습니다. 아스돗 방언은 해도 유다말은 못 했습니다. 그들이 “각 족속의 방언”, 즉 유다 사람이 알아들을 수 없는 말만 하고 있었다는 게 문제의 본질입니다.

문제의 본질: 말씀이 전수되지 않는 가정

왜 이것이 문제가 됩니까? 말에 정체성이 담기기 때문입니다. 말에 신앙이 담겨 자녀에게 전수되기 때문입니다. 생각해 보십시오. 아스돗 말에 ‘성전’이라는 단어가 있었을까요? ‘신전’은 있었을 것입니다. 우상이 있고, 각종 음란한 제의가 벌어지는 ‘신전’이라는 단어는 있었을 것입니다. 그러나 이스라엘 백성이 ‘성전’이라고 할 때, 머릿속에 떠오르는 개념들을 ‘신전’이 담을 수 있습니까? 하나님의 임재와, 제물의 피 흘림, 대제사장과 레위인의 거룩하고 엄숙한 봉사, 아름다운 시편의 노래들과 같은 개념이 ‘신전’에는 없습니다. ‘메시야’는 어떻습니까? 메시야를 담을 수 있는 이방의 언어가 있었을까요? 안식일은요? 유월절은요? 화목제는요?

성경의 언어를 전혀 모르는 세대가 이방인과의 결혼을 통해 자라고 있다는 것이 문제였습니다. 출신 지역이 문제가 아니었던 것입니다. 유다 사람이 비록 유다 지역 사람이고, 심지어 '유다 사람'이라고 불렸지만, 아내에게 성경의 언어를 가르치지 않고, 그래서 하나님의 언약의 자녀들을 성경의 언어를 전혀 모르는 이방인으로 만들고 있었습니다. 말을 잃으면 정체성을 잃어버립니다. 일본이 일본식 성명 강요를 그렇게 강조했던 이유, 우리나라가 그렇게 우리말을 지키려 했던 이유도 동일합니다. 말과 함께 하나님 나라의 다음 세대가 소멸하고 있다는 것이 이방인과의 결혼 문제가 지닌 본질입니다.

문제의 원인: 직분자의 직무 유기

느헤미야가 여기까지 파고든 것만으로도 매우 훌륭해 보입니다. 그런데 느헤미야는 한 걸음 더 들어갑니다. '도대체, 회복된 하나님의 나라가 어떻게 다시 이 지경이 되었는가?' 더 깊이 문제의 원인을 찾아갑니다. 원인은 무엇입니까? 직분자들의 직무 유기입니다. 그는 유다인 남편들을 벌합니다(25절). 아내와 자녀에게 하나님의 말씀을 가르치는 직무를 무시한 벌로 그들은 맞고 저주를 받고 머리가 뜯깁니다. 이 폭력 자체는 과한 측면이 있고, 학자들에 따라서는 비유적인 표현이라는 분석도 있지만, 본문의 의도는 충분히 이해할 수 있습니다. 느헤미야는 이 기록을 통해 이스라엘의 모든 아버지에게 아내와 아이들의 신앙에 대한 전적인 책임을 강력하고 분명하게 요구하고 있는 것입니다.

느헤미야가 아비들을 꾸짖으면서 예를 드는 인물도 왕 솔로몬입니다. 그는 큰 권위를 가졌던 직분자입니다. 이스라엘 역사에서 솔로몬과 같이 영광스럽고 권위 있는 왕이 없었습니다. 그는 '여디디야' 즉 '하나님의 사랑을 받은 자'라고 불리기까지 했으며(삼하 12:25), 그의 지혜는 이 땅에 비할 사람이 없었습니다(왕상 4:30-31). '그런 왕이라도, 이방인 여인들과 결혼하여 죄를 지었고 벌을 받았다. 그런 큰 권위자도, 이 말씀에 복종해야 했다. 그렇다면, 하물며, 너희는 얼마나 더 말씀에 복종해야 했느냐!' 느헤미야는 큰 권위를 비교 대상으로 가져와서 작은 권위를 가진 아비들을 꾸짖습니다.

바로 이어서 다른 사건으로 넘어가는데, 이 또한 '직분자'의 직무 유기 사건입니다(28절). 대제사장 엘리아십의 손자와 산발랏의 딸이 결혼한 것입니다. 사마리아 사람 산발랏, 기억하십니까? 성 짓는 일을 방해했던 대적의 대장입니다. 그 대적에게 대제사장이 손주를 주었다는 것 자체가, 유다 전체에 큰 악영향을 주는 것입니다. 원래 제사장에게는 하나님의 백성을 가르치고 그들을 잘 지도해야 할 직무가 있습니다. 말라기 2장이 이를 잘 소개하고 있습니다.

"대저 제사장의 입술은 지식을 지켜야 하겠고 사람들이 그 입에서

> 율법을 구하게 되어야 할 것이니 제사장은 만군의 여호와의 사자가 됨이어늘 너희는 정도에서 떠나 많은 사람으로 율법에 거치게 하도다 나 만군의 여호와가 이르노니 너희가 레위의 언약을 파하였느니라"(말 2:7-8)

제사장들은 하나님을 경외해야 했습니다. 하나님의 사자로서 삶과 말에서 백성을 가르쳐야 했습니다. 제사장들이 이 책임을 다하면, 이스라엘에 생명과 평안이 약속되어 있었습니다(말 2:5). 엘리아십 제사장은 이 언약을 파기했고, 나라의 생명과 평안에 큰 위기를 가져왔습니다. 이 죄가 얼마나 무거운지, 느헤미야는 혼인한 자들을 쫓아내 버립니다. 오늘날로 생각하면 출교입니다. 제사장의 자녀에게 신앙적인 죽음을 선언한 것입니다. 더 큰 권위를 지닌 자의 죄가 더 무겁다는 성경의 원리가 잘 드러납니다.

우리를 향한 느헤미야의 경고

사랑하는 성도 여러분, 이 자리에 앉아 있는 우리 모두, 이 본문을 생각보다 심각하게 받아들여야 합니다. '나는 신자와 결혼했으니까', 혹은 '나는 신자와 결혼할 것이니까', 우리와 상관없습니까? 이 본문이 우리와 상관없다 할 수 없습니다. 결혼한 지 오래된 분들이나 결혼을 준비해야 하는 우리 어린 자녀들도 모두 이 본문을 주목해야 합니다.

우리의 '아스돗 방언'

성도가 말을 할 때, 하나님을 모르는 사람과 차이가 있어야 합니다. 성도와 성도가 대화할 때, 성도 부부가 대화할 때, 성도의 부모와 자녀가 대화할 때, 분명한 차이가 있어야 합니다. 우리 입에서 이방인의 언어를 제어하지 못한다면, 아무리 교회를 오래 다녔더라도, 오늘 유다 사람과 같이 우리도 이방인과 다를 것이 없습니다.

오늘날 우리에게도 아스돗 방언이 있습니다. "각 족속의 방언"(24절), 즉 태어나 자란 곳에서 배운 말 그대로 하는 것이 아스돗 방언입니다. 우리가 대한민국에서 태어나 자랐기 때문에, 자연스럽게 알고 쓰고 있는 말들이 아스돗 방언입니다. 예를 들어 '이번 생앤 글렀어.'라는 말이 요즘 자주 들립니다. 우리에게 다음 생애가 있습니까? '다시 태어나도 나랑 결혼할래?', '다음 생애엔 어떻게 태어나고 싶어?' 이런 말들도 아무 생각 없이 하곤 합니다. '오늘 꿈자리가 이상했어. 몸조심해.', '나 태몽 꿨는데, 내 꿈 살래?' 이런 미신적인 대화도 무심결에 나눕니다. 농담이라고, 재미라고 합니다. 하나님을 예배하고 그의 통치를 받는 입이 이런 말을 재밌어해도 될까요? 이 외에도 무심코 하는 이런 말들도 있죠. 경쟁의 언어, '너 죽고 나 살자.' 비난의 언어, '너 때문에 내가!' 비교의 언어, '왜 내가 더 적어?' 차마 언급할 수도 없는 음란의 언어, 이 모든 것이 오늘날 우리의 아스돗 방언입니다.

우리의 아스돗 방언은 성경을 왜곡시키기도 합니다. 예를 들어, 우리가 이 땅에서 나고 자라며 배운 '권위'라는 말은 성경이 말하는 '권위'와 같습니까? 다릅니까? 어떻게 다릅니까? 우리가 자라며 배운 권위는 힘입니다. 갑질할 수 있는 권력이 바로 떠오릅니다. 성경은 뭐라고 합니까? 성경은 여자의 머리는 남편이라고 말하면서, 남편에게 아내를 '사랑'하라고 명령합니다. 성경에서는 권위가 곧 사랑이기 때문입니다. 사랑에 대한 무한 책임을 지는 것이 성경이 말하는 권위이기 때문입니다. 예수님의 머리이신 성부 하나님께서 무엇을 하십니까? 아들을 향한 무한하고 영원한 사랑입니다. 교회의 머리이신 예수님께서 무엇을 하십니까? 십자가에 죽기까지 사랑하십니다. 성경은 이 무한 사랑의 책임을 남편과 직분자에게 '권위'라는 이름으로 담아 주셨습니다. 이것을 오해하면, 권위를 가지고 나서 교만해지는 것입니다. 내 마음대로 결정하는 데 이 성경 말씀을 써먹는 직분자, 아버지와 남편이 되는 것입니다.

아스돗 방언은 우리 자녀들에게도 크게 영향을 줍니다. '권위'의 개념을 잘못 배우게 되면, 자녀들은 머리가 되려고, 사회에서 이름 떨치고 성공하려고 공부할 것입니다. 유교의 입신양명을 위해 열심히 살 것입니다. 자녀 여러분, 아닙니다! 공부도 섬기기 위해 하는 것입니다. 하나님을 사랑하기 때문에 공부하고, 이웃을 사랑하려고 공부하는 것입니다. 남 주기 위해 공부하는 것입니다. 성경과 아무런 상관도 없는 권위와 힘을 좇아 공부하는 어리석은 자녀들이 되지 마십시오.

이 외에도 이 땅에 태어난 사람으로서 가지고 있는 아스돗 방언, 너무

많습니다. 말씀 없이, 기도 없이, 태어나 자라며 배운 말을 절제하지 않고 쏟아 내는 입에 재갈을 물리지 않으면, 나도 내 배우자도 자녀도 실질적인 이방인이 될 수 있습니다. 교회가 성경의 언어를 배우지 않으면, 정체성을 잃고 개인과 가정이 점점 더 이방화 되어갈 수 있다는 경고에 모두 귀를 기울여야 할 것입니다.

직분자와 부모와 성도인 우리 모두 성경의 언어를 입에 두기 위하여 잘 살피고 노력해야 합니다. 목사는 부지런히 기도하며 교리를 설교해야 하고, 장로는 부지런히 심방하며 교리의 적용을 살펴야 합니다. 부모는 말씀을 기도로 잘 소화하고, 말씀과 기도에서 나온 그 언어를 자녀들의 입에 넣어 주어야 합니다. 성도는 서로 만나서 대화하는 가운데, 서로서로 말씀의 은혜를 나누며 교제해야 합니다. 함께 교리를 배우고, 함께 교리를 적용해야 합니다. 그래서 성도와 교제하는 모임에 빠지시면 안 됩니다.

'율법의 한계' 그리고 '복음'

사랑하는 성도 여러분, 마땅히 그러해야 하나, 이런 바람이 이루어지기 위해서는 해결해야 할 근원적인 문제가 있습니다. 율법의 한계입니다. 우리는 '하지 말아야 합니다.' 혹은 '해야 합니다.'와 같은 외적인 명령을 지킴으로서는 개혁되지 못합니다. 우리에겐 복음이 필요합니다. 복음 없이는 개혁도 없다는 본문의 결론을 마지막으로 살펴보겠습니다.

율법의 집행자 느헤미야의 한계

느헤미야는 아주 집요한 사람입니다. 문제의 진짜 원인을 정밀하게 밝히고 해결하는 사람입니다. 그는 하나님 나라의 정체성을 흔드는 결혼의 이면에 아비들과 권위자들의 직무 유기가 있었음을 밝혀냈습니다. 그래서 저주하고 때리고 머리털을 뽑고 출교시키고 쫓아냅니다. 그의 강한 억제는 계속 반복되어 왔습니다. 처음에 성전 청결 때는 도비야의 살림살이를 다 집어 던졌습니다. 안식일에 장사하는 사람들에게는 꾸짖고 경계하고 소리 질렀습니다. 문을 닫고 열어 주지 않았습니다. 이제는 때리고 저주하고 머리털도 뽑습니다. 점점 강하게 억제하려는 모습이 보입니다.

이런 느헤미야의 모습을 통해 성령님께서는 율법이 이루는 개혁의 한계가 해결되어야 함을 보여 주십니다. 우리는 무엇을 어떻게 해야 하는 줄은 잘 압니다. 아스돗 방언을 버리고, 성경의 언어를 써야 하는 것도 알겠고, 같은 믿음의 언어를 사용하는 배우자를 만나 결혼해야 하는 것도 알겠습니다. 안식을 지켜야 하는 것도 알겠고, 예배자로서 형식, 내용 모두 잘 지켜야 하는 것도 잘 알겠습니다. 그런데 그렇게 '해야 한다.'는 명령만으로는, 우리는 한 발자국도 움직이지 못한다는 것입니다.

우리는 명령을 사랑하지 못합니다. 사랑의 명령으로 듣지 못합니다. 무섭습니다. 그래서 본문은, 억제의 힘이 사라지면 다시 죄로 달려가는 이 죄인의 비참함을 뼈저리게 보여 주고 있습니다. 머리카락을 뜯으며 말려도 안 되는, 이 끈질긴 우리의 죄와 비참을 생생하게 보여 줍니다. 돌에 새

긴 율법 조문이 아닌 획기적인 새로운 길이 필요하다는 것을 깨닫게 해 줍니다. 그래서 우리는 느헤미야의 개혁 끝마다 기도가 붙어 있다는 것에 주목해야 합니다.

느헤미야의 소망, 예수 그리스도의 복음

느헤미야의 마지막 기도의 원문을 직역하면, '나의 하나님, 복을 위하여, 나를 기억하소서.'입니다. 이 복은 무엇일까요? 이 복은 영어 성경으로 보면 'good'입니다. 'good'은 느헤미야서에서 다양하게 번역되었습니다. 2장 10절에서는 '이스라엘 자손을 **흥왕케 하려는 사람**이 왔다.' 할 때 '흥왕'으로 번역합니다. 2장 18절에서는 백성이 나라를 흥왕케 하는 공사를 모두 힘을 내어 시작하는데, 이때 이 공사를 '선한 일'로 번역합니다. 그러니까 느헤미야 전체에서, 이 '복(good)'이라는 단어는 하나님의 나라를 일으켜 세우는 선한 일, 하나님의 나라가 번창하고 부흥하고 흥왕하는 것을 뜻하는 단어로 사용됩니다. 느헤미야가 그 복을 하나님께 빕니다. '다시 선 하나님의 나라가 계속 흥왕하기 위하여, 나를 기억해 주소서.'라고 기도합니다. '성전과 안식일과 결혼을 회복한 나를 기억하셔서, 하나님 나라를 지키시고 흥왕하게 하소서.' 하고 기도합니다.

이 기도를 포함하여 13장의 세 번의 기도가 얼마나 놀라운 기도인지 모릅니다. 첫 번째 기도에서 그는 '나의 헤세드를 없애지 마소서.'라고 기도했습니다(14절). 이 기도는 백성의 자리에서 '하나님을 위해 헌신한 저의 신실한 사랑을 기억해 주십시오.' 하고 아뢰는 기도입니다. 두 번째 기도에서 그는 '주의 큰 헤세드대로 나를 아끼소서.'라고 기도했습니다(22절). 이번에는 하나님 편에서 백성을 위하여 언약적 사랑을 베풀어 달라는 기도입니다. 그리고 마지막 기도에서 그는 '복을 위하여' 하나님 나라의 흥왕을 위해 기도합니다. 느헤미야는 자신의 헤세드를 하나님께 드리며, 하나님의 헤세드를 자기에게 주시기를 구하며, 하나님 나라의 흥왕을 소망하였던 것입니다.

언약적 사랑을 뜻하는 '헤세드'를 한마디로 표현하면 "나는 너희 하나님이 되겠고 너희는 내 백성이 되리라"(렘 7:23)입니다. 이 말씀대로, 백성을 사랑하시는 '우리의 하나님'이시면서, 동시에 하나님이 사랑하시는 '내 백성'으로 오신 분이 누구십니까? 완전한 '우리의 하나님'이시면서 동시에 '하나님의 백성'이신 신비로우신 분이 우리에게 오셨는데 그분이 누구십니까? 참 사람이시며, 참 하나님이신 예수 그리스도이십니다. 느헤미야가 기도 중에 소망했던 '헤세드'의 실체요 완성이신 그리스도 예수께서 느헤미야가 그토록 고대했던 하나님 나라의 흥왕을 이루셨습니다. "회개하라 천국이 가까왔느니라"(마 4:17). 그분은 하나님 나라의 복음을 전파하셨습니다. 복을 전파하고 천국의 흥왕을 위해 오셨습니다. 그리고 그분은 십자가에서 죽으시고 부활하시고 승천하셔서, 지금은 임마누엘의 복으로 세상 끝날까지, 온 땅이 하나님 나라가 될 때까지, 함께해 주시겠다고 약속해 주셨습니다. 느헤미야의 기도는 그리스도 안에서 완벽하게 이루어졌습니다.

그리스도의 복음 없이 이루어질 수 없는 교회의 개혁

사랑하는 성도 여러분, 이 예수 그리스도의 복음을 듣고 믿는 자들에게는, 똑같은 율법이 전혀 다르게 다가옵니다. 우리를 때리고 다그치고 겁주고 저주하고 억제하는 명령이 아니라, 우리의 마음에 편지처럼 새겨 주신 하나님의 뜻이자, 사랑의 명령으로 들려옵니다. 마음에 명령이 새겨진 것처럼 더 분명하고 더 충만한 역사가 일어납니다. 헤세드 그 자체이신 예수 그리스도를 말씀으로 보고 믿기 때문입니다. 이 실체를 믿게 하시는 성령님의 은혜로 말미암아 더 깊이, 더 충만하게 중생의 은혜에 참여하게 됩니다. 그 은혜가 우리 안에 늘 있어서, 하나님을 온 마음과 온 뜻과 온 힘을 다하여 사랑하게 됩니다. 그 사랑이 계명을 지키는 원동력이 됩니다. 이 놀라운 복음의 선포를 통해 여러분과 제가 하나님을 사랑하여 순종하게 되는 것입니다. 따라서 복음 없이, 개혁은 없습니다. 이것이 오늘 본문의 결론이자 13장의 결론이자, 느헤미야의 결론입니다. 예수 그리스도의 복음만이, 헤세드와 복의 실체이신 그리스도의 복음의 능력만이 내 삶과 이 땅의 교회와 온 세계 교회의 개혁을 이룹니다.

사랑하는 성도 여러분, 여러분의 마음에 이 복음의 능력이 충만하기를 간절히 바랍니다. '교회의 개혁은 불가능하다.' 세상의 말입니다. '내 삶은 끝났다.' 세상의 말입니다. '죽겠다.' 세상의 말입니다. 여러분, 그 모든 말을 이미 이기시고 승리하신 분이 지금 살아 계셔서, 하나님을 마음과 뜻과 힘을 다해 사랑할 수 있도록 성령으로 우리를 섬기고 계십니다. 그분이 지금 우리를 성전이 되게 하십니다. 그분이 우리에게 안식을 주십니다. 그분이 영원한 혼인 잔치를 위해 준비하고 계시며 성찬을 통해 그 잔치를 미리 맛보게 하십니다. 그분이 복음의 능력을 힘입은 우리를 통하여 하나님의 임재와 통치를 받는 하나님의 나라를 이루어 가시고, 교회를 개혁해 가십니다.

그리스도의 복음으로 개혁되는 교회

이제 복음이 선포되었으니 믿고, 회개하며, 순종하십시오. 복음 없이 개혁이 없고, 복음을 믿지 않는 성도에게 회복은 없습니다. 복음을 믿는 자들에게는 우리의 언어생활을 깊이 성찰하는 마음과, 새로운 말로 우리 입을 채우려는 열정과, 복음으로 결혼을 준비하고 복음 위에서 결혼 생활을 해 나가고, 복음으로 결혼이 회복되기를 소원하는 열망이 일어나게 될 줄로 믿습니다. 오늘도 내일도 복음으로 하나님 나라 백성답게 새로워지고, 복음으로 개혁되는 교회 되게 해 주시기를 성부와 성자와 성령의 이름으로 간절히 축원합니다.

절망 위에 세우신 소망의 나라

느헤미야 강해 설교

펴 낸 날 2020년 11월 20일 초판 1쇄

지 은 이 정중현
펴 낸 이 한재술
펴 낸 곳 그 책의 사람들

디 자 인 참디자인(이정희)

주 소 경기도 안성시 공도읍 공도로 150, 107동 1502호
팩 스 0505－299－1710
카 페 cafe.naver.com/thepeopleofthebook
메 일 tpotbook@naver.com
등 록 2011년 7월 18일 (제251－2011－44호)
인 쇄 불꽃피앤피

책 값 19,000원
ISBN 979－11－85248－34－9 03230

이 도서의 국립중앙도서관 출판시도서목록(CIP)은
서지정보유통지원시스템 홈페이지(http://seoji.nl.go.kr)와
국가자료공동목록시스템(http://www.nl.go.kr/kolisnet)에서 이용하실 수 있습니다.
(CIP제어번호 : CIP2020047387)

· 이 책은 출판 회원분들의 섬김으로 만들어졌습니다.